Knaur®
10652809

Esoterik

Herausgegeben von Gerhard Riemann

Deutsche Erstausgabe 1989

Titel der Originalausgabe »Subtle Energy«

Umschlaggestaltung Dieter Bonhorst
Satz Auerdruck, Donauwörth
Druck und Bindung Ebner Ulm
Printed in Germany 5 4 3 2 1
ISBN 3-426-04195-2

John Davidson: Strahlungsfeld

Subtile Energieformen unseres Da-Seins

Aus dem Englischen von Karl-Friedrich Hörner

Dieses Buch ist uns allen gewidmet, die wir diesen Planeten teilen, gleichgültig, was unsere gesellschaftliche Schicht, unser Glaubensbekenntnis, unsere Position oder Hautfarbe auch sei. Laßt uns Vorurteile ausräumen und nie von der Suche nach tieferem Verstehen ablassen.

Inhalt

Wie das menschliche Denken erkennen kann, daß alle Materie Energie ist, so kann der Geist sehen, daß alle Energie Liebe ist.

Juan Mascaro, Einführung zur *Bhagavadgita*

Kühne Vorstellungen, grundlose Vorwegnahmen und spekulative Gedanken sind unser einziges Mittel zur Interpretation der Natur.

Sir Karl Popper, *The Logic of Scientific Discovery*

GELEITWORT
von Simon Martin

Simon Martin ist Journalist und Schriftsteller. Wohl als einer der jüngsten Herausgeber einer größeren, weitverbreiteten Zeitschrift publizierte er 1980–1983 Here's Health *und wurde später der Begründer und Herausgeber des erfolgreichen* Journal of Alternative Medicine. *Er arbeitet und schreibt jetzt als unabhängiger Autor über alle Aspekte der Gesundheitsförderung.*

Die Geschichte, die zu der Entstehung dieses Buches führte, gleicht einer jener Anekdoten oder Fallgeschichten aus dem Erfahrungsschatz des Praktikers, nur daß der Patient hier John Davidson ist und ich der Erzähler und kein Behandler.

In Kreisen der Naturheilkundler sind John und Farida Davidson recht bekannt für ihre Integrität und Weitsicht. John hatte, während er noch ganztags an der Universität Cambridge arbeitete, eine Forschungsgesellschaft gegründet. Zur gleichen Zeit kämpfte er auch – wenngleich, ohne es zu wissen – mit den schädlichen Auswirkungen jahrelangen Arbeitens in den elektromagnetischen Feldern und Ausstrahlungen von Computern.

Durch seine ausführliche akademische und praktische Arbeit im Bereich der von ihm so genannten Schwingungslehre entdeckte John unmittelbar die unglaublichen Wirkungen der überall vorhandenen elektromagnetischen Verstrahlung. Zum Glück fand er auch einige Antworten darauf – geistig zunächst, wie ich glaube, viele Jahre zuvor – und ersann später praktische Möglichkei-

ten, dem ständigen Aderlaß seines Repertoires an subtilen Energien entgegenzuwirken.
John war schon während seiner Jahre an der Universität sehr schöpferisch; nachdem er im Oktober 1984 seine Stelle dort aufgegeben hatte, entwickelte er sich nun zu einem Menschen, der kräftig, sensitiv und zugleich unglaublich produktiv ist. Dieses Buch ist der Beweis dafür, wie praktisch das ist, was auf den ersten Blick vielleicht etwas ätherisch erscheint.
Der erste Abschnitt des Buches handelt von der Philosophie, die hinter der praktischen Anwendung steht. Ich habe persönlich keine große Beziehung zur östlichen Philosophie. Als ich ihm das sagte, meinte John: »Um vollständig zu sein, muß die Geschichte an ihrem Ursprung beginnen. Sonst wäre es wie der Versuch, die Umlaufbahnen der Planeten zu beschreiben, ohne die Sonne dabei zu erwähnen.« Doch es sei versichert, daß dieses Buch hauptsächlich von den »Umlaufbahnen« handelt.
Im Laufe der vielen Monate, die John an diesem Werk schrieb, gewöhnte er sich daran, daß immer wieder Abschnitte davon sicht- oder hörbar zu ihm zurückfanden in Gestalt der Äußerungen und Veröffentlichungen anderer Forscher; dennoch hörte er nie auf, seine Entdeckungen jedem mitzuteilen, der ihrer bedurfte. Auf der Suche nach praktischen Möglichkeiten der Nutzung dessen, was er zusammenfügte, wurde er zum Pionier in der Anwendung von Pulsoren® in diesem Lande. Ich habe einige Informationen über diese schützenden Geräte in einem Artikel über elektromagnetische Verstrahlung gebracht, den ich für die Zeitschrift *Here's Health* schrieb. Durch diesen Aufsatz zeigte sich, daß wir uns in die gleiche Richtung bewegten und zu vielen übereinstimmenden Schlüssen gelangt waren; und so kam es dazu, daß John mich bat, das Geleitwort für sein Buch zu schreiben.
Es hat den Anschein, daß uns noch nie soviel Information

über die Arbeitsweise unseres Körpers und Geistes zugänglich war. Es ist noch nicht lange her, daß solche Informationen geheim waren und verschlüsselt, nur einem ausgewählten Kreis verständlich. Wissen ist Macht, und noch heute klammern sich medizinische und andere Berufe an die Überreste solchen exklusiven Elitedenkens. In der Medizin zeigt sich das durch die Verwendung einer Fachsprache: Durch spezielle Terminologie und Technik wird das Berufsgeheimnis bewahrt.
In Medizin und Wissenschaft wird der Status der etablierten Elite aufrechterhalten durch den Zwang, Forschungsergebnisse in Fachzeitschriften zu veröffentlichen und dem »unqualifizierten, gemeinen Volk« keine Informationen zugänglich werden zu lassen, bevor die Elite selbst die Chance hatte, sich gründlich mit dem neuen Wissen vertraut zu machen und zu befinden, auf welchem Wege es zu verbreiten sei.
In der Praxis bedeutet dies, daß 60 Jahre ins Land gehen können, bis eine möglicherweise lebensrettende Errungenschaft Eingang in unseren Alltag findet. Diese institutionalisierte Verzögerung verkürzt sich meist nur dann, wenn es einen persönlichen Vorteil oder kommerziellen Profit bringt. Das ist die Wissenschaft des »alten Paradigmas«. Die Wissenschaft des »neuen Paradigmas« erkennt an, daß Wahrheit keinem gehört, und am wenigsten jenen, die ein persönliches Interesse daran haben, sie zurückzuhalten. Das neue Paradigma weiß auch, daß größere wissenschaftliche Durchbrüche oft jenen gelangen, die die Grenzen ihres Fachgebietes überschritten haben und in der Folge als »Amateure« beschimpft wurden und zusehen mußten, wie man ihre Entdeckungen ignorierte. Wir besitzen bereits mehr als genug Informationen, um unseren Lebensstil, unseren Gesundheitszustand und den Planeten, der uns trägt, völlig umzuwandeln und so das hohe Entwicklungsziel zu erreichen, für das wir hier

sind, wie ich glaube. Das Problem ist nicht ein Mangel an Information; das Problem besteht in einem Mangel an Menschen, die gewaltige Informationsmengen erfassen, überschauen und dann so vereinfachen können, daß sie für die Weitergabe an die Masse geeignet sind.
Nicht viele Menschen besitzen jenen neugierigen Geist und dazu die Neigung, sich sofort angespornt zu fühlen, wenn sie auf die Spur eines äußerst merkwürdigen, ungewöhnlichen Faktums stoßen, das, wie alle anderen einem versichern, bedeutungslos sei. Ich habe so eine Art zu denken und war von Herzen entzückt, John Davidsons Buch (in seinen verschiedenen Entwicklungsstadien) zu lesen und dabei festzustellen, daß auch er so denkt. Doch das ist nicht alles: Er hat ein solches Maß an Forschungsmaterial und praktischer Erfahrung selbst und aus anderen Quellen zusammengetragen, daß er mir und anderen Sammlern und Jägern vermutlich mehrere Jahre des Lesens erspart hat!
John ist nicht nur aufgrund seiner Ausbildung ein Wissenschaftler, sondern er hat sich zu einem sensitiven Therapeuten und Lehrer entwickelt. Während sein Buch einen gewaltigen Bogen spannt von den hinduistischen Lehren der Antike über Paracelsus, zu Burr, Reich, Polarity und noch weiter, ist John ständig bemüht, die praktische Anwendbarkeit der Lehren zu zeigen.
Viel habe ich aus diesem Buch gelernt. Ich weiß jetzt, wie ich mich vor der schwächenden Auswirkung stundenlanger Arbeit mit dem Textverarbeitungscomputer schützen kann, und John hat mich großzügig auf die Veröffentlichungen in einigen Schlüsselbereichen der Forschung gestoßen.
Insbesondere wurde ich mir der entscheidenden Rolle bewußt, die die subtilen Energiereaktionen zwischen Mensch und Umwelt in Gesundheit und Krankheit spielen, und im verbleibenden Teil meines Geleitwortes will

ich zeigen, wie die Erkenntnisse dieser Schwingungslehre in Medizin und Heilkunst mehr und mehr zur Anwendung gelangen werden.
Man müßte schon Einsiedler sein, um sich nicht zu fragen: »Was soll aus uns werden?« Gewaltverbrechen lauern in den Straßen. Ein Volk von Tierfreunden, mißhandeln wir nun Katzen, Hunde und Pferde in erschreckendem Ausmaß, sagen die Tierschutzbünde.
Wir sind vorsätzlich grausam zu Tieren, die wir schlachten und essen. Wenn wir sie nicht verspeisen, verwenden wir sie für Experimente. Will man den Berichten in den Medien Glauben schenken, dann sind die meisten männlichen Angehörigen unserer Spezies Trinker, Mörder und Vergewaltiger, zu deren Freizeitbeschäftigung noch die Mißhandlung von Kindern und Ehefrauen gehört.
Es ist leicht, den Zustand der Menschheit auf Alkohol, schlechte Ernährung und Arbeitslosigkeit zu schieben. Leider sind die Dinge im wirklichen Leben nicht so einfach.
Andrew M. Danie, Mitglied einer schottischen Gesellschaft für geologische Störfelder, stellte fest, daß Kriminelle für ihre Taten nicht eigentlich verantwortlich sind. Er konnte voraussagen, wo Gewaltakte und Verbrechen stattfinden würden. Er konnte sogar Beschreibungen der Gewalttäter liefern, *bevor* sie etwas anrichteten.
Auf ähnliche Weise hat sich gezeigt, daß es möglich ist, durch mathematische Berechnungen vorauszusagen, wo es wahrscheinlich zu »überraschenden« Todesfällen kommen würde. Sogenannte Krebshäuser zum Beispiel lassen sich exakt feststellen, aber auch Zeit und Ort eines Herzinfarkts oder eines spontan ausbrechenden Brandes.
Solches Wissen ist nicht esoterisch, auch nicht okkult. Es war schon vor Urzeiten bekannt und wird jetzt wiederentdeckt. Die »verlorengegangenen« Informationen, auf denen solche Entdeckungen beruhen, werden Stück für

Stück von modernen Forschern von neuem zusammengetragen, von denen die meisten in diesem Buch auftreten werden. Und das verlangt nach einer drastischen Neubeurteilung der Sicht, die wir von uns selbst und unserer Welt besitzen.

Eine der wichtigsten »unbekannten« (oder nicht bekanntgemachten) Tatsachen ist die Existenz von mindestens zwei planetaren Netzen elektromagnetischer oder vielleicht noch feinerer Strahlung, über die wir bereits Kenntnisse haben: das Curry-Netz und das Globalgitternetz (Hartmann-Gitter). Das Globalgitternetz gleicht einem Rechteck-Raster, der die Erdoberfläche überzieht. Das Curry-Netz ist ähnlich, seine Gitterlinien verlaufen jedoch diagonal. An allen Kreuzungspunkten des Globalgitternetzes gibt es eine Verstärkung der negativen Energie, die uns zu schaffen macht. Läuft über eine Kreuzungsstelle auch noch eine Curry-Linie, vermehrt sie die störenden Kräfte noch zusätzlich (siehe Kapitel 8).

Wenn Sie also in einem Haus über einem solchen Kreuzungspunkt wohnen oder arbeiten, ist das ein Problem. Das bedeutet aber nicht, daß Sie jung sterben oder ein Verbrechen begehen werden, es bedeutet nur, daß die Energie den Netz- oder Gitterlinien entlang »pulsiert« und in bestimmten Abständen verstärkt auftaucht.

Das könnte beispielsweise etwas mit der Aktivität der Sonnenflecken zu tun haben, die bekanntlich in einem elfjährigen Zyklus auftritt – und es gibt viele Sonnenflekken, die jederzeit aktiv sein können. Wenn ein Sonnenfleck »ausbricht«, sendet er einen Schub elektromagnetischer Strahlung aus, der das Klima auf der Erde, besonders in seinen elektrischen Aspekten, beeinflussen kann. Das zyklische Schwanken der Erdenergien, das diese Sonnenflecken verursacht haben könnte, kann zu außergewöhnlichen Stürmen, Erdbeben und so weiter führen. Nachdem solche »Entdeckungen« der modernen Wissenschaft nun tatsächlich auch allen bekanntgegeben wurden, können wir erst verstehen, welch große Bedeutung die Astronomie und Astrologie für jene hatte, die vor uns hier waren. Man sieht leicht ein, warum Observatorien und Kalenderbauten wie die Steinkreise von Stonehenge so wichtig waren, besonders angesichts der Tatsache, daß solche steinernen Monumente an Hauptenergielinien der Erdoberfläche angeordnet sind. Es ist unschwer vorzustellen, wie durch solche Linien zu verschiedenen Zeiten im Jahr die Energien pulsieren – und Untersuchungen mit Geigerzählern und die Aufzeichnung elektromagnetischer Strahlung bei den Rollright-Steinen und an anderen Orten haben tatsächlich zyklisch wiederkehrende Aktivitätsausbrüche gezeigt.

Unser heutiges Problem besteht darin, daß wir alles zerstören, was die negativen Auswirkungen solcher Schübe von elektromagnetischen und noch subtileren Energien ausgleichen und uns vor Erdstrahlen schützen konnte: Bäume zum Beispiel, oder fließendes Wasser, das nur zu oft in geschlossene Bahnen gezwungen oder zu giftigem Schlamm verschmutzt wird. Das offene Land verschwindet zusehends unter Beton und Asphalt. Und dazu errichten wir noch künstliche Energiestörquellen: Hochspannungsleitungen, Mikrowellenradar-, Radio-, Fernseh-, Richtfunk- und andere Sendeanlagen.

Wenn Sie also mitten in einem Wohnblock leben, fast ohne Fenster, dafür umgeben von Beton, bombardiert von Lärm und Geräuschen aus allen Richtungen, sich dann noch stundenlang vor dem (strahlenden) Fernseher niederlassen, von denaturierten, wertlosen Produkten ernähren *und* noch zuviel rauchen und trinken, weil Sie angespannt sind – weil die Leute über Ihnen die ganze Zeit genau über Ihrem Kopf herumtrampeln –, *und* Ihre Wohnung noch gerade auf einer Kreuzung von Curry- und Globalgitternetz gebaut ist *und* Sie sich aufregen, weil Sie

Ihre Arbeit nicht ausstehen können, aber trotzdem tun müssen ... wenn dann noch eine erhöhte Sonnenfleckenaktivität dafür sorgt, daß ein Strahlungsschub durch die Gitternetze pulsiert (wie der Strom durch das Leitungsnetz) – dann kann Ihnen weiß Gott was passieren.
Auf den ersten Blick gibt es keinen realen Grund, warum eine Energie, die wir nicht sehen können, die teils durch die Erde unter uns fließt und teils aus der Atmosphäre auf uns einstürmt, uns krank machen sollte. Aber wie John Davidson zeigt, sind nur manche Wirkungen direkt körperlich, meßbar und wahrnehmbar, viele aber sind es nicht. Und trotzdem wirken sie auf die elektromagnetischen und feineren Energien, die unseren Körper durchdringen und umgeben: die Aura (um irgendeine Bezeichnung zu gebrauchen).
Es ist allgemein bekannt, daß Materie der Energie folgt – wie das Physische dem Gedanken folgt. Alles existiert zuerst als Gedanke. Nehmen Sie zum Beispiel den Stuhl, auf dem Sie sitzen. Irgend jemand mußte zuerst die Idee eines Stuhles haben, mußte sich vorstellen, wie er auszusehen habe und wie er zu gebrauchen sei, und erst später erschien der Stuhl als greifbarer Gegenstand.
In tieferem, noch realerem Sinne gilt das gleiche auch für den Körper. Solange Sie Ihr persönliches Kraftfeld harmonisch strahlend und intakt halten, werden Sie körperlich keine Probleme haben. Nur ist es so, daß wir in einer Atmosphäre leben, die erfüllt ist von Radiowellen, Fernsehwellen, Mikrowellen und so weiter. Damit sind wir bereits benachteiligt. Aber dann kommt noch der eine oder andere Schub elektromagnetischer oder subtilerer Energien, der einem Löcher in die Aura reißt. Und wenn erst einmal Störungen im Aurafeld sind, in der biophysischen Matrix, dann werden sich früher oder später körperliche Symptome einstellen.
Denken Sie nur an einen Herzanfall; hier können Sie sich

ganz gut vorstellen, daß Energie blockiert ist – oder stellen Sie sich ein Loch oder einen blockierten Energiewirbel im körperlichen Kraftfeld vor, der sich in Form eines Tumors manifestiert.
Wir haben gewußt, daß es so sein muß, aber bis heute hatten wir kaum eine klare Vorstellung davon, wie eine Störung im feinstofflichen Energiefeld Veränderungen auf zellularer Ebene bewirken kann, die schließlich pathologisch werden. Mit Hilfe von John Davidsons Synthese können wir nun erkennen, daß Polarität – das genaue Gleichgewicht von Positiv, Negativ und Neutral – der springende Punkt ist, und wir können verfolgen, wie diese Polarität auf allen Ebenen aufrechterhalten wird: im Energiekörper, im feinstofflichen Nervensystem der Chakras, im materiellen Körper durch das System der endokrinen Drüsen und der Nerven bis hin ins Blut und die Zellen – auf allen Ebenen.
Warum wohl haben die Schriften der Alten dem Blut so viel Bedeutung zugemessen? Warum wohl war das Blut zu allen Zeiten ein Symbol des Lebens? Kapazitäten aus dem Kreis der Naturheilpioniere bis hin zu modernen Forschern wie David Tansley behaupten, daß das Blut der Träger der Lebenskraft sei, die anders ist und eine höhere Schwingungsebene besitzt als die elektromagnetische Energie.
In diesem Buch werden wir die Bedeutung des Blutes von neuem kennenlernen. Wir wissen, daß manche Bakterien im Blut magnetisch aktiv sind. Sie werden zu einer Verletzung beispielsweise hingezogen, da sich die Polarität verändert; sie »wachen auf« und spielen eine nützliche Rolle im Blutgerinnungsvorgang. Deutsche Forschungen haben gezeigt, daß die Blutgerinnung an Orten mit geopathischer Belastung verlangsamt ist.
So erfahren wir Schritt für Schritt, daß wir von einem massiven Komplex von Faktoren beeinflußt werden. Wir

leben auf einem Planeten, der von einem dichten Netz ektromagnetischer und subtilerer Kraftlinien überzogen ist; überirdische Gewässer und unterirdische Wasseradern spielen eine wichtige Rolle im Fließen und Strömen der Energien. Das Energiefeld der Erde »pulsiert« in Zyklen, die unter anderem von der Sonnenfleckenaktivität beeinflußt werden und von der Stellung der Planeten und Sterne. Wir können nur Vermutungen darüber anstellen, inwiefern Störungen in der »Aura«, dem schützenden Energiefeld unserer Erde, »Krankheiten aus dem Weltall« Einlaß zu gewähren vermöchten – wie Fred Hoyle und Chandra Wickramasinghe behaupten: Bakterien und Viren drängen von außerhalb der Erdatmosphäre in unser System herein.
An diesem Punkt haben wir die Möglichkeit einzugreifen: Wir können die Zonen wahrscheinlicher geopathischer Belastung mit Pendel oder Wünschelrute aufspüren oder mathematisch feststellen nach der Katastrophentheorie und mit Hilfe unserer genauen Kenntnisse der Lage des irdischen Kraftliniennetzes. Wir können »behandeln« mit Feng Schui und anderen Methoden der Energieharmonisierung, oder wir können einen großen Teil des Problems von vornherein ausschließen, indem wir die biologischen und ökologischen Aspekte unserer Bauweisen nach den vorliegenden Erkenntnissen korrigieren. Darüber hinaus können wir aus Astronomie und Astrologie Frühwarnungen gewinnen, die uns auf mögliche zyklische Störungen hinweisen.
Dann könnten wir versuchen, die Auswirkungen unserer immer massiveren Eingriffe in die Atmosphäre unter Kontrolle zu bringen: Atomtests, Fluorchlorkohlenwasserstoffe, Kohlendioxidanstieg, umfangreicher Einsatz auch anderer Waffenarten (die zwar ebenfalls katastrophale Wirkung haben, aber sich fast ungehindert vermehren dürfen im Schatten unserer Erleichterung darüber,

daß sie ja nicht nuklear sind). Wir könnten uns auch entschließen, die Quellen elektromagnetischer Strahlung zu kontrollieren, die unseren individuellen Energiehaushalt ständig in höchster Alarmbereitschaft halten.
Wenn solche Vorbeugung erfolglos bleibt, beeinflussen die zyklischen oder rhythmischen Störfelder automatisch den »Homo electronicus« (wie Prof. Sedlak, Polen, den modernen Menschen nennt) über sein persönliches Energiefeld. In diesem Stadium ist körperliche Krankheit jedoch erst eine Möglichkeit und der Diagnose mit Pendel, Rute und ihren elektronischen Verwandten zugänglich, auch der Aufzeichnung mit Kirlian-Fotografie und der Wahrnehmung durch die angeborene oder erlernte Sensitivität anderer Menschen.
Hier gibt es individuell verschiedene Interventionsmöglichkeiten: Geistige Heilung, Farbtherapie, bioelektronische Regulationsmedizin, Meditation, Musik und Visualisierung können die ansonsten unausweichlichen Auswirkungen erheblich verändern.
Ohne entsprechende Maßnahmen führen die subtilen Energiestörungen zu Veränderungen auf zellulärer und biochemischer – einschließlich endokriner – Ebene, über ein komplexes System von Wechselwirkungen und Umständen, die uns an die bekannte Frage denken lassen: »Was war zuerst – das Huhn oder das Ei?« Was als nächstes geschieht, mag davon abhängen, ob Blut und Abwehrsystem elektrisch oder magnetisch »eingestellt« sind, was sich mit Hilfe eines neuen diagnostischen Tests aus Deutschland feststellen läßt. Es sei daran erinnert, daß das Blut – und was auch immer es mit sich führt – im menschlichen Organismus *überallhin* gelangt.
Möglicherweise spielt die bakterielle Aktivität im Blut – sowohl die bekannte als auch die vermutete und die erst relativ neu entdeckte – eine wichtige Rolle in dieser Kettenreaktion. Der Schwerpunkt der Krankheit kann wohl

eine bestimmte Körperstelle sein, die dafür »prädisponiert« ist durch eine genetische Schwäche, durch Umwelteinflüsse oder einfach eine Verletzung – wie zum Beispiel in den dokumentierten Fällen von Kinderlähmung bei geimpften Kindern, die sich immer auf den Ort des Nadelstichs zu konzentrieren scheint oder dort, wo eine Mandel- oder Blinddarmoperation vorgenommen worden ist. (In diesem Zusammenhang sei auf Leon Chaitows neues Buch *Vaccination and Immunisation* hingewiesen, erschienen bei C. W. Daniel, Saffron Walden.) Auch in diesem Stadium kann eine Intervention immer noch verhältnismäßig schmerzlos sein; das ist abhängig von der Offenheit des einzelnen. Veränderungen sind durchführbar in den Aspekten der Umgebung und Lebensweise, die die Krankheit fördern oder von der Krankheit gefördert werden: Entgiftung, Reinigung, Ernährung, Darmsanierung zum Beispiel. Jede der alternativen Behandlungsweisen können wir hier einsetzen: Homöopathie, Phytotherapie, Fasten, Hydrotherapie, Akupunktur, Osteopathie. Sie wirken mehr oder weniger deutlich am Ort der Krankheit oder indirekt, indem sie die Unversehrtheit des Energiefeldes wiederherstellen.

Das nächste Stadium ist die pathologische und biologische Gewebedegeneration; wir gelangen in die Welt des Tumors und der drastischen, anscheinend irreversiblen körperlichen Veränderungen. Und doch wissen wir, daß auch hier noch Hilfe möglich ist. Die Gerson-Therapie zum Beispiel, eine sehr tiefgreifende Ernährungsumstellung, baut die Lebenskraft wieder auf, indem sie das Säure-Basen-Verhältnis im Blut verändert.

Selbst wenn die Krankheit sich bis in dieses Stadium entwickelt hat, können die Veränderungen im Körper nicht nur zum Stillstand gebracht, sondern tatsächlich beseitigt werden – das zeigen die Erfahrungen mit sogenannten alternativen Therapien. Im Bereich der Allopa-

thie wollen einige Studien allerdings den Nachweis erbringen, daß die Wirksamkeit der Therapie bei Krebspatienten direkt mit deren Persönlichkeit zusammenhängt, weil die herkömmliche Behandlung so drastisch wechselnde Erfolge zeitigt, trotz der Millionen, die man in die Erhaltung von Arbeitsplätzen auf dem Gebiete der Krebsforschung investiert.
Aber kein schulmedizinischer Krebsarzt in diesem Lande würde daran denken, den Patienten aufzufordern, seine Schlafstelle zu ändern oder sich vor elektromagnetischer Strahlung zu schützen. Wie dieses Buch zeigt, können derart simple Maßnahmen drastische Wirkungen haben.
Während ich an diesen einführenden Worten schrieb, kam eine weitere, verblüffende Bestätigung der soliden Grundlage, auf der die Experimente und Hypothesen beruhen, die John Davidson in seinem Buch veröffentlicht. Meine Mitarbeiterin Cheryl Issacson kam aus den Vereinigten Staaten zurück und brachte ein Exemplar der amerikanischen Zeitschrift *Discover* mit. Die Überschrift auf der Titelseite lautete:

DER ELEKTRISCHE MENSCH

Dr. Bjorn Nordenstrom behauptet, im menschlichen Körper eine bislang unbekannte Welt elektrischer Aktivität entdeckt zu haben, die die Grundlage des Heilungsprozesses bildet und für die Gesundheit ebenso entscheidend ist wie der Blutkreislauf. Wenn er recht behält, hat er die bedeutendste biomedizinische Entdeckung unseres Jahrhunderts gemacht.

Es folgte ein dreizehnseitiger Bericht, der genau schilderte, wie Nordenstrom elektrische *Polaritäten* im Blut feststellte und wie er die natürlichen Stromkreise manipulierte, um Tumoren aufzulösen!
Im Hinblick auf den Inhalt dieses Buches von John David-

son sind Nordenstroms Entdeckungen keine Überraschung. Wenn Sie es ausgelesen haben, wird es Sie auch nicht mehr überraschen, daß Nordenstroms Erkenntnisse von der weiten Mehrheit seiner Kollegen sowie vom ärztlichen Berufsstand überhaupt völlig ignoriert wurden.
Das geschieht ungeachtet der Tatsache, daß Nordenstrom ein brillanter Wissenschaftler ist, der in seinem Beruf – er ist Radiologe – unbestreitbar eine Spitzenposition erreicht hat. Er ist Chef der diagnostisch-radiologischen Abteilung am Stockholmer Karolinska-Institut, war Vorsitzender des Karolinska-Nobel-Ausschusses, der den Nobelpreisträger für Medizin bestimmt, und er erfand eine ganze Reihe radiologischer Methoden, die in den fünfziger Jahren als zu radikal abgelehnt wurden, aber inzwischen weltweit verbreitete Routine geworden sind.
Nordenstrom hat Glück: Er wurde nur ignoriert. John Davidson berichtet, daß viele andere Pioniere der »Schwingungslehre« beschimpft und eingesperrt wurden, weil sie es gewagt hatten, das Establishment herauszufordern. Ihre Gedanken aber haben überlebt und warten auf Gelegenheiten wie diese, um wieder ans Tageslicht aufzusteigen... Lesen wir also weiter...

Simon Martin

EINFÜHRUNG

Wir Menschen gehen durch eine Zeit extremer Polarisierung: Die Entwicklung hochkomplizierter Waffensysteme auf der Grundlage gewisser Kenntnisse über die energetische Struktur der Materie hat es möglich gemacht, uns selbst, ja alles Leben auf diesem Planeten zu vernichten. Auf der anderen Seite tritt in Angehörigen aller Völker unserer Erde mehr und mehr ein neues Verständnis, eine neue Sensitivität, ein neues Bewußtsein hervor.

Das zeigt sich am deutlichsten an dem weltweiten Ruf nach Umweltbewußtheit und Umweltschutz, und im einzelnen am heranwachsenden Gewahrwerden des Mystischen, Subtilen. Hierin gründet beispielsweise hauptsächlich die Hinwendung zur alternativen Medizin.

Diese Polarität, das Nebeneinanderbestehen von Extremen, ist wahrlich sehr schmerzhaft. Aber Schmerzen, die man mit Geduld und Verständnis erträgt, können mehr Menschlichkeit, Wärme, Liebe und eine höhere Daseinsebene hervorbringen. Fügt man sich ihnen aber unbewußt, mit Wut, Bitterkeit und Widerstand, kann dies in Zerstörung enden – in häuslichen Fehden, in Selbstmord, in Krieg.

Wir stehen also in einer unruhigen Zeit an einem Scheideweg. Energien drängen empor, Kräfte branden heran, die, während wir langsam den Durchbruch vollenden, das neue Zeitalter erstehen lassen, eine Zeit größeren Friedens und größerer Harmonie. Gold muß sich den Qualen des Feuers unterziehen, um seine innewohnende Reinheit offenbaren zu können.

Mystische Erfahrung und moderne Physik können sich nun mit Verständnis begegnen. Die eine repräsentiert die rein persönliche, subjektive Sicht, die andere eine objektive Reflexion des menschlichen Denkens über unser physisches Universum. Die Wissenschaft des neuen Zeitalters verbindet das Innere mit dem Äußeren auf ihrer Suche nach Wissen über die Naturkräfte und nach Möglichkeiten, sie zu nutzen und zur Verbesserung des Menschen mit ihnen zu arbeiten.
Viele Wunder sind noch zu entdecken in subatomaren und noch feineren Energiefeldern, und neue, sichere Wege zum Einsatz dieser Energien sind zu finden.
Aus dieser Sicht ist das vorliegende Buch entstanden. Es liegt in der Natur eines Werkes dieser Art, daß die Zukunft gewisse Aussagen oder Folgerungen als korrekt beweisen wird; andere Aspekte mögen sich als Trugschlüsse oder einfach nicht zu Ende gedacht erweisen. Aber diese Arbeit ist ein Versuch, und der Leser sollte nicht zu scharf verurteilen, was er zufällig für nicht zutreffend hält oder nur unter Schwierigkeiten zu akzeptieren vermag. Es ist notwendig anzuklopfen, bevor sich überhaupt eine Tür auftut, und der Verfasser ist – nach der Intuition seines inneren Wesens und dem Sprachgebrauch seiner Zeit – nur ein Mensch, der den Versuch unternimmt zu verstehen, worum es geht.

John Davidson

PROLOG

Die Realität des Mystikers

Die zeitlose Philosophie

Wir Menschen sind – wie alle lebenden Geschöpfe – ein Rätsel. Wir wissen nicht, woher wir bei unserer Geburt kamen, und wir wissen auch nicht, was bei unserem Tode passieren wird. Zeit unseres Lebens werden wir umhergeworfen und haben das Gefühl, freien Willen und eine eigene Identität zu besitzen, ungeachtet der Tatsache, daß unserem Verstand bekannt ist, daß wir nicht einmal wissen, was in den nächsten fünf Minuten mit uns geschehen wird. Wir befinden uns also in einem ständigen Paradoxon.

Wir besitzen Intelligenz: bewußt oder unbewußt bemühen wir uns, das Geheimnis unserer Existenz zu enträtseln. Unsere inneren Gedanken und Empfindungen spiegeln sich im äußerlich, sinnlich Wahrgenommenen wider und wollen verstanden sein. Unser Denken erschafft sich Erklärungen unseres Daseins aus philosophischen, wissenschaftlichen und religiösen Begriffen, aber auch diese Antworten lassen uns unbefriedigt. Wir denken weiter nach; wir können nicht aufhören!

Auch unsere Art zu denken ist weitgehend eine Frage von Geographie, Umgebung und familiärem Hintergrund. Wäre es nämlich möglich, eine endgültige Erklärung zu finden, die sich mit Gedanken und Worten ausdrücken läßt, so wäre sie inzwischen gewiß gefunden und universell akzeptiert.

Gibt es denn eine Lösung für unser Rätsel? Oder ist alles

nur Chaos? Ist das Denken überhaupt das richtige Mittel zur Lösung unseres Problems? Was sind eigentlich unsere Gedanken, unsere Gefühle, und was ist der menschliche Geist? Selbst wenn wir in der Lage wären, die herrlichste und schönste Philosophie zu kreieren, die alle Aspekte unseres Erlebens und Daseins überzeugend umfaßte, und diese Philosophie nur mit dem Gedanken auszudrücken wäre, bliebe immer noch eine Frage offen: Was sind Gedanken? Wenn diese Frage unbeantwortet bleibt, ist unsere ganze Philosophie ein fragwürdiges Gedankengebäude. Und eine Erklärung des Denkens durch Gedanken ist nur allzu unbefriedigend ...

Dieser mechanistische, nach außen gerichtete Versuch, unser Dasein zu verstehen, wird also nicht zur letzten Ursache vorstoßen. Er wird nur Verhältnisse beschreiben. Er wird einige wenige Teile des Puzzles zusammenfügen, kann aber keinesfalls das vollständige Bild wiedergeben. Wir selbst sind ein Teil des Puzzles. Wie könnte der Teil das Ganze verstehen? Wie könnte er solche Freiheit für sich beanspruchen?

Eine gute Philosophie oder wissenschaftliche Theorie wird also daran zu erkennen sein, daß sie viele Teile des Puzzles miteinander verbindet. Eine schwache Philosophie wird logische Unvereinbarkeiten mit Dogmen übertünchen und blinden Glauben an Vorstellungen verlangen, wo eine rationale Erklärung oder die Möglichkeit des persönlichen, unmittelbaren Erlebens fehlen.

Welche andere Möglichkeit bietet sich? Bei all den Kompliziertheiten der verschiedensten Gedankengebäude, die im Laufe der Zeiten errichtet wurden, hat es immer auch einen Ariadnefaden der Einfachheit gegeben: die Einfachheit eines inneren, völlig subjektiven, mystischen Erlebens, das Materie, Zeit und Denken übersteigt und einen kosmischen Plan und Prozeß offenbart, die mit äußeren Worten nicht angemessen wiedergegeben werden können.

Die Unfähigkeit, das Erfahrene anders als durch bloße Analogien zu schildern, und das stärker oder schwächer ausgeprägte, natürliche und gegenseitige Mißtrauen machen jene, die nie auch nur eine Ahnung von solchen Erlebnissen hatten, skeptisch. Wir können nicht selbst erleben, wie ein anderer Mensch empfindet und ist – nicht einmal im Alltagsleben –, aber wir können seine Äußerungen mit unserem eigenen Erleben vergleichen, und so mag sich eine Verständigung ergeben. Wenn aber das vom anderen geschilderte Erleben weit außerhalb unseres Erfahrungsbereiches liegt, gibt es für uns keine Möglichkeit, es zu verstehen zu lernen. Wir können bestenfalls offenen Sinnes bleiben; schlimmstenfalls verfolgen wir jene erbarmungslos, die die Existenz von etwas andeuten, von dem wir nichts wissen. Ja, die Menschheit kann auf eine lange Tradition der Verfolgungen derer zurückblicken, die auch nur anders zu *denken* wagten – ganz zu schweigen von denen, die behaupten, etwas Fremdartiges *erlebt* zu haben.
Ein ehrlicher Ausgangspunkt ist also zu finden – eine bewußte Anerkennung des Umstandes, daß wir einfach nicht wissen, was vor sich geht. Wir sind eben verloren: Wir wandern umher zwischen Wiege und Grab, tun unser Bestes – und selbst das kann zum Schlimmsten sein!
Jeder hat ein inneres und ein äußeres Leben. Das äußere Leben ist unweigerlich komplex, und das Innenleben der meisten ist sogar noch komplexer. In Wirklichkeit haben wir freilich nur ein Leben, eine Existenz: unser äußeres Leben ist nur ein Ausdruck unseres Innenlebens. In Wirklichkeit gibt es kein rein objektives Erleben, gibt es nichts, was von uns getrennt ist. Sobald wir an etwas zu denken beginnen, wird es Teil unseres subjektiven Erlebens. Selbst unsere Sinneswahrnehmungen der Welt erleben wir im Innern. Die Welt, die wir für außerhalb unserer selbst halten, ist in Wirklichkeit in uns: Wir erleben sie »außerhalb«, aber von innen heraus.

Alles ist eine Frage der Ausrichtung unserer Aufmerksamkeit. Wenn wir unsere Aufmerksamkeit nach außen richten, haben wir das Gefühl, die Welt sei außerhalb und getrennt von uns. Lenken wir die Aufmerksamkeit nach innen – zum Beispiel bei bestimmten Meditationen oder spirituellen Übungen –, dann beginnt sich uns eine ganz neue Welt des Seins zu eröffnen. Wir fühlen uns wie jemand, der aus einem höchst lebendigen Traum langsam erwacht. Der Traum geht weiter, aber unser Verständnis seiner relativen Wirklichkeit und Wichtigkeit wandelt sich.

Diese Idee vom inneren Erleben der Realität ist schon so alt wie der Mensch; man nennt sie die zeitlose Philosophie. Sie entsprang spontan dem inneren Erfahren einzelner Menschen in den verschiedensten Kulturkreisen der Erde, die keinerlei Verbindung miteinander hatten. Doch war dieses Erfahren so gewaltig, daß es den Ursprung bildete, aus dem alle Weltreligionen später hervorgehen sollten, und zwar nach dem Tode jener, die das Erlebnis zuerst hatten. Diese Menschen bezeichnen wir als Mystiker. Das höchste mystische Erlebnis wird mit Begriffen verbunden wie: Liebe, Licht und umfassendes Verstehen – das innere Verschmelzen und Einswerden mit der Quelle des Seins.

Diese Quelle ist unter einer Unzahl von Namen in allen Sprachen bekannt: höchstes Wesen, universelles Bewußtsein, Gott, höchste Realität. Es gibt zahlreiche anregende Bücher, die die zeitlose Philosophie über die Jahrtausende hinweg zurückverfolgen.

Überall, wo wir auf die ursprüngliche Lehre jener Mystiker zurückgreifen können, stoßen wir auf die Betonung der Meditationspraxis und spiritueller Disziplinen, die das innere Wesen des Menschen darauf vorbereiten sollen, das mystische Erlebnis anzustreben. Wir stoßen aber auch auf ein Weltbild, das unsere materielle Welt als einen winzigen Tropfen im gewaltigen Ozean einer Hierarchie innerer Welten darstellt, die dem Menschen innerlich zugänglich sind und den Ursprung unseres physischen Universums bilden.

Das Weltbild des Mystikers

Alle Mystiker und mystischen Lehren stimmen darin überein, daß es eine Quelle gibt, ein zentrales, sich selbst erhaltendes Kraftwerk von Bewußtsein und reinem Sein. Aus diesem Ursprung ist eine Hierarchie von Welten, die Schöpfung, entstanden, und zwar als Emanation oder Ausstrahlung aus der Quelle, die ständig Energien in den verschiedensten Abstufungen ausgibt. Diese Energien bilden die Grundlage für die Hierarchie der Welten und der Wesen oder Seelen, die die verschiedenen Bereiche bewohnen. In der Terminologie der Veden (der uralten heiligen Schriften der Inder) wird das Wort *Lila* (»Spiel«) gebraucht. Die Weisen der alten Zeit sagten, daß die Schöpfung nur das Spiel oder die Projektion des Schöpfers ist. Sie ist Sein Spiel der Liebe.
Es gibt laut Aussage der Mystiker nichts anderes als das höchste Wesen oder Bewußtsein: Alle individuellen Seelen sind Tropfen in diesem Meer. Aller unbeseelte Geist, alle unbeseelte Materie und Energie sind Teil von Ihm. Es gibt nichts außerhalb des Einen. Gäbe es noch etwas anderes, wäre Er nicht der Eine. Also ist alles in Ihm enthalten.
Die Mystiker haben diese große, allgegenwärtige Macht mit vielen verschiedenen Namen bezeichnet, die die mannigfachen Einstellungen und Vorstellungen widerspiegeln, die wir Menschen uns von Ihm machen oder nachvollziehen können. Er ist der Eine, der Namenlose; die Mystiker geben Ihm viele Namen. Unser Planet wird von

einer Myriade von Menschen bevölkert, die – trotz ihrer grundsätzlich gemeinsamen mentalen und körperlichen Merkmale – auf verschiedene Weise in Erscheinung treten und unterschiedliche Bräuche und Kulturen besitzen. Das liegt eigentlich auf der Hand, aber – wie ein Paar, das harmonisch zusammenleben will, aber immer wieder streitet – entwickeln wir durch unsere Denkweise Vorlieben und Vorurteile, die wir nur schwer überwinden können. Deshalb unterscheiden sich auch bei Menschen, die intuitiv die Grundelemente der spirituellen oder mystischen Philosophie verstehen, die Ausdrucksweise und die bevorzugten Begriffe. Manche sprechen gerne vom universellen Bewußtsein, anderen sind personale Vorstellungen – wie Gott, der Herr, der Vater – lieber.

Die Realität ist Eins, und die Menschen geben ihr unterschiedliche Namen. Ich kann mich an eine Zeit vor einigen Jahren erinnern, als es mir eine natürlich-negative Reaktion auf eine konventionelle »religiöse« Erziehung unmöglich machte, die Quelle des Seins mit dem Namen Gott zu nennen. Aber es war eine ehrliche Reaktion, denn die Art und Weise, wie Gott vom konventionellen Christentum dargestellt wurde, unterschied sich bei weitem von der mystischen Macht, wie ich sie später kennenlernte, so daß der Sinn, der sich mit dem Begriff Gott verbunden hatte, etwas ganz anderes bedeutete.

Im Laufe der Zeit habe ich jene alten Assoziationen fast vergessen, und ich kann die meisten Termini ohne Vorbehalt gebrauchen. Im allgemeinen betrachtet man in kosmischem Zusammenhang den Einen als die universale Quelle oder das höchste Wesen. Wenn man sich Ihn als Person vorstellt, ist Er der Herr; sein Attribut ist Liebe, und der Tropfen des eigenen Wesens schickt sich an, mit Ihm zu verschmelzen.

Man sollte also nie zu fest an Wörtern und Begriffen kleben bleiben, sondern auf den hinter ihnen stehenden

Sinn achten. Im *Buch Mirdad* heißt es: »Wörter sind bestenfalls eine ehrliche Lüge.« Mit Worten können wir also im günstigsten Falle ehrliche Andeutungen unseres Denkens und Seins vermitteln; wir können nicht ausdrücken, warum wir so denken oder empfinden oder was unser Inneres wirklich fühlt oder erlebt.

Alle mystischen Lehren haben ein Weltbild wiedergegeben, bei dem jeder Teil aus dem Innern geschaffen wurde. Mystiker haben zu allen Zeiten gesagt, daß das ganze materielle Universum nicht größer als ein Haar ist im Vergleich zu der Unermeßlichkeit der inneren Welten. Diese Innenwelten besitzen ihre eigene Aktivität und ihre eigenen Bewohner, und die Seele ist dort mit Hilfe eines Körpers aktiv, der die gleichen entsprechenden Schwingungseigenschaften hat.

Hinsichtlich der Energie haben wir es also mit einem geschlossenen System zu tun, in dem alles lebt und sich bewegt und sein Dasein hat. Dazu gehört auch die Energie unseres eigenen Denkens und Bewußtseins.

Aus menschlicher Sicht, das heißt aus horizontaler, nach außen gerichteter Sicht auf die physische Welt und aus einem physischen Körper hinaus, können wir eine Beschreibung der physischen Ebene geben. Aus universeller Sicht jedoch, das heißt mit vertikal oder nach innen gerichtetem Blick, stellen wir fest, daß das physische Universum eine nach unten gerichtete Reflexion von Energieschwingungen subtilerer Welten ist, die wiederum Reflexionen weiterer innerer oder subtiler Welten oder Energiefelder darstellen.

Schöpfung oder Dasein ist also eine Abstufung oder ein Fortschreiten von der Quelle aus. Sie ist auch ein fortwährender und dynamischer Prozeß.

Die Mystiker sagen: Obwohl die Energieentwicklung aus dem Zentrum ein Kontinuum darstellt, gibt es doch bestimmte Punkte, die man als Energiekreuzungen oder

Brennpunkte bezeichnen kann. Sie sind die Zentren der Kraft oder Energieverteilung, wie zum Beispiel die Chakren im physischen Körper. Die einzige Möglichkeit, dies wirklich zu verstehen, ist freilich, es selbst zu erleben, aber Schilderungen und Lehren sind für uns Menschen nun einmal von Bedeutung, und sie können uns ein Stück weiterhelfen.

So kommt es dazu, daß spezifische Weltbilder entwickelt werden, in denen es physische, astrale, kausale und spirituelle Ebenen gibt und ihnen entsprechende Körper, mit deren Hilfe die Seele auf diesen Bewußtseinsebenen oder -schichten aktiv ist. Aufgrund der Unermeßlichkeit der inneren Welten jedoch, sowie des Umstandes, daß manche Mystiker die Quelle selbst noch nicht erreicht haben, sondern vielleicht erst ein kleines Stück Weges über unserer physischen Welt stehen, gibt es eine Vielfalt von Weltanschauungen verschiedener Mystiker, in Abhängigkeit von deren eigenem innerem Erleben. Die jeweiligen Abweichungen ihrer Darstellung entkräften die Berichte über alle solche Erlebnisse ebensowenig, wie die unterschiedlichen Beschreibungen von Dingen unserer physischen Welt deren Existenz widerlegen. Allerdings stützt sich ein großer Teil der heutigen Literatur über solche Themen nicht auf eigenes Erleben, auf Erfahrungen aus erster Hand, sondern auf Darstellungen, die die Autoren an allen möglichen Stellen gefunden und aus einer Vielzahl von zum Teil unbekannten Quellen übernommen haben.

Die Weite der inneren Bereiche ist buchstäblich unvorstellbar, und so ist die Wahrscheinlichkeit groß, daß Folgerungen aus den Erfahrungen des einen Mystikers sich in ihrem Inhalt von den Schlüssen aus dem Erleben eines anderen unterscheiden. Auch Schilderungen zum Beispiel des amerikanischen und des europäischen Kontinents aus der Sicht verschiedener Menschen werden gewisse Übereinstimmungen aufweisen, ebenso aber auch starke Abweichungen.

Wie schließlich zwei Besucher denselben Ort auf unserer physischen Erde unterschiedlich beschreiben werden, so werden Mystiker bei der Schilderung ihres grundsätzlich unbeschreiblichen Erlebens unterschiedliche Begriffe verwenden, je nach ihrer eigenen Erfahrung und der ihrer Zuhörer.

Alle Mystiker stimmen jedoch in einem Punkte überein: hinsichtlich der Existenz der einen Quelle des Seins, aus der alles andere als Reflexion oder Projektion hervorgegangen ist. Darüber hinaus stellen alle Mystiker fest, daß diese Quelle des Seins nicht weit entfernt ist, sondern einen untrennbaren Teil von uns bildet, der uns »näher als unser Atem, näher als Hände und Füße« ist. Ja, sie ist in unserem Innern, im Herzen unseres Wesens. Sie ist ein Meer von Liebe, Licht, Glückseligkeit und Bewußtsein – reines Sein. Wir alle sind Tropfen in diesem Ozean. Der echte Mystiker hohen Grades hat sich von diesem Ozean anziehen lassen und ist eins geworden mit ihm.

Vor dem Hintergrund dieser Vorstellungen wollen wir nun in kurzen Zügen das Weltbild des Mystikers von den höchsten bis zu den niedersten Aspekten der Schöpfung vorstellen. Der Rest des Buches handelt dann hauptsächlich von den physischen und den subtil-physischen Aspekten – von den zwei, drei Fingerbreit, derer wir alle uns mehr oder weniger bewußt sind und die am Anfang einer Zehntausend-Meilen-Reise in unser Wesensinneres liegen. Aber, so sagt Konfuzius, auch eine Zehntausend-Meilen-Reise beginnt mit dem ersten Schritt.

Das echte Weltbild eines Mystikers ist einfach und unergründlich zugleich. Es wird auch einem Standpunkt Raum geben, der vorbehaltlos Verständnis für alle anderen Weltanschauungen und Lehren zeigt. Soweit Antworten gegeben werden können, wird es jede Frage beantworten, im Geistigen wie im Weltlichen. Vor allem aber wird Wert auf bestimmte spirituelle Disziplinen und die Meditation gelegt werden, wie sie ein lebender und liebender Mystiker unserer Zeit beschreibt, mit deren Hilfe die Wahrheit des Weltbildes selbst und unmittelbar erfahren werden kann. Sie wird keine intellektuelle Philosophie sein, sondern ein praktischer Weg der geistigen Entwicklung.

Von Ritual und Dogma wird keine Rede sein. Es wird nicht verlangt, an irgend etwas blind zu glauben, sondern einfach die Aspekte der Philosophie als Arbeitshypothese anzunehmen und den gegebenen Anweisungen zu folgen, um sich durch eigene Erfahrung die Gültigkeit der äußeren Lehre und Darstellung selbst zu beweisen (oder zu widerlegen). Von den Anhängern einer solchen Lehre wird kein Geld eingesammelt oder verlangt, daß sie ihre Art, sich zu kleiden oder zu leben, über das Maß hinaus verändern, das vernünftigen sittlichen und gesellschaftlichen Erwartungen entspricht. Eine solche Lehre erweist sich als eine vollkommen nach innen gerichtete Philosophie, die nicht zu missionieren braucht und auf unnötigen, äußeren Putz verzichten kann.

Solch eine mystische Philosophie ist nicht neu. Ja, sie ist so alt wie der Mensch selbst und so natürlich wie das Leben. Ich habe in meiner Darstellung Hindi- und Sanskrit-Begriffe gebraucht, weil es in unserer Sprache in der Regel keine präzisen Entsprechungen dieser Wörter gibt.* Wo gleichbedeutende Parallelen existieren, habe ich sie eingesetzt, weise aber zugleich darauf hin, daß Begriffe wie »astral« und »kausal« – um zwei Beispiele zu nennen – in den meisten Veröffentlichungen über mysti-

* Die Hindi- und Sanskritbegriffe erscheinen in der Form, wie sie in der Literatur des Radha Soami Satsang üblich sind, die aber zum Teil abweicht von den bei uns bereits eingeführten Sanskritformen (z. B. »Par Brahm« für »Parabrahman« usw.).

sche Themen so großzügig und verwirrend gebraucht werden, daß sie eher ein Hindernis als eine Klärung der Sachverhalte darstellen. Es besteht keine Notwendigkeit, in unserer modernen Zeit mystische Schriften in tiefe Symbolismen zu verschleiern oder in einem pseudookkulten Schwafelstil zu verfassen. Häufig verbergen solche Mittel nur mangelndes Wissen auf seiten des Autors, der vielleicht wiedergibt, was er nur vom Hörensagen weiß, ohne sich auf eine kompetente Führung stützen zu können.

In der tiefsten mystischen Philosophie heißt es, daß es im Bereich des Höchsten keine Dualität oder Trennung gibt. In einem Meer der Liebe ist alles eins. Dieses Eine ist namenlos, gestaltlos und unzugänglich. Namen und äußere Form existieren nur, wo Differenzierung und Trennung herrschen. Das Individuum kann als solches keinen Zugang zum Einen haben, sondern muß zuerst alle Spuren seiner Ich-heit verlieren und der Eine werden.

Aus dem Höchsten strömt schöpferische *Energie* hervor: das *Wort*, der *Lebensstrom*, der *Wille des Höchsten*. Diese Energie ist in den Kulturkreisen der Welt unter verschiedenen Namen bekannt. Auf Hindi heißt sie *Adi Shabd*. Auf ihrer Reise nimmt diese Kraft erste »Gestalt« – *Sat Purush* (wahres Sein) – an und verweilt in der ersten Region, *Sat Lok* (wahrer Ort). Überall, wo sie im Laufe ihres Absteigens verweilt – wobei es sich nicht um einen räumlichen Abstieg handelt, sondern um eine Abstufung im Sinne der Schwingungsqualität –, entsteht eine Reihe von Kraftbereichen um je ein Zentrum, einen Kern; wir bezeichnen sie als »Regionen« mit ihren Herrschern, und ihre Ausdehnung ist gewaltig. Christus erwähnte sie, als er sprach: »In meines Vaters Haus sind viele Wohnungen.«

Diese beiden Kraftströme, Sat Purush und Adi Shabd, fließen weiter und erschaffen einen weiteren Bereich namens *Par Brahm.* Er besteht aus Geist und wird nur spärlich durchzogen von einer sehr feinen, ursprünglichen Gedankenform, die praktisch ein »Nebenprodukt« aus der Fortbewegung der Kraftströme darstellt und *Prakriti* (Urmaterie) genannt wird. Der so geschaffene Strom wird als *Akshar Purush* bezeichnet.

Par Brahm besteht aus zwei charakteristischen Gebieten, deren höheres als *Bhanwar Gupha* (die wirbelnde Höhle) bezeichnet wird; das Bedürfnis nach Bewegung wird von dem gewaltigen Willen der Kraft verursacht, der erschaffen und sich weiter abgestuft projizieren will. Die drei Strömungen Sat Purush, Adi Shabd und Akshar Purush fließen hier an einem als *Tribeni* (drei Flüsse oder Strömungen) bezeichneten Punkt zusammen und ziehen wie ein Strudel oder Wirbel tunnelartig in den unteren Bereich von Par Brahm, der auch *Daswan Dwar* genannt wird.

Diese tunnelartig nach unten gerichteten Kraft-Projektionen scheiden eine Region von der anderen wie Ventile oder Klappen, die den Fluß in eine Richtung zulassen, aber in die Gegenrichtung sehr erschweren. Der erste Tunnel heißt *Maha Sunna* (große Leere); seine Tiefe ist unauslotbar und von mächtiger Dunkelheit erfüllt. Er bildet die letzte Schranke zwischen der Seele und ihrem Ursprung. Nur mit dem Willen des Höchsten und in Begleitung eines wirklichen Heiligen ist sie zu überwinden. Dann fließt die Kraft in ein gewaltiges Energiereservoir hinaus, das man mit dem Begriff *Mansarovar* bezeichnet. Von hier aus vereinigen sich die drei Energieströme wieder in einem als *Zehntes Tor* bekannten Kanal, durch den sie den Bereich verlassen, in dem der göttliche Geist vorherrscht, um sich in die Begrenzung des *universellen Geistes* oder *Brahms* zu begeben, auch *Kal* genannt.

Wenn die Seele sich tiefer als Daswan Dwar herabsenkt, geschieht etwas ungeheuer Wichtiges: Sie nimmt die ersten Hüllen des menschlichen Geistes an, um mit dem Bereich von Brahm, Kal oder des universellen Geistes kommunizieren und in diesem, auch Kausalregion genannten Bereich wirken zu können. Oberhalb von Brahm ist die Seele nackt und kennt sich nur als Seele. Unser wahres Wesen ist also Seele oder Bewußtsein; der menschliche Geist hat kein eigenes Leben und bezieht seine Existenz von der Seele. Wie der physische Körper unbelebte Materie ist, jedoch zeit seiner Existenz durch die Anwesenheit unserer Lebenskraft im Innern aufrechterhalten wird, ist auch der menschliche Geist »tot«, er nimmt die Kraft, sich zu regen und zu existieren, aus dem göttlichen Geist, aus der Seele.

Der universelle Geist ist auch der Bereich, in dem sich die *Zeit* zum erstenmal manifestiert. Es ist die Region oder der Aspekt von uns, der für das rationale Denkvermögen verantwortlich ist. Der denkende Geist des Menschen ist ein Super-Computer, der nach dem Gesetz von Ursache und Wirkung funktioniert, in absoluter Gerechtigkeit; im Sanskrit verwenden wir hierfür den Begriff *Karma*.

Von hier aus nach unten geschieht alles nach Ursache und Wirkung. Oberhalb dieses Bereiches ist das vorherrschende Gesetz die Liebe, die Einheit, das Verschmelzen. Die Seele nimmt in dieser Region einen Kausalkörper an und einen entsprechenden kausalen Geist, um hier aktiv werden zu können. Die Kausalkörper-Hülle ist so fein, daß Mystiker, die bis auf diese Ebene aufgestiegen sind, sie oft mit dem eigentlichen Ursprung verwechselt haben und erklärten, das Universum sei die Schöpfung des universellen Geistes. Sie haben recht, sind aber nicht bis zum Ursprung des universellen Geistes gelangt, um dort zu erfahren, daß dieser ebenfalls Geschaffenes ist, und nicht das Absolute, Ewige.

Die Attribute dieser Regionen sind *Licht* und *Klang*, und sie offenbaren sich als subtile und schöne Formen und

Gestalten, die denen unserer physischen Welt entsprechen, sie aber bei weitem übertreffen. Das innere Sein der Seelen in diesen Regionen ist durchdrungen von höchster Glückseligkeit, Liebe und Frieden.

Die drei Ströme von Sat Purush, Adi Shabd und Akshar Purush fließen über die Bereiche von *Brahmand* (die Region von Brahm, die kausale Region) hinaus bis zum Fuße von drei Bergen, die unter den Namen *Mer*, *Sumer* und *Kailash* bekannt sind und deren leuchtende Gipfel dem umliegenden Land den Sanskrit-Namen *Trikuti* gaben, das heißt »drei Festen«.

Die regierende Macht, der Herr oder Herrscher von Trikuti, ist Brahm oder Kal (der Herr der Zeit) mit seinem weiblichen Pol oder Aspekt *Maya* (Illusion). Maya ist die Macht der Verheimlichung, der Verschleierung und der Projektion auf tiefere Ebenen hinab. Wir befinden uns jetzt in der Welt der Dualität, und alle positiven, herrschenden Mächte sind ausgeglichen durch einen negativen, rezeptiven Gegenpol. Das Eine hat seine Reise in den Vielen angetreten.

Die Veräußerlichung dieser Kräfte und der Verlust ihrer eigentlichen, inneren Bedeutung haben zu den Millionen Gottheiten des Hinduismus geführt. Das reiche, spirituelle Erbe der hinduistischen Literatur und die Lehren von Yogis und Mystikern verschiedenster Entwicklungsstufen degenerieren ohne die persönliche Anleitung eines echten Mystikers zu äußerlichen Ritualen, Formalitäten und die Verehrung jener Kräfte als anzubetende Gottheiten. Dieser Niedergang der Lehren der Mystiker zu religiösen Formalitäten ist der charakteristische, nur allzu verständliche Weg, wenn der innere Sinn und die spirituelle Praxis erst einmal verloren sind. Dieser Prozeß steht hinter allen Weltreligionen.

Kehren wir zu unserer Schilderung der Energieflüsse, die aus dem Höchsten in die Region des universellen Geistes ausströmen, zurück. Den drei ersten, schöpferischen Strömungen schließen sich Kal und Maya an, und so erhalten wir fünf. Es ist in der Tat die Bewegung, der schöpferische Drang nach unten, der auf sich selbst reagiert und alle niederen Kräfte erschafft. Kal und Maya sind eine Schöpfung der ersten drei Ströme, wie im übrigen alle Strömungen aus dem Höchsten hervorgehen. Aufgrund des illusorischen Gewandes, das Maya um sie zu spinnen beginnt und das die Illusionen von Zeit, Raum und Verursachung schafft, wird immer deutlicher ein Gefühl der Trennung spürbar, und drei Eigenschaften oder *Gunas* gelangen ins Dasein. Sie werden in allen Hindu-Traditionen erwähnt und heißen:

1. *Rajas-Guna*, das Attribut der Aktivität, des Ins-Dasein-Kommens, der Schöpfung, des positiven Pols, der motorischen Kraft, des rastlosen Drängens von Denken und Gefühlen nach Tätigkeit und Erfüllung.
2. *Satvas-Guna*, das Attribut der Harmonie, der Erhaltung und des Friedens; der neutrale Pol.
3. *Tamas-Guna*, das Attribut von Trägheit, Zerfall, Auflösung, Dunkelheit und Widerstand gegen alle Tätigkeit.

Wenn wir einen beliebigen Aspekt des Lebens betrachten, sehen wir diese drei Attribute am Wirken. Wir sehen sie in den Jahreszeiten, sowohl in den sich jährlich wiederholenden Zyklen als auch den kleineren Phasen, aus denen die größeren bestehen. Wir erkennen sie in anderen Menschen und in unserem eigenen Leben. Wir sehen sie im Weltlichen, Geringen wirken, aber auch im anscheinend Wichtigen.

Darüber hinaus kann jeder Guna positive und negative Aktivität zeigen. Es gibt eine richtige Zeit für die Erschaffung, eine rechte Zeit für die Erhaltung und eine rechte Zeit für Auflösung oder Zerstörung. Wir reißen ein altes, baufällig gewordenes Haus ab, um ein neues zu errichten;

das entspricht dem positiven Aspekt des Tamas-Guna. Auch in der Natur gibt es den Herbst und die Winterzeit, in der sich die Erde ausruht und neue Kraft sammelt.
In der taoistischen Philosophie Chinas, die sich weitgehend aus den antiken indischen Kulturen entwickelt haben soll, heißen die Gunas *Yin* (Tamas, rezeptiv, weiblich) und *Yang* (Rajas, sich aktiv verbreitend, männlich). Das Tao ist das Unaussprechliche, Unsagbare und Unbeschreibliche. Tao ist das Eine; als schöpferisches Prinzip entspricht es dem Adi Shabd. Über innere Hinwendung an dieses Shabd oder Tao folgt man dem Weg zurück zum Ursprung, der jenseits aller Manifestation liegt. Solange man sich noch in den Bereichen der Gunas beziehungsweise der Yin/Yang-Polarität aufhält, strebt man nach Harmonie und Gleichgewicht. Das ist das Satvas-Guna, das harmonische Gleichgewicht von Yin und Yang; das höchste Ziel jedoch liegt hinter und über allen Gegensätzen und Attributen. Und, so heißt es, es ist nicht weit entfernt. Es ist »näher als der eigene Atem, näher als Hände und Füße«. Es ist mitten in uns und bildet den Kern unseres eigentlichen Seins.
Nehmen wir noch einmal die Reise mit unseren Energieströmen auf, so haben wir inzwischen acht Trikuti-Strömungen (drei ursprüngliche Ströme plus Kal, Maya und die drei Gunas). Diese acht Energien treffen auf den kausalen Zustand oder die mentale Idee der fünf *Tattwas* oder *Elemente*, die gleichsam der Plan oder die Vorläufer der groben, dichten Materie sind, aus denen unser physisches Universum und unser Körper gebaut sind. Auf dieser Stufe sind die Energieströme der fünf Tattwas äußerst fein und subtil. Sie stellen sozusagen die Ideen zum Plan unseres grobstofflichen Universums dar. Die fünf Elemente oder Zustände sind:

1. *Prithvi:* Erde oder der feste Zustand von Materie
2. *Jal:* Wasser oder der flüssige Zustand von Materie

3. *Agni:* Feuer oder der Wärme-Zustand
4. *Vayu:* Luft oder der Gas-Zustand
5. *Akash:* Äther, der Urstoff, aus dem das Universum gebildet ist und die anderen Elemente ihre Existenz erhielten. Weitere Bedeutungsaspekte von Akash können als »Raum« oder »Vakuum« beschrieben werden.

Die ersten fünf Strömungen, die auf die fünf Tattwas einwirken, erzeugen die 25 *Prakritis* oder Zustände von menschlichem Geist und Materie. Auf dieser Stufe bilden sie – wie die Tattwas – das energetische Muster des Planes von dem, was sich dann auf der physischen Ebene manifestiert. Die 25 Prakritis – die nicht zu verwechseln sind mit Prakriti, der Urmaterie des Trikuti – sind im Grunde weitere Unterteilungen der Aktivität in den Energiefeldern der fünf Tattwas. Auf der grobstofflichen Ebene besitzt das Element Erde also Prakritis, die alle festen Aspekte des Körpers umfassen: Knochen, Fleisch, Haut, Haar, Blutgefäße usw. Die Prakritis des Elements Wasser hingegen steuern und erschaffen das feinstoffliche Substrat für die Körperflüssigkeiten – Blut, Urin, Lymphe, Zellflüssigkeit, Drüsenausscheidungen usw. Das Element Feuer hat mit den feineren Aspekten in der Haushaltung des Organismus zu tun – Hunger und Durst zum Beispiel –, während die Elemente Luft und Äther Grundprinzipien bergen wie Expansion und Kontraktion (Luft) oder mental/emotionale Attribute wie Begierde und Selbstbewußtheit (Äther).

Diese Kategorien sollen nur kurz angesprochen und in einem größeren Zusammenhang verstanden werden, der alle Systeme und Teile des Körpers umfaßt. Diese Betrachtung des Körpers aus der Sicht seiner grundlegenden Elemente ist eines der Fundamente der alten indischen Heilkunde, der Ayurveda-Medizin. Die Seele oder das Bewußtsein im Körper ist es, was über das Gemüt und die *Pranas* (die subtilen Energien) wirkt und die ansonsten

»feindlichen« Energiefelder zusammenhält. Beim Tode, wenn die Seele fortgeht, setzen sofort die Auflösung des Körpers und die Trennung der Elemente ein: »Asche zu Asche, Staub zu Staub.« Die Ayurveda-Medizin versucht, Harmonie (oder Gesundheit) innerhalb der vibrierenden Energiefelder zu schaffen.

Jeder der acht Trikuti-Ströme zieht die fünf Modifizierungen, Prakritis oder Aspekte der fünf Tattwas an und absorbiert sie; so entstehen insgesamt 40 Ströme. Wie Flammen eines Feuers oder die Blätter eines Blütenkelchs ordnen sie sich umeinander. Nach unten ausstrahlend bilden die 40 Energieströme mit ihren Wechselwirkungen auf die 25 Prakritis, von denen jedes seine spezifischen Eigenschaften, Farben und Klänge hat, pulsierend und in astraler Energiefülle erglühend, insgesamt eintausend (40 × 25) flammenförmige Ströme, dazu das eine, zentrale Feuer (den Ursprung des Mantras »Om mani padme hum«, »Betrachte das Kleinod im Lotus«) – zusammen also das *Sahansdal Kanwal*, den *tausendblättrigen Lotus*, manchmal auch *Berg des Lichts* genannt, das Kraftwerk dieser astralen und der darunter liegenden Regionen bis hin zur physischen. Sie wird astral (»sternenhaft«) genannt, weil die Fähigkeit zu sehen hier vollkommener ist und das Geschaute heller als alles auf dieser Erde erscheint, ja so brillant, als blickte man durch einen Regenbogen, und schimmernd wie von sternglänzendem, kosmischem Staub überzogen. Jeder dieser Flammenströme ist die für die Existenz eines Teils des physischen Universums verantwortliche Energie, die dieses mit Kraft aus der himmlischen Quelle versorgt.

Die kausalen und astralen Energien auf der Erde sind jedoch sehr schwache Verdünnungen dieser tausend Kraftströme, wesentlich weniger subtil und lebendig, dafür von sehr begrenzter Reichweite. Über die subastralen Bereiche unterhalb dieser Ebene gelingt es den tausend Strömungen, separat und in einer grenzenlosen Vielfalt von Abwandlungen und Kombinationen zu wirken, wobei sich ihr Glanz und Energiegehalt allmählich verringert. Trotzdem bieten sie noch ein atemberaubend betörendes Schauspiel voll Glanz und Pracht, wie sie in endlosen Weisen und Verbindungen durcheinander tanzen und wirbeln.

Während sich bei ihrer Bewegung Materie an ihnen kondensiert, verlangsamt sich ihre Lebendigkeit, und sie sinken ab, bis sie schließlich soweit herabgezogen werden, daß sie das physische Universum erschaffen, das wir kennen. Wie sich eine große, tragische Oper ihrem Ende nähert, klingt auch die Musik des ursprünglichen Adi Shabd, des Ur-Lebensstromes, aus. Die weithin verstreuten und auf ihrem Weg gehemmten Strömungen gehen nun in den Bereich des physisch-menschlichen Geistes ein mit seinen Attributen *(Antashkarans)*: Intellekt *(Buddhi)*, Gedächtnis *(Chit)*, Willen und Sinnesänderung *(Manas)* und dem größten Stolperstein überhaupt, dem menschlichen Ego *(Ahankar)*.

Wenn die Seele durch die kausalen, astralen und physischen Bereiche herniedersteigt, legt sie Hüllen oder Körper an, um auf diesen Ebenen kommunizieren und existieren zu können. Die auf den höheren astralen Ebenen vorherrschende Stimmung ist Glückseligkeit und Frieden. Das in der Seele aufkommende Gefühl, durch zunehmende Bewußtlosigkeit von ihrem Ursprung getrennt zu sein, macht sich nicht so sehr als innere, beseligende Sehnsucht bemerkbar, sondern als ein Verlangen, die entstandene Leere durch Aktivität und Bewegung im Inneren und Äußeren, in den umgebenden Energiefeldern zu füllen. Mit anderen Worten: Die Aufmerksamkeit geht nun nach unten und außen auf die Geburt in eine physische Daseinsebene zu.

Wie der elektrische Strom nach Verlassen des Kraftwerkes in einer Transformatorstelle heruntergespannt wer-

den muß, um für den häuslichen Gebrauch genügend »verdünnt« zu sein, wird auch die gewaltige Hauptströmung des Lebensstroms an den beschriebenen Orten einer Wandlung unterzogen und in die Kleider der verschiedenen Regionen gehüllt, die er passiert.
Durch das erste Verlangen, das sich im Bereich Brahms regte, verband das Gesetz von Ursache und Wirkung, das Karma-Gesetz, den Lebensstrom mit Zeit, Raum, Relativität, Erschaffung, Erhaltung und Zerstörung, mit den Gegensatzpaaren, mit Illusion und den Attributen des menschlichen Denkens. Diese haben seine Isolation vom Ursprung bewirkt. Ja, die Einbindung der armen Seele in solche Hüllen ist so wirkungsvoll, daß sie ihren Rückweg nicht finden kann wegen der Unmenge feiner Beziehungsfäden, die sie an die Erde fesseln. Wenn sie das Glück hat, von einigen dieser Fesseln loszukommen, legt sie sich aus purer Gewohnheit ein paar neue an. Die Seele tritt immer wieder zur Geburt in einen der zahllosen Körper ein, die in der physischen Welt zur Verfügung stehen, um die Befriedigung unerfüllter Wünsche und die Folgen des Karma-Gesetzes von Ursache und Wirkung zu ermöglichen.
Nur eine vollkommene und unbelastete Seele, direkt aus dem Ursprung, kann all jene Fäden durchtrennen und der verlorenen Seele das innere Sehen und Hören *(Nirat* und *Surat)* wiedergeben, um ihre Schritte zurück zum Heimweg in der kürzestmöglichen Zeitspanne zu lenken.
Worte sind natürlich häufig eine Quelle der Verwirrung, wenn es gilt, solche Bewußtseinsbereiche, -regionen und -ebenen zu beschreiben. Es gibt esoterische Denkrichtungen und Schulen, die astrale und kausale Energien als jene darstellen, die in unserem Zusammenhang den emotionalen und mentalen Energien innerhalb der elementareren Gefilde des menschlichen Wesens entsprechen. Der ebenfalls an manchen Stellen auftauchende »Ego-Kör-

per« ist vermutlich mit dem *Ahankar* in seiner Verbindung mit *Chit* (»Denk-Zeug«) gleichzusetzen.
Als die mentale oder astrale Form des Menschen zum erstenmal aus *Anda*, dem astralen Bereich, als isolierte Seele oder *Jiva* (d. h. eine unerleuchtete Seele, die in einem physischen Körper gefangen ist) projiziert wurde, hüllte sich die Ursubstanz (in diesem Stadium als *Akash* bekannt) in *Prana* (die Kraft des Lebensstromes, die sich mit Denksubstanz umgibt, mit dem Plan oder der subtilen Idee des physischen Körpers), um auf der Erde zu »leben«, einem Teil von *Pinda*, der physischen Ebene. Die Verbindung von Prana und Akash kennen wir auf diesen Ebenen als »Atem«. Er sorgt für die unterbewußten Vorgänge des Lebens. Prana übt beispielsweise Anziehungskraft aus – dazu gehören auch Magnetismus und Schwerkraft –, hält die Materie zusammen und gestaltet dadurch die Erde; Prana veranlaßt das Neugeborene, den ersten Atemzug zu tun, setzt den Pulsschlag in Gang und die Verdauung in Bewegung usw., mit anderen Worten: Prana vitalisiert den ganzen Organismus, erhält ihn aufrecht und sorgt für den Abbau und Abtransport von Substanzen im Körper, ohne daß wir uns dessen bewußt sind. Der Begriff Akash begegnet uns in esoterischen und Yogaschriften häufig und ist oft eine Quelle der Verwirrung. Er bedeutet auch »Himmel« in dem Sinne, daß alle Energien von oben (oder innen) geschaffen sind; wie die anderen Elemente findet sich Akash auch schon in Trikuti, der kausalen Region, angelegt. Es zeigt sich dann wieder in Sahansdal Kanwal, der eigentlichen Astralregion, und dann in der feinstofflichen Materie des Kehlchakras.
So hat die Seele (der Jiva) sich in physische Gestalt gehüllt und ist der Summe ihres bis heute geschaffenen Karmas unterworfen. Im frühesten Stadium, in den ersten Tagen der Schöpfung, war alles neu, frisch und vital – es handelte sich in der Tat um das *Goldene Zeitalter (Sat Yuga)*,

in dem alle fünf Tattwas in dem neuen Wesen vertreten waren: im »Menschen«, einer ausgeglichenen Persönlichkeit, in der das Satvas-Guna vorherrschte. Als aber dann Tat auf Tat (im Sinne von *Pralabdh* oder Schicksalskarma) in seinem neuen Leben auf Erden folgte, fingen – unterstützt von den fünf Sinnen, die durch die neun Öffnungen des Körpers (zwei Augen, zwei Ohren, zwei Nasenlöcher, der Mund und die beiden unteren Ausgänge) wirkten – die Gunas an, aus dem Gleichgewicht zu geraten, und entweder der Rajas-Guna (Überaktivität) gewann die Oberhand, oder der Tamas-Guna (übermäßige Inaktivität oder Trägheit) setzte sich durch. Dabei wurde das eigentliche Urelement Akash immer weiter geschwächt, und der Jiva fing an, tierähnliche Charakteristika zu entwickeln. So wurde es notwendig, daß er eine Art von Körper bewohnte, in dem es ihm unmöglich war, neues oder *Kryaman*-Karma zu erschaffen, und in dem er statt dessen das »Anrecht« auf einen neuen Anteil am Akash verdienen konnte. Je nach dem Maß seiner Abweichung vom Gleichgewicht nach rechts oder links (Rajas oder Tamas) erhielt der Jiva den Körper eines höheren Tieres, eines Vogels, Insekts oder einer Pflanze.
Das Goldene Zeitalter begann also zu welken und machte anderen Zeiten Platz, deren Akash-Kräfte immer schwächer wurden: das *Silber-*, *Kupfer-* und schließlich das *Eisen-*Zeitalter *(Treta*, *Dwapar* und *Kal Yuga)*. Mit jedem Schritt, den die Seele herabstieg, näher und näher zur Erde, verwirkte sie ein Tattwa und verwickelte sich in ein immer dunkleres Schicksal. Aus eigenem Willen hatte sie einst den ersten Faden gezogen, der sie tanzen ließ wie eine Marionette; aber seitdem hat jede Handlung ihren freien Willen immer weiter verringert. Zuweilen erlaubte es die Karmabilanz, daß der Seele wieder etwas Akash zugeteilt wurde, das aber bald darauf von den immer dichter und schwerer werdenden Schichten schlechter

Gewohnheiten aufgezehrt wurde, und sie ging mit einer neuen Belastung noch tiefer hinab. An dieser Stelle befinden wir uns jetzt.
Schließlich wird die Not der Seele so groß, daß der weitgehend eingeschränkte Shabd- oder Lebensstrom, der sie aktiviert, ein Signal an den Shabd-Ozean, den Höchsten aussendet, daß die Schwierigkeiten so hoffnungs- und ausweglos seien, daß nur noch Hilfe von oben, aus der Quelle, die Seele retten könne. Der Schöpfer, der Höchste – ganz Liebe –, ist von starkem Mitgefühl bewegt und projiziert sich selbst durch alle Schichten seiner Schöpfung hindurch herab und inkarniert sich als Erlöser oder Lehrer auf der gleichen Ebene, auf der sein Kind (die isolierte Seele) in Not ist, wobei er sich alle Beschränkungen selbst auferlegt, in die auch sein Kind sich verwickelt hat. Er streckt seine liebende Hand aus und berührt das geplagte Gemüt des Flehenden. Auf der Stelle beginnt dessen Kraft zurückzukehren, wird das Gleichgewicht der Tattwas, Gunas usw. wiederhergestellt, und die Seele wird wieder zum wahren menschlichen Stand zurückgeführt und verspürt darüber hinaus das Verlangen, Gott wieder als bewußten Teil seines Wesens zu erfahren.
Meister hat es auf der Erde zu allen Zeiten gegeben, aber weil der Mensch mit seinem Los zufrieden war, hat er sich in früheren Zeitaltern noch nicht um ihre Hilfestellung gekümmert. Im Kal-Yuga, in dem wir uns heute befinden, wuchs der Mangel an Akash so stark an, daß das Leben sich in einem Zeitalter der Finsternis zurechtfinden muß. Vollkommene Meister oder *Sat Gurus* sind aktiv dabei, die Menschen auf der physischen Ebene zu unterrichten, um ihnen ewige Linderung und Erleichterung von ihrem Leid zu bringen, und die Menschen suchen eifrig diese Hilfe. Die Karmabilanz des einzelnen wird von einem Meister bereinigt und kommt so dem Ausgleich näher, als sie seit dem Sturz gewesen ist; der Mensch fängt von

selbst an, nach geistigem Erwachen und Befreiung zu streben. Endlich hört die Isolation der Seele auf. Die Seele hat den Teufelskreis ihrer Verwicklung in die negativen Ebenen durchbrochen und ist im Begriffe, umzukehren und sich wieder dem Licht der Ewigkeit zuzuwenden mit der Gewißheit, den Heimweg zu ihrem Ursprung anzutreten.

Karma und Reinkarnation

An der einen oder anderen Stelle in diesem Buch spreche ich Aspekte des Karmagesetzes an und die sich mit ihm verbindende Lehre der Reinkarnation, und so ist es angebracht, ganz kurz die Grundzüge dieser Lehre zu skizzieren; ein »Glauben« an Reinkarnation oder gar an das Karmagesetz ist jedoch für das Verständnis weiter Teile dieses Buches nicht notwendige Voraussetzung.
Karma heißt Tat oder Tun. Alles im physischen Universum, so sagt die zeitlose Philosophie, geschieht aufgrund des Zusammenhanges von Ursache und Wirkung. Wissenschaftler würden dies nicht bestreiten, aber die Philosophie geht noch einen Schritt weiter. Das Gesetz von Ursache und Wirkung regiert nicht nur materielle Verhältnisse im horizontalen Energiespektrum dieser Welt, sondern es wirkt auch auf Gegebenheiten im vertikalen Energiespektrum.
Das bedeutet praktisch, daß all unser Tun, Denken, Fühlen, Wollen usw. einen Eindruck in unserem Geiste hinterläßt, als wäre dieser aus Wachs. Es wird eine Ursache, deren Auswirkungen sich in späteren Leben zeigen. Alle Wirkungen, alles Karma – sei es gut oder schlecht – unseres Erdendaseins in einem Leben wird zur Substanz, auf der das folgende Leben und sein Schicksal aufgebaut wird. »Übriggebliebenes« Karma wird in dem komplexen

Gefüge unseres höheren Geistes angehäuft, um in guten oder schlechten Zeiten zukünftiger Leben gebraucht oder auf unbestimmte Zeit gespeichert zu werden.
Mystiker sprechen von drei Arten von Karma: Erstens gibt es unser *Prahlabd* oder Schicksalskarma; mit ihm werden wir geboren und es bestimmt die Grundzüge unserer Persönlichkeit und den groben Rahmen unseres Lebens. Innerhalb dieser Vorgabe haben wir bedingt freien Willen, um *Kryaman*, das heißt neues Karma, zu erschaffen. Nach unserem Tode verbringen wir einige Zeit in den inneren Bereichen, oder wir begeben uns bald darauf zur nächsten Inkarnation; auf jeden Fall aber wird das in vergangenen Leben erschaffene Kryaman-Karma zum Prahlabd-Karma der nächsten Inkarnationen. Was von unserem Kryaman-Karma in der folgenden Lebenszeit nicht verwendet wird, wird Teil unseres *Sinchit*, unseres Karmavorrats. Auch unser jeweiliges Prahlabd-Karma wird immer etwas aus dem Sinchit-Vorrat enthalten. Es ist also recht wahrscheinlich, daß wir in einem Leben mit Dingen und Geschehnissen zu tun haben, die Verbindungen zu vielen verschiedenen früheren Inkarnationen besitzen.
Es gibt viele Gesichtspunkte dieser Philosophie, die man erörtern könnte, doch das liegt hier nicht in meiner Absicht. Ich möchte nur darauf hinweisen, daß in der Natur nichts verlorengeht und daß nichts aus dem Nichts erschaffen wird oder entsteht. Unerfülltes Verlangen, die Auswirkung unseres Handelns auf unser Denken und das Gemüt anderer, aber auch die tiefen Eindrücke aus dem Laufe eines Erdenlebens, die ungesättigt oder unerfüllt oder ungelöst bleiben – sie alle werden in ein zukünftiges Leben weitergetragen. Der Energiekomplex verschwindet nicht einfach beim Tode des physischen Körpers, sondern er muß aufgelöst, aufgearbeitet werden. Verwickelte und »offengebliebene«, nicht abgeschlossene Verbindungen mit anderen Menschen ziehen uns wieder und wieder zu

den gleichen Menschen zurück. Christus sagte: »Auch die Haare auf eurem Haupte sind alle gezählt.« Das heißt, das Karmagesetz und seine unausweichliche Begleiterscheinung, die Reinkarnation, gelten ohne Ausnahme. Wenn wir versuchen, ihm zu entkommen, geht es uns wie dem Menschen, der im Treibsand steckt – wir verwickeln uns nur noch tiefer. Nur mit der Hilfe von einem, der über dem Rad der Wiedergeburt steht, können wir aus dem Zyklus von Geburt und Tod entrinnen.

KAPITEL 1

Mikrokosmos und Makrokosmos – der innere Aufbau des Menschen

Allgemeine Einführung

Im Prolog zeigten wir, wie nach Aussage der Mystiker das physische Universum eine Widerspiegelung des astralen, und das astrale eine Reflexion des kausalen ist. Entsprechend der Verflechtung dieser Regionen im Innern des Menschen besitzt seine Seele einen Körper, der aus Substanz von jedem dieser Bereiche aufgebaut ist. Darüber hinaus ist auch eine Reflexion oder ein Strahl des universellen Geistes – wie auch des physischen, des astralen und des kausalen Geistes – vertreten. Während er sich in seiner physischen Form aufhält, hat der Mensch fernerhin in sich Zugang zum ganzen Universum – nämlich über seine Energiezentren oder *Chakras*, das sind Verteilungs- und Kontrollpunkte, die die Verbindung und den Zugang zu höheren Energieschwingungen bilden.
Die sechs Chakras des physischen Körpers werden in der esoterischen Literatur häufig besprochen. Es scheint jedoch nicht überall bekannt zu sein, daß diese Chakras eine Reflexion der sechs Chakras im Astralkörper sind und diese wiederum eine Reflexion der sechs Chakras im Kausalkörper. Die Charakteristika der Energien in diesen Chakra-Reflexionen sind ähnlich denen ihrer höheren oder tieferen Entsprechungen, was schon zu viel Verwirrung geführt hat, wenn es galt, die Beschreibungen der Erfahrungen von Yogis und anderen Menschen zu verstehen, denn so kann man sich naturgemäß einbilden, man hätte den Gipfel des universellen Geistes erreicht, wäh-

rend man sich noch in den astralen oder gar subastralen Regionen aufhält.

Der Mensch ist also der Mikrokosmos, der in sich alle Stufen des Makrokosmos widerspiegelt und mit Übung und unter Anleitung in der Lage ist, die Dunkelheit seines irdischen Bewußtseins zu durchdringen und sich in seinem Innern bis in die höchsten Ebenen reinen Seins zu erheben.

In den Veden bedeutet ein Begriff, der meistens als »Schöpfung« übersetzt wird, genauer »Projektion«. Die Weisen der alten Zeit, die sich dessen bewußt waren, daß nichts aus dem Nichts erschaffen werden kann, gaben diesem inneren Wissen Ausdruck mit den Worten, daß der Allerhöchste sich in materielle Gestalt und Substanz projiziere. Das heißt, es gibt nichts außer Ihm. Er ist immer auch im kleinsten Teilchen seiner Schöpfung gegenwärtig. Seine Macht offenbart sich als Energie, die abgestuft auf verschiedenen Schwingungsebenen – je nach den entsprechenden Schöpfungsbereichen – erscheint und so schließlich den tiefsten Punkt der Negativität, nämlich das physische Universum, erreicht.

Dieses Prinzip wird veranschaulicht im Phänomen unseres physischen Gemüts, in dem unsere Gedanken beherbergt sind. Manas, Buddhi usw. sowie alle Elemente des physischen Gemüts sind einfach die Projektionen des kosmischen oder universellen Geistes, des *Mahat.* Dieses Mahat wird dann im Denken offenbar, in unserem menschlichen Denken also, das Eigenschaften besitzt, die denen des universellen Denkens ähnlich sind. Rationalität und Logik unseres klarsten menschlichen Denkens sind nur eine Reflexion, eine Widerspiegelung, eine Ausdrucksform der Supercomputerlogik und des alles beherrschenden Gesetzes von Ursache und Wirkung, das sich zunächst im universellen Geist manifestiert und sich von hier aus in alle darunter liegenden Regionen auswirkt.

Nichts wird je neu erschaffen, höchstens in seiner äußeren Form. Die Wesenssubstanz ist so ewig wie der Schöpfer selbst, und die schöpferische Essenz fließt durch alles und in allem.

Die sechs Chakras im physischen Körper

Wir können nun daran gehen, die sechs Chakras des physischen Körpers zu beschreiben. Sie liegen in feinstofflichen Energiefeldern, einem Teil des physischen Universums und des Energieplans, der die Funktionen und Existenz des physischen Körpers, wie wir ihn kennen, steuert und erschafft.
Wie alle kosmische Energie, sind auch die Chakras im inneren Bewußtsein als Licht und Klang erfahrbar. Licht und Klang, ja, die Wahrnehmungen aller unserer Sinne, beweisen unsere Fähigkeit, Schwingungen oder Bewegungen in Energiefeldern wahrzunehmen und Veränderungen in den Energiemustern zu erkennen, die der Schöpfung zugrunde liegen. Jedes Chakra hat die Form einer Lotusblüte und trägt eine bestimmte Zahl von Blütenblättern oder Energie-Aspekten wie ein Ebenbild des tausendblättrigen Lotus des astralen Energiezentrums, wobei auch hier jedes Blütenblatt einen Energiestrom darstellt. Die Wechselwirkungen und -beziehungen der Energieströme untereinander führen zu der Erschaffung alles Tieferliegenden.
Interessanterweise haben die sechs Chakras des physischen Körpers zusammen genau 52 Blätter, ihre Zahl entspricht der Anzahl der Buchstaben im Sanskrit-Alphabet. Jedes Blütenblatt gibt einen Ton von sich, eine charakteristische Schwingung oder Note, die dem Klang eines der 52 Sanskrit-Buchstaben entspricht. Diese Töne sind für jeden Menschen vernehmbar, dessen feinere

Sinne geweckt sind. Er kann die Chakras sehen und ihre Töne hören. Es heißt, daß die 52 Klänge alle Töne umfassen, die der Mensch mit Hilfe seiner Stimmorgane erzeugen kann. Es heißt auch, daß die Rishis der alten Zeit, die auf die 52 Töne lauschten, jedem eine eigene Gestalt zusprachen, und deshalb trage die Sanskrit-Sprache den Namen *Dev Bani: die Sprache der Götter*.

Name	*Anzahl der Blütenblätter*	*Farbe*	*Position*	*Element*	*Endokrine Drüsen*
Ajna	2	Weiß u. Schwarz	hinter den Augen		Hypophyse u. Hypothalamus
Kanth	16	Dunkel-Blau	Kehle	Akash	Schilddrüse u. Nebenschilddrüsen
Hriday	12	Blau	Herz	Luft	Thymus
Manipurak	8	Rot	Nabel	Feuer	Pankreas
Svadasthan	6	Weißlich-Schwarz	Kreuzbein	Wasser	Keimdrüsen
Muladhara	4	Rötlich	Steißbein	Erde	Nebennieren

Die sechs Chakras im physischen Körper

Wir beginnen von unten:
Das *Mul-Chakra*, auch *Muladhara* oder *Guda-Chakra* genannt, liegt hinter dem Rektum und steuert die Ausscheidungsfunktionen. In der Hindu-Terminologie trägt die »Gottheit« oder das kontrollierende Energiezentrum dieses Bereichs den Namen *Ganesh*; das ist der elefantenköpfige Gott, der kein weibliches oder rezeptives Gegenstück besitzt. Dieses Chakra hat vier Blätter oder Buchstaben; seine Farbe ist Rötlich, und sein Element ist die Erde, das Feste (Prithvi). Früher wurde mit der Praxis des Pra-

nayama- oder Ashtang-Yoga in der Regel bei diesem Zentrum begonnen. Aus diesem Grunde wird der gläubige Hindu zuerst Ganesh seine Verehrung erweisen, bevor er sich irgendeinem wichtigen Unterfangen zuwendet. Ganesh gilt demgemäß auch als der Gott des Glücks.
Dieses rektale Chakra ist gewissermaßen die Grundlage und Stütze der anderen Chakras. Seine feinstoffliche Essenz (Tattwa) enthält den Bauplan der feststofflichen, erdhaften Materie; es kontrolliert und überwacht die ihm verwandten Aspekte des Körpers, also Knochen, Muskeln, Haut, Haar, Blutgefäße usw.
Jedes Chakra steht mit einer der wichtigsten endokrinen Drüsen in Verbindung. Diese bildet einen Abschnitt des Weges, über den die inneren, vitalen Lebensenergien sich äußern oder kristallisieren zur wahrnehmbaren, physischen Existenz. Das Rektal-Chakra manifestiert sich im Äußeren durch die Nebennierendrüsen, von denen aus die Selbstschutz-Aktivitäten des menschlichen Organismus gesteuert werden.
Die Fehlfunktion dieses Chakras äußert sich als materielles Verhaftetsein, und dessen Begleiterscheinung, Angst, ist die unmittelbare Folge dieser Schwäche. Der wunschlose Mensch ist mit nichts verhaftet und fürchtet auch nichts, denn er weiß, daß er im Grunde nichts zu verlieren hat. Angst steht auch in Verbindung mit der Funktion der Nebennieren, der Ausschüttung des Kampf-und-Flucht-Hormons Adrenalin aus dem Nebennierenmark. Es versetzt den Menschen in die Lage, seine Existenz auf der physischen Ebene zu schützen. Man kann also leicht erkennen, daß dieses Chakra die Rolle eines Beschützers und Erhalters der grobstofflichen Existenz spielt.
Das zweite Chakra ist das *Svadasthan-Chakra*, auch *Swada-* oder *Indri-Chakra* genannt. Es liegt in der Nähe des Kreuzbeines und hat die Kontrolle über die Erschaffung des physisch-körperlichen Rahmens, seiner Energie

und seines Fortpflanzungstriebes. Das zweite Chakra hat sechs Blütenblätter oder Buchstaben. Seine Farbe wird als Weißlich-Schwarz beschrieben, und die Namen der ihm zugeordneten Hindu-Gottheiten sind *Brahma* (nicht zu verwechseln mit Brahm, dem universellen Geist!) und *Savitri*. Sein Element ist Wasser (Jal oder Pani), und Wasser ist die Matrix, aus der alle Lebewesen im Laufe des Schöpfungsprozesses hervorkommen – selbst der ungeborene Mensch schwimmt im Leib seiner Mutter in Fruchtwasser. Das Guna des zweiten Chakras ist das schöpferische Rajas. Da Wasser das Element dieses Chakras ist, fällt der Flüssigkeitshaushalt im Organismus in seinen Zuständigkeitsbereich: Blut, Lymphe, Schleim, Samen, Urin usw. Die menschliche Fehlfunktion in diesem Bereich ist Lust oder sinnlicher Genuß jeder Art, der das Bewußtsein vom Sitz der Rationalität hinter den Augen wegzieht. Die Energie des zweiten Chakras fließt besonders durch die Keimdrüsen und manifestiert sich auch in Gestalt der Geschlechtshormone wie Östrogen, Progesteron und Testosteron, die alle Steroide ähnlicher Zusammensetzung sind und vom Organismus von der einen in die andere Form umgebaut werden können. Als Energieschwingungen betrachtet, sind sich diese Moleküle sehr ähnlich; darauf werden wir in einem späteren Kapitel noch zu sprechen kommen.
Mit den Chakras verbunden ist das System der *Nadis*, ein Netz subtiler »Nervenbahnen« oder Energielinien, durch das *Prana*, also Lebensenergie, über den ganzen Körper verteilt wird. Es soll mehr als 72 000 Nadis geben, die im Organismus miteinander verwoben sind. Drei von ihnen – sie tragen die Namen *Shushumana*, *Pingala* und *Ida* – sind besonders wichtig. *Shushumana* fließt durch den Rückenmarkskanal in der Wirbelsäule und verbindet die Chakras miteinander. Rechts vom Basis- oder Muladhara-Chakra beginnt *Pingala*, während *Ida* auf der linken

Seite verläuft. Diese beiden Gefäße oder Kanäle steigen längs der Wirbelsäule auf, wobei sie sich spiralförmig um den zentralen Kanal winden und einander dabei wiederholt kreuzen; so gelangen sie bis zum *Do-Dal-Kanwal* (oder Ajna-Chakra) hinter und zwischen den Augen. Dem zentralen Nadi, der auch unter dem Begriff *königliches Gefäß* oder *Kundalini* bekannt ist, entspringen 24 kleinere Nadis oder Energielinien, darunter zehn wichtigere – fünf auf jeder Seite –, zu denen auch Ida und Pingala gehören. Der eigentliche schöpferische Lebensstrom, Shabd, der die Seele in höhere Regionen führt, gelangt nicht tiefer als bis zum Augenzentrum; unterhalb dieses Zentrums wird seine kreative, ordnende Energie durch die Vermittlung des Pranas verteilt, um am Ende stillzustehen und im Muladhara-Chakra »zu ruhen«. Hier ist die Lebenskraft in Windungen »aufgerollt«, das heißt, es handelt sich an dieser Stelle um potentielle Energie, um gespeicherte Energie – wie die Bewegungsenergie, die in einer zusammengepreßten Spiralfeder ruht.

Die an der Basis der Shushumana »aufgerollte« Energie wird mit dem Sanskrit-Begriff Kundalini bezeichnet; in diesem Zusammenhang sind schon manche erstaunlichen und irrigen Spekulationen in der westlichen Esoterik-Literatur verbreitet worden.

Wenn der Yogi aufgrund von *Pranayama-* oder anderen Yogaübungen zur Kontrolle über Pranas und Chakras fähig ist, seine Aufmerksamkeit auf jedes einzelne Chakra zu konzentrieren und sein Bewußtsein den subtilen Energien zu öffnen, steigt die potentielle Prana-Energie im Shushumana-Gefäß nach oben (manche Quellen setzen Kundalini mit der Shushumana selbst gleich). Prana fließt dann also ungehindert die Shushumana empor zum Augenzentrum; dabei untersteht er der nach innen gerichteten Kontrolle des Yogis. Dieser Prozeß ist, was als »das Aufsteigen der Kundalini« bekannt wurde.

Solche Übungen können den Prana-Fluß aber nicht weiter als bis zum Augenzentrum lenken. Für ein weiteres Aufsteigen ist die Hilfe von Licht oder von Shabd, dem inneren Klang, notwendig. Schließlich kann der Shabd allein – die schöpferische Kraft an sich, die sich auch als Licht offenbart – die Seele zu ihrem Ursprung führen. Die Mystiker der höchsten Entwicklungsstufen sprechen zwar von den sechs Chakras, damit die Menschen nicht verwirrt werden und den irrigen Eindruck bekommen, die Mystiker verständen nichts davon. Sie empfehlen aber immer, die spirituelle Praxis im Augenzentrum zu beginnen und von hier aus aufwärts mit Hilfe des Shabd weiterzuüben.

Das »Wecken« der Chakras und der Prana-Ströme der Kundalini oder Shushumana setzt Jahre um Jahre intensiver, innerer Yoga-Praxis voraus. In dem Maße, wie diese Zentren »geweckt« werden – oder mit anderen Worten: in dem Maße, wie das Bewußtsein des Übenden die subtilen Energiefelder durchdringt –, stellt sich auch die Macht über die damit verbundenen Tattwas ein und verleiht dem Yogi die Fähigkeit, Wunder zu vollbringen – übers Wasser zu gehen, durch die Luft zu fliegen, im Feuer zu sitzen, Gegenstände zu manifestieren usw. Ja, alles, was eine Projektion der Tattwas ist, gelangt in seine Reichweite, während sein Bewußtsein sich erweitert und ihre Wirkungsweisen von innen heraus erfaßt. Aber im Interesse der Harmonie mit den Naturgesetzen macht er keinen Gebrauch von dieser Fähigkeit – oder sollte es jedenfalls nicht tun.

Der Begriff Kundalini taucht in der esoterischen Literatur häufig auf, und man begegnet Menschen, die behaupten, diese Kraft »geweckt« zu haben. Zu ihrem großen Glück entspricht diese Äußerung in der Regel nicht den Tatsachen. Wovon sie reden, ist eine Anregung subtiler Energien in ihrem Innern, die jedoch weniger mächtig und nicht von so zentraler Bedeutung sind. Eine stark ausgeprägte Reinheit im Denken und Fühlen sowie auch im Bereich des Körpers ist Voraussetzung zur gefahrlosen Übung jener Arten des Yoga. Ist die Energie erst einmal angerührt, beginnt sie tatsächlich aufzusteigen, und jegliche Blockaden auf ihrem Wege, die auf mangelnde Reinheit eines Aspektes zurückzuführen sind, können dann verheerende Folgen nach sich ziehen. Jede mögliche Leidenschaft kann dann vom Übenden Besitz ergreifen und mit der enorm verstärkten Gewalt der hinter ihr stehenden Prana-Energie den Yogi massiv aus dem Gleichgewicht bringen, in inneres Chaos führen und schwerere Störungen hervorrufen, als sie sich bei normalen Menschen manifestieren würden. Das kann sich bis zum Wahnsinn entwickeln.

Die Kundalini wird manchmal als mit dem Kreuzbein- oder Sexual-Chakra in Verbindung stehend dargestellt, weil die Energie – das Prana –, die man vor allem in der modernen westlichen Gesellschaft der Sexualität zuspricht, ganz beträchtlich ist und auch für den Yogi zu den am schwierigsten zu zügelnden und zu vergeistigenden menschlichen Energien zählt. Der Prana muß jedoch zum Muladhara-Chakra fließen, um dieses zu versorgen, und der zentrale Nadi reicht ebenfalls bis zu diesem Basis-Chakra hinab.

Die Kundalini wird auch als Schlangenkraft bezeichnet, weil sie wie eine schlafende Schlange zusammengerollt daliegt, aber das Potential in sich trägt, aufzuwachen und heftig loszuschlagen.

Eine Erklärung der Pranas als eines Flusses finden wir in Randolph Stones Buch *The Mystic Bible*: »Was aus dem ätherischen (subtilen) Bereiche fließt und zu grobstofflichem Prana wird, fließt wiederum über das Nervensystem in den Körper des Menschen. Der Prana fließt über die fünf Tattwas als Felder und Regionen in den menschli-

chen Körper, als »drahtlose« (feinstoffliche) Energie, bevor er zum grobstofflichen Prana der Nervenimpulse und körperlichen Aktivität wird.«
Stone fährt fort: »Der nach unten, auf (sexuelle) Sinnesempfindung gerichtete Trieb vergeudet kostbare Prana-Energie und bindet die Sinne, das Gemüt und die Seele an seinen erdwärts wirkenden Sog. Es gibt kaum eine Möglichkeit, diese feine, sinnliche Energie mittels Konzentration zu läutern und sie nach oben und innen zu lenken, wenn sie nach unten (und das heißt in Richtung Basis des physischen Körpers) verschwendet wird. Diese Verschleuderung von Energie verhindert nicht nur jeglichen spirituellen Fortschritt, sondern schwächt auch die übrigen Lebensenergieströme, die zur Erhaltung der Gesundheit und Vitalität des physischen Körpers notwendig sind. Diese Vergeudung oder Verschwendung verbraucht mehr Energie, als von Natur aus dem jeweiligen Zentrum durch die Ökonomie des Ganzen zugeteilt wird. Nur sechs Blütenblätter sind dem Lotus dieses Chakras zugeordnet, nur sechs von den 52 Blättern des Lebensbaumes im menschlichen Körper. Die Energie fließt entweder nach oben oder nach unten. Fließt sie aufwärts, bereichert sie die geistigen Funktionen und das Bewußtsein und trägt dazu bei, die Seele aus ihrer Gebundenheit zu befreien.«
Das dritte Chakra ist das *Manipurak-* oder *Nabi-Chakra*; es liegt unterhalb des Solarplexus auf der Höhe des Nabels. Die mit ihm assoziierten Hindu-Gottheiten sind *Vishnu*, der Ernährer und Erhalter, und *Lakshmi*. Dieses Chakra ist für die physische Ernährung des Organismus zuständig, und sein Attribut (Guna) ist das der Erhaltung (Satvas), denn es bewahrt das Gleichgewicht zwischen dem, was Physiologen als Anabolismus und Katabolismus bezeichnen, das heißt den Aufbau- und Abbauvorgängen, die gemeinsam als Metabolismus (Stoffwechsel) bekannt sind. Der westliche Begriff Solarplexus – also Sonnenge-

flecht – ist antiken Ursprungs und deutet auf den Charakter dieses Chakras als Feuerzentrum hin. Viele moderne Deutungen jedoch gehen davon aus, daß »solar« sich auf die radial ausstrahlenden Nervenbahnen und Ganglien bezieht, die angeblich den Sonnenstrahlen gleichen. Ohne Zweifel ist die Sonne ein sehr helles, feurig-strahlendes Objekt, das mehr oder weniger gleichförmig Licht aussendet. Das Licht verläßt die Sonne nicht in Form von Strahlen, aber diese bildhafte Vorstellung hat sich seit langem als die übliche Symbolik eingebürgert.

Im Bereich dieses Chakras treffen wir auf einen der »Himmel«, denen wir auf unserer Reise nach innen von Zeit zu Zeit begegnen: das Zwerchfell. Randolph Stone erläutert: »Im menschlichen Körper bildet das Zwerchfell das elastische, aktive Firmament, das (wie eine Klappe) die Elemente Wasser und Erde von den Elementen Feuer und Luft trennt. Von dieser wichtigen Wechselbeziehung hängt unser Leben ab. Ohne die Funktion des Zwerchfells wäre keine Atmung möglich, kein Herzschlag, weder eine geregelte Ausscheidung noch Nahrungsaufnahme oder Bewegung. Das Zwerchfell ist ein fester, stabilisierender Faktor der Körperfunktionen.«

Das dritte Chakra hat acht Blütenblätter oder Buchstaben, seine Farbe ist Rot, und das vorherrschende Tattwa oder Element ist Agni, das Feuer, dessen Äußerung im Materiellen die Wärme ist. Feuer ist läuternd und auflösend wie Wasser, seine Wirkung ist aber in beiden Aspekten stärker als die des Wassers: Es hebt auch die Schwingungen aller Substanzen, die es berührt, und bereitet sie damit auf die nächsthöhere Stufe vor, den Luft- oder Gaszustand. Es gibt keine Erzeugung oder Erhaltung von Leben ohne ein größeres oder geringeres Maß an Wärme. Die feurigen, wärmenden und nährenden Charakteristika der Energie, die über dieses dritte Chakra verteilt wird, sind für den Metabolismus, den Stoffwechsel, verantwortlich. Es besteht eine Verbindung zur hormonproduzierenden Bauchspeicheldrüse (Pankreas). Dieses Organ kontrolliert nicht nur die Verbrennungsprozesse der Verdauung, sondern über das Insulin auch den Zuckerstoffwechsel und das kalorische oder Wärmegleichgewicht in der Biochemie unseres Organismus.

Es ist offensichtlich, daß eine solche Art der Darstellung nicht dem konventionellen, westlich-wissenschaftlichen oder medizinischen Denken entspricht. Das liegt daran, daß wir es hier mit einem vertikalen Energiespektrum zu tun haben, aus dem die tieferen Energien und die Materie geschaffen sind. Die moderne, wissenschaftliche Methodik beschäftigt sich mit horizontalen Zusammenhängen und Wechselbeziehungen am untersten Ende dieses Spektrums. Sie sucht zwar nach den »letzten« Energiefeldern oder Partikeln, erkennt aber nicht, daß der Ursprung des grobstofflich Manifestierten jenseits des Bereiches liegt, den ihre Instrumente erfassen können.

Das vierte Zentrum oder Geflecht ist das *Hriday-* oder *Herz-Chakra*. Es ist zuständig für den Kreislauf im Körper, für Blut und Atmung. Seine Aufgaben sind Schutz, Zerstörung und Auflösung des physischen Körpers, sein Guna ist also Tamas. Der Sitz des Chakras ist der Plexus cardiacus, das Herz-Nerven-Geflecht, und die Hindu-Gottheiten *Shiva* und *Parvathi* sind ihm zugeordnet. Sein Tattwa ist der luft- oder gasförmige Zustand, Vayu. Es hat zwölf Blütenblätter oder Buchstaben und seine Farbe ist Blau.

Randolph Stone schreibt in *The Mystic Bible*: »Hier finden wir auch den mystischen Kelch, nämlich das Herz, das Mischgefäß des Lebensprinzips (Prana) mit den Elementen Luft, Feuer und Wasser. Prana, die universelle Lebenskraft, gebraucht den Sauerstoff als Trägersubstanz, und wir atmen ihn als Luft ein. Die Bibel stellt unmißverständlich fest: ›Des Leibes Leben ist im Blute.‹ Wäre das chemische Element Sauerstoff das Lebensprinzip an sich, könnten wir das Leben unter einem Sauerstoffzelt grenzenlos verlängern, was jedoch nicht möglich ist.«

Das Herzzentrum ist also ein Schutz und Verteiler von Energien, und diese Funktion spiegelt sich auch in der neu entdeckten Rolle der Thymusdrüse wider. Der Thymus, der noch vor kurzem als bedeutungsloses Relikt früherer Phasen der Evolution abgetan wurde, ist inzwischen als das wichtigste, prägende Organ des körpereigenen Immunsystems bekannt, das eine Reihe von Hormonen ausschüttet, die unter dem Begriff Thymosin zusammengefaßt werden. Das Immunsystem des Körpers ist die Summe der biochemischen und physiologischen Mechanismen, die den Organismus vor »Eindringlingen« von außen schützen – seien sie chemischer, bakterieller oder viraler Natur –, aber auch interne Toxine, Stoffwechselgifte sowie biochemische »Fehler« und »Überreaktionen« neutralisieren.

Gier, Geiz oder die übertriebene Verteidigung naturgesetzlicher Rechte sind die menschlichen Schwächen, die mit Störungen im energetischen Gleichgewicht dieses vierten Chakras auf emotionaler Ebene einhergehen. Menschen, die in ihrer Bewußtseinsentwicklung die grobstofflichen Einflüsse des materiellen Verhaftetseins, der Lust, der Begierde und des Zorns hinter sich gelassen haben, sind häufig anfällig für Herzleiden, wenn sie sich bemühen, mit ihrer erhöhten Sensibilität und mit Hilfe der Kollektiv- oder Gruppen-Aspekte des Herzchakras in der Welt zurechtzukommen.

Das fünfte Zentrum ist das *Kanth-*, *Vishudhi-* oder *Kehl-Chakra* in der Nähe des Plexus cervicalis und der Kehle. Die ihm zugeordnete Hindu-Gottheit ist *Shakti*, die Muttergöttin und Kraftquelle für die Gottheiten unter ihr. Das Kehlchakra hat 16 Blütenblätter oder Buchstaben, seine Farbe ist Dunkelblau. Es ist der Sitz des ätherischen

Tattwa, des Akash, das die drei unteren Chakras mit ihren Elementen Wasser, Feuer und Luft sowie den entsprechenden Gunas Erschaffung, Erhaltung und Zerstörung aufrechterhält. Ohne Akash könnte sich der Intellekt (Buddhi) des Menschen nicht manifestieren. Das heißt, die Fähigkeit des Menschen zu rationalem Denken setzt das Vorhandensein des Akash-Energiefeldes voraus.
Was die Hindus unter Shakti als der Muttergottheit und der Energiequelle für die unteren Chakras verstehen, findet seine Entsprechung auf dem Gebiet der westlichen Medizin in den Organen Schilddrüse und Nebenschilddrüsen, die eine Steuerungs- und Kontrollfunktion über das Stoffwechselgeschehen im ganzen Organismus ausüben. Im besonderen steuert das Kehlchakra auch die Stimme sowie die Lungen und Atemwege. Deshalb kann eine emotionale Erschütterung Verkrampfungen und eine Verengung der Luftwege und Bronchien auslösen, was zu Schluchzen, Seufzen und sogar Asthma-Anfällen führen kann.
Akash also ist das Element oder der Materiezustand, der mit diesem Chakra und mit der Rationalität des Menschen assoziiert wird; Stärken und Schwächen im Bereich dieses Chakras sind demgemäß Ehrlichkeit und Aufrichtigkeit sowie deren Gegenteil. Der »Vielschwätzer«, der vom Bereich der unteren, emotionalen Zentren aus aktiv ist, neigt zur Inkorrektheit in seiner Darstellung von Geschehnissen und Gefühlen – sowohl nach außen als auch nach innen, sich selbst gegenüber –, während ein Mensch, der von dem nächsthöheren Zentrum, dem Augenchakra, aus oder mehr aus seinem Inneren heraus spricht, mit größerer Wahrscheinlichkeit der Wahrheit ehrlichen Ausdruck gibt.
Echte Aufrichtigkeit verlangt ein Zurücktreten des Egos – denn das Ego ist an sich bereits eine Illusion, eine unehrliche Darstellung unserer Realität –, und deshalb gehört

sie zu den am schwierigsten zu erlangenden Tugenden. Ja, sie wird sich nie auf der Suche nach Ehrlichkeit selbst einstellen, sondern nur als Nebenprodukt des inneren Strebens nach der höheren Wahrheit oder Wirklichkeit in unserem Wesensinneren.

Das letzte Hauptchakra innerhalb des feinstofflichen Körpers – und das einzige, das bei wirklich spirituellen Praktiken eine Rolle spielt – ist das *Ajna-Chakra* oder *Do-Dal-Kanwal*, dessen Lotus zwei Blütenblätter besitzt; das eine ist weiß und das andere schwarz. Sein Sitz ist etwas hinter und oberhalb unserer physischen Augen. Hier befindet sich das Hauptquartier der Seele und des Geistes, solange wir wach sind. Von hier aus fließen die Strömungen unserer Seele herab und breiten sich über den ganzen Körper aus, bis in jede Zelle und jedes Haar. Die mit dem Ajna-Chakra assoziierte Gottheit ist natürlich Atma – in dem sich Seele und Geist des Menschen zur Einheit verbinden. Alle Chakras unterhalb des Ajna unterstehen dessen Kontrolle, und entsprechend sind auch alle Gottheiten, die man mit ihnen assoziiert, der Führung von Geist und Seele *untergeordnet*. Alle diese sechs Chakras befinden sich also innerhalb des Bereiches des physischen Universums, des Pinda.

Die Hypophyse mit ihren zwei Lappen – die möglicherweise den beiden Blütenblättern des Ajna-Lotus entsprechen – spielt eine wichtige Rolle im System der endokrinen Drüsen und hat Verbindungen zu höheren Zentren im Gehirnbereich. Die Hypophyse arbeitet im Rahmen eines äußerst fein abgestimmten Regelkreissystems und steuert die Aktivität aller ihr untergeordneten Hormondrüsen – auf ähnliche Weise, wie das Ajna-Chakra den Energiefluß der ihm untergeordneten Zentren reguliert. Schließlich sind Moleküle – ob es sich dabei um Hormone oder andere Stoffe handelt – in Wirklichkeit nur Energieschwingungen von atomaren und subatomaren

Kräften und Teilchen. Darüber wird im weiteren Verlauf dieses Buches noch wesentlich mehr gesprochen werden. Der Hypophysen-Hinterlappen ist im Grunde eine selbständige Drüse, deren Hormone im Hypothalamus hergestellt werden. Es ist sogar wahrscheinlich, daß die beiden Blütenblätter des Ajna-Chakra genaugenommen dem Hypophysen-Vorderlappen einerseits und der Kombination Hypothalamus/Hypophysen-Hinterlappen andererseits zuzuordnen sind, zwischen denen wichtige, hormonelle Wechselbeziehungen bestehen. Das ganze Chakra-, Elemente- und neuroendokrine System ist ein faszinierendes Thema, das ich in einem weiteren Buch zu erkunden hoffe.*

Egoismus und Befangenheit sind vielleicht die typischen Schwächen dieses Zentrums, wenngleich der Sitz des menschlichen Egos in Wirklichkeit in einem noch höheren Zentrum anzusiedeln ist, wie wir später noch feststellen werden. Alle anderen menschlichen Schwächen haben ihren Ursprung im Ego, im Selbstgefühl. Ohne Ego kann es weder Sinnenlust, Gier, Zorn, Verhaftetsein und Unehrlichkeit noch irgendeine andere Erscheinungsform solcher Energiegleichgewichtsstörungen in unserem mental-emotionalen Komplex geben, die uns alle so menschlich-allzumenschlich machen.

Es sollte klar genug sein: *Diese sechs Zentren im feinstofflichen Bereich enthalten keine Spiritualität*, sondern lediglich materielle Kräfte. Um in die Sphäre des Spirituellen zu gelangen, müssen wir über die Höhe der Augen hinaus in die nächste Abteilung der Schöpfung aufsteigen; diesen Weg können wir direkt von da aus beschreiten, wo wir uns gerade befinden, nämlich von hinter den Augen aus.

Viele esoterische Schulen und Lehren sprechen von ei-

* Dieses Werk ist inzwischen abgeschlossen und im Herbst 1988 unter dem Titel *The Web of Life* bei C. W. Daniel, Saffron Walden, erschienen (Anm. d. Ü.).

nem siebten, dem Scheitelchakra, und sie beziehen sich damit auf eine Zusammenfassung der astralen und kausalen Chakras, die sich oberhalb der physisch-körperlichen Chakras befinden. So wird beispielsweise der tausendblättrige Lotus des astralen Bereichs zuweilen als das Kronenchakra angesprochen. Wichtig ist jedoch, daß man versteht, daß es sich hier um Energien handelt, die oberhalb und jenseits der physisch-körperlichen und der feinstofflichen Energien liegen. Um wirklich zu begreifen, welcher Art solche Energien sind, gibt es keine bessere Methode als das eigene, innere Erfahren, das jeder nur selbst in Angriff nehmen kann.

Das *Augenchakra* oder Do-Dal-Kanwal ist die höchste Ebene, auf die man durch Konzentration und Meditation über die sechs Chakras gelangen kann. Hier endet auch der Entfaltungsweg jener, die den *Pranayama-Yoga* (rhythmische Atemübungen) praktizieren, denn hier kommen die Nadis und Pranas im *Chitakash* (dem inneren Firmament des Körpers), dem Ort ihres Ursprungs, zusammen. Über diese Stufe hinaus können sie nicht gelangen, denn keine Kraft oder Energieströmung vermag uns weiter als bis zu ihrem Ausgangspunkt zurückzuführen. An dieser Stelle erkennen manche Seelen ihre Not und nehmen die Hilfe der *drei Kanäle* oder Ströme an, um so deren Ursprung, den tausendblättrigen Lotus, Sahans-Dal-Kanwal, zu erreichen. Nachdem wir diese Regionen oder Chakras beschrieben haben, sollte klar sein, daß es sich dabei nicht um Beschreibungen der physischen Auswirkung handelt, wie wir sie in der sinnlich wahrnehmbaren Anatomie des Körpers beobachten können. Es handelt sich vielmehr um die subtilen Energiemuster, die solche Funktionen steuern und im feinstofflichen Teil des physischen Körpers anzusiedeln sind. Es ist also gewissermaßen, als betrachte man die »Ursache«, deren »Wirkung« dann im Physisch-Körperlichen manifest wird. Wer jedoch ein waches, spirituelles Bewußtsein besitzt, kann die Wirkungsweise dieser Energien von innen heraus verfolgen, mit seiner inneren Wahrnehmung. Einzig und allein auf diese Weise und von solchen Seelen konnten die Meridiane und Punkte der Akupunktur beispielsweise »kartographisch« erfaßt und schließlich als Wissenschaft vermittelt werden. Aber auch heute noch begegnet man recht häufig Menschen, die sich mehr oder weniger deutlich des subtilen Energieflusses bewußt sind. Als intuitive Fähigkeit entwickelt sich dieses Wahrnehmen durch Praxis und Übung bei so manchem Menschen, der im Bereich des Heilens tätig ist, bei anderen einfach als »Nebenprodukt« der Meditation. Ich selbst habe eine Reihe von Menschen kennengelernt, die diese Gabe besitzen.

Gleich oberhalb des zweiblättrigen Lotus befindet sich ein weiteres Zentrum, das mit dem Namen *Char-Dal-Kanwal* bezeichnet wird. Sein Lotus ist vierblättrig, und seine Aufgabe besteht darin, die vierfachen *Antashkarans* Zentren für ihre Tätigkeit zu versorgen. Die Antashkarans sind die vier Fähigkeiten, die uns unser physisches Gemüt geben und die Energiefelder zur Verfügung stellen, in denen unsere Gedanken sich manifestieren können. Das alte Sprichwort: »Gedanken sind Dinge« wird auf dieser Ebene unmittelbar sichtbare Realität. Die vier Fähigkeiten sind: *Manas*, *Buddhi*, *Chit* und *Ahankar*. Jedes Blütenblatt dieses Lotus hat seinen eigenen Klang, und mit diesen vier ist die Reihe der 52 Buchstaben des Sanskrit-Alphabets vollständig. Wir befinden uns hier im untersten der sechs Zentren in *Anda* (dem astralen Bereich), das zugleich *Pinda* (dem physisch-materiellen Bereich) am nächsten gelegen ist.

Buddhi ist das Unterscheidungsvermögen und der Intellekt, das unpersönliche Bewußtsein des *Jiva*, der im menschlichen Körper gefangenen Seele. Buddhi trifft

Entscheidungen aufgrund der von Chit und Manas eingegangenen Eindrücke und Informationen. Während Buddhi zwar die Fähigkeit der Unterscheidung besitzt, hat es keine eigene Macht zu handeln, da es unpersönlich ist. Buddhi ist die unabhängige, objektive Logik hinter den intellektuellen Prozessen. Buddhi ist die Kraft der Rationalität, wenn auch von Verständnis für Moral und für die höheren Eigenschaften des Lebens durchzogen – abhängig vom Bewußtseinsgrad des einzelnen und dessen Verbindung mit den höheren oder inneren Energien seines eigenen Wesens.

Buddhi bedarf jedoch einer gewissen Personalisierung, um sich als menschliches Individuum artikulieren zu können. Das ist die Fähigkeit des *Ahankar*, des persönlichen Gewahrseins. Ahankar identifiziert sich mit den Wahrnehmungen der Sinne und den daraus folgenden Reaktionen. Buddhi und Ahankar zusammen machen den Menschen zum »Erlebenden«. Ahankar ist also der Exekutiv-Aspekt, der sich mit Entscheidungen, Eindrücken, Gewohnheitsmustern usw. befaßt, die ihm von den drei anderen Fähigkeiten zugeleitet werden. Ahankar ist gewissermaßen die Ichheit des Individuums, durch die der einzelne sich von allen anderen unterscheidet und seine eigenen Interessen von denen anderer abgrenzt. Ist diese Funktion gestört – was bei den meisten von uns wohl der Fall sein dürfte –, entwickelt sich das allzumenschliche Ego, die Quelle aller menschlichen Schwächen.

Manas ist die Denksubstanz an sich. Manas nimmt Eindrücke von den Sinnen auf und reagiert darauf sofort, wie es seinen Gewohnheitsmustern oder früheren Erfahrungen entspricht. Die Fähigkeiten, zu genießen und zu wünschen, wurzeln in Manas. Der Erlebende erfährt die materielle Welt auf fünffache Weise und macht Wahrnehmungen in der Form des Hörens, Sehens, Fühlens, Schmeckens und Riechens. Manas nimmt also Sinneseindrücke von »außen« auf, funktioniert selbst aber weitgehend »automatisch« und braucht Buddhi und Ahankar, um Leben zu erhalten und seine Aktivität zu erfahren. Buddhi überschaut die von Manas aufgenommenen Eindrücke und trifft intelligente Auswahl und Entscheidungen, während Ahankar die Exekutive übernimmt, wenn gehandelt werden soll.

Manas ist also die unmittelbare und augenblickliche Fähigkeit des Erkennes. Die letzte der vier Fähigkeiten des menschlichen Gemüts aber ist *Chit*. Chit* ist das Gedächtnis, der Speicher für alle Eindrücke, die Manas aufnimmt. Psychologen sprechen vom Kurzzeit- und vom Langzeit-Gedächtnis. Wenn Manas das Kurzzeit-Gedächtnis ist, dann ist Chit die mentale Substanz, in der Eindrücke langfristig gespeichert werden. Ahankar und Buddhi wenden sich also automatisch an diesen Erinnerungsspeicher, wenn sie Entscheidungen treffen und Handlungsweisen festlegen.

Zusammenfassung

Der große Meister Maharaj Sawan Singh Ji schrieb vor vielen Jahren in einem Brief an einen Schüler aus dem Westen: »Sach Khand (Sat Purush) und die Regionen darüber bilden den rein geistigen Bereich. Dieser ist der einzige unwandelbare Teil. Brahmanda (kausale Region), Anda (astrale Region) und Pinda (physische Region) sind veränderlich und deshalb vergänglich. Wenn wir die rein

* Wie viele Sanskritbegriffe wird auch *Chit* in verschiedenen Zusammenhängen verwendet und hat dann jeweils einen anderen Sinn. Viele Yoga-Übende kennen die Begriffe *Sat*, *Chit*, *Ananda* als Attribute der Seele, die als Wahrheit, Bewußtsein und Glückseligkeit übersetzt werden. In unserem Zusammenhang aber bedeutet *Chit* etwas anderes.

geistige Region einmal nicht in unsere Betrachtung einschließen, verhalten sich die übrigen Teile – Brahmanda, Anda und Pinda – zueinander wie das Bild zum abgebildeten Gegenstand. Anda ist das Abbild von Brahmanda, und Pinda ist das Abbild von Anda – sie verhalten sich zueinander wie die Sonne, ihr Spiegelbild auf der Wasseroberfläche und dessen Reflexion auf einer Mauer. Die Sonne mit all ihrer Herrlichkeit und Kraft steht oben am Himmel. Das Bild auf dem Wasserspiegel ähnelt der Sonne, hat aber viel von deren Strahlkraft und Großartigkeit verloren. Und die Reflexion auf der Mauer ist nur ein verschwommener Lichtfleck, verzerrt und ohne jeden Glanz. Pinda ist eine Kopie von Anda, und Anda eine Kopie von Brahmanda. Der sogenannte Mensch ist also eine Kopie von einer Kopie, wobei wir vom reinen Geist gar nicht reden. Dies soll Ihnen nur eine Vorstellung davon vermitteln, wie die entsprechenden Zentren in Pinda, Anda und Brahmanda sich zueinander verhalten, nämlich so, wie die Sonne zu ihren Reflexionen. Das unterste Zentrum in Pinda ist beim Steißbein, man ordnet ihm vier Blütenblätter und die Farbe Rot zu. Das entsprechende, unterste Zentrum in Anda ist kurz oberhalb der Augen; es hat ebenfalls vier Blütenblätter, und seine Farbe ist Rot. Das analoge Zentrum in Brahmanda ist Trikuti mit gleichfalls vier Blütenblättern und der roten Farbe. Die rote Sonne Trikutis spiegelt sich im vierblättrigen Lotus der Antashkarans wider, eben oberhalb der Augen, diese wiederum im Basischakra und seinem dunkelroten, vierblättrigen Lotus.

Die meisten Konzentrationslehren beginnen beim Rektalchakra und ziehen dann langsam die Aufmerksamkeit nach oben bis zum Augenzentrum. Manche fangen auch beim Herzchakra an und gehen von hier aus zum Augenzentrum, denn beim durchschnittlichen Menschen ist der Hauptsitz der Aufmerksamkeit nicht im Bereich der Augen, sondern im Herzen, im emotionalen Zentrum. Der Mensch hebt seine Aufmerksamkeit nur dann in den Bereich des Augenzentrums, wenn er tief nachdenkt, um danach wieder nach unten abzusinken. Traum und Schlaf sind Zustände, die eintreten, wenn die Aufmerksamkeit unterhalb des Augenzentrums sinkt.

Die Konzentrationslehre der Heiligen fängt beim Augenzentrum an. Man konzentriert sich hier überhaupt nicht auf eines der Zentren unterhalb der Augen und gibt dafür einen einfachen Grund an: Normalerweise arbeitet der Mensch vom Herzzentrum aus. Er sitzt also auf mittlerer Höhe des Berges, dessen Fuß beim Rektum und dessen Gipfel die Augen sind; das Herz ist ungefähr in der Mitte. Erst zum Rektum hinabzugehen, um dann die Konzentration emporzuziehen, ist vergeudete Zeit und Energie. Deshalb setzen sich die Heiligen das Augenzentrum gleich als erstes Ziel, um die Spitze zu erreichen. Der Mensch besitzt von Natur aus das Vermögen, sein Bewußtsein auf Augenhöhe zu erheben, auch wenn es nicht auf diesem Niveau bleibt. Das ist der einzige Nachteil. Heilige schalten diesen Nachteil aus, indem sie sich wiederholt im Augenzentrum konzentrieren, das bei entsprechender Übung dann zum Hauptsitz der Aufmerksamkeit wird. Eine solche Verlagerung des Hauptzentrums der Aufmerksamkeit nach oben ist ein Weg zum Licht, Schritt für Schritt.

Die Kraft liegt in der Konzentration, gleichgültig auf welches Zentrum. Je höher das Zentrum jedoch liegt, desto größer ist auch die Kraft, und desto tiefer der Frieden. Sich in den Bereich irgendeines Zentrums in Pinda oder zu einem Punkt unterhalb der Augen zu begeben und sich darauf zu konzentrieren, bedeutet das gleiche, wie sich mit der Reflexion einer Reflexion zu beschäftigen. Die Heiligen lehnen es ab, sich nach Pinda zu begeben. Sie sitzen mit ihrer Aufmerksamkeit im Augenzentrum, zie-

hen den Kraftstrom zu diesem Zentrum herauf und gehen von hier aus weiter nach Anda und Brahmanda.«
Ein heute lebender Meister, Maharaj Charan Singh Ji, gibt dazu in seinem Buch *The Master Answers* den folgenden Rat: »Wir sollten uns nicht davon verwirren lassen, wie viele Bereiche oder Stufen (von den Mystikern) beschrieben wurden. In Wirklichkeit handelt es sich immer um die gleiche Reise, und es gibt keine starren Grenzen oder Unterteilungen. Der Weg muß auf die eine oder andere Weise geschildert werden, also übernimmt die Sprache diese Aufgabe. Manche haben nur von zwei Bereichen gesprochen, andere haben den Weg in vier, wieder andere in fünf oder acht Regionen eingeteilt. In Wirklichkeit ist es aber die gleiche Reise durch das gleiche Gebiet, das in zwei, vier, fünf oder acht (Regionen) eingeteilt wird.«

KAPITEL 2

Mystik, subtile Energien und menschliche Erfahrung

Intellekt, Intuition und psychische Phänomene

Die Komplexität der Energieströme im feinstofflichen Körper ist unvorstellbar und wird nur von der Vielzahl der Formen, Aktionen und Reaktionen auf der grobstofflichen Ebene selbst noch übertroffen. Die Aufgabe, die Wechselwirkungen von biochemischen, physiologischen, subatomaren und molekularen physikalischen Prozessen aufzudecken, ist umfassend genug, um die Gemeinde konventioneller Wissenschaftler auf Jahrhunderte hin beschäftigt zu halten. Der eigentliche Schlüssel zum Verständnis dieser Vorgänge liegt im Verstehen der Energiepläne, durch die sie erzeugt, kontrolliert und gesteuert werden. Diese jedoch lassen sich am besten durch die Betrachtung von innen erfassen, durch Konzentration nach innen, anstatt durch den Versuch intellektueller Analysen.

Von unten, aus menschlicher Sicht und nur mit Hilfe von Intellekt und Intuition betrachtet, wird sich das komplexe Geschehen nie dem Verständnis öffnen. Die möglichen wechselseitigen Reaktionen sind praktisch unzählige in ihrer äußeren Manifestation. Der Intellekt selbst ist schließlich nur eine der mannigfaltigen Energien im Universum. Er ist Buddhi, eine der Antashkarans, der Attribute des menschlichen Gemüts, nur eine Reflexion eines Strahles aus dem universellen Denken, ein Aspekt des untersten Chakras im astralen Universum...

Das physische Denken – die Antashkarans – hat seinen Zweck: Es soll das Leben auf dieser Ebene steuern und ein hinreichendes Verständnis haben, damit das Leben (mehr oder weniger) erfolgreich funktioniert; es kann aber niemals ein umfassendes, kosmisches Verständnis zusammen mit einer vollständigen Kenntnis der letzten, höchsten Ursache aufbringen. Es ist selbst nur ein Teil des Kosmos, den es verstehen will.
Man kann nie etwas wirklich verstehen, indem man nur neben ihm steht. Um etwas zu kennen, muß man es werden, muß man zulassen, daß es Teil von einem wird, mit ihm verschmelzen und es Teil des eigenen Bewußtseins werden lassen. Intellektuelle Analyse – wie positiv ihr Ausgangspunkt auch sein mag – ist im Grunde genommen ein Instrument der Dualität, das nur zu leicht zu Trennungsdenken und persönlichem Egoismus führt. Es ist charakteristisch, daß sich der Intellektuelle seinen »weniger begabten« Mitmenschen überlegen fühlt, ganz gleich, wieviel Mühe er sich gibt, gegen dieses Empfinden anzukämpfen. Der Intellekt aber ist nur ein einziger Aspekt des Menschlichen. Andere menschliche Qualitäten wie Zuneigung, Großzügigkeit, Toleranz, Hilfsbereitschaft und Verständnis sind eigentlich von größerem Wert als die intellektuelle Fähigkeit. Und man kann sie stark ausgeprägt ebenso häufig bei ungebildeten Menschen finden wie bei gebildeten; manche würden sogar sagen, noch häufiger. Um also im höchsten Sinne zu verstehen, muß man zum Gegenstand *werden*, den es zu verstehen gilt. Wie ist das zu bewerkstelligen?
Wir erinnern uns, daß der Mensch der Mikrokosmos ist, und der ganze mystische Tanz der Energien spiegelt sich in seinem Innern wider. Mit Hilfe der richtigen Meditationsübungen kann eine Seele durch Konzentration auf die inneren Energieströme aufsteigen. Es gibt zahlreiche Formen des Yoga und der Meditation, die den verschie-

denen Energieströmen zu deren jeweiliger Quelle nachgehen. Die höchste Form der Meditation ist demgemäß die, welche dem Weg des Lebensstroms, des Shabd, des schöpferischen Urstrahls, zu seiner Quelle zurück folgt. Sie ist zugleich die schwierigste Übung, da die Hindernisse in Gestalt der mannigfaltigen, nach unten gerichteten Energieströme schwer zu überwinden sind.

Wenn eine Seele sich emporentwickelt, entfaltet sich ihr Verständnis von Wesen und Struktur der Schöpfung durch die Energiemuster und -schwingungen unter ihr, die dann wie ein aufgeschlagenes Buch vor ihr liegen. Sie werden Teil des Bewußtseins der Seele, die sie nicht nur voll und ganz kennt, sondern auch lenken kann, falls sie den Wunsch dazu verspürt. Auf diese Weise ist es möglich, Wunder zu vollbringen.

Einem Hund oder einer Katze muß die Erzeugung elektrischen Lichts wie ein Wunder erscheinen. Sie besitzen nicht das Bewußtsein, um die zugrunde liegenden Mechanismen zu verstehen. Der Mensch mit seinem weit größeren Maß des Elementes Akash kann die Zusammenhänge soweit verstehen, um ein entsprechendes Gerät zu bauen, obgleich ein umfassendes Wissen über die Struktur der Materie und der Energiereaktionen und -transformationen im subatomaren Bereich hierzu nicht notwendig ist. Auf ähnliche Weise ist es der Seele, die einen Weg nach innen beschreitet, möglich, in dem Maße, in dem die Wege der Energie für sie erfaßbar sind, diese nach Belieben zu manipulieren und so scheinbare Wunder zu bewirken. Wunder jedoch brauchen Energie von innen, und Schüler wirklich spiritueller Disziplinen, bei denen solche Kräfte sich voraussichtlich manifestieren können, haben strenge Anweisung, ihre Energie nicht für »Partytricks« zu vergeuden, sondern für ihre weitere, innere Entfaltung einzusetzen.

Jeder besitzt eine individuelle Energie-Zusammensetzung. Die Grundmuster stimmen wohl überein, aber wir alle zeigen auch deutliche Unterschiede. Es gibt Menschen, die in der Entwicklung ihrer subtilen, feinstofflichen Energien – der Chakras, Pranas, des Akash und der Antashkarans – dem Durchschnitt voraus sind. Solche Menschen bezeichnen wir als Medien, Hellseher, Heiler usw. In der Mehrzahl dieser Fälle hat der einzelne kaum oder gar keine Kontrolle über seine Fähigkeit. Sie kommt und geht. Wer aber eine spezielle Form geistiger Disziplin praktiziert hat, erlangt ein größeres Maß an Kontrolle – was aber auch dazu führen kann, daß solche Menschen aufhören, von ihrer Fähigkeit nach außen hin Gebrauch zu machen.

Alle Energie von ASW- (außersinnliche Wahrnehmung) oder Psi-Phänomenen wie Gabelbiegen, Psychokinese, Telepathie usw. stammt aus dem subtilen Energiebereich zwischen dem Grobstofflichen und den Antashkarans. Die mentale Konzentration entsprechend begabter Menschen öffnet die Energiebahnen vom Denkorgan bis zum Gegenstand der Konzentration, und das Phänomen tritt ein.

Die Energie unseres Schicksals oder Karmas für das derzeitige Leben ist in den Antashkarans aufgezeichnet. Hier haben unser äußeres Leben und unsere Persönlichkeit ihre Wurzeln. Die Persönlichkeit nämlich ist auch Teil des Schicksals, Teil also der Auswirkungen karmischer Energien, die uns tun lassen, was wir zu tun haben. Unsere Persönlichkeit bestimmt zum Teil die Entscheidungen, die wir fällen – je nach unserem Schicksal. Ein Zugang zu dieser Information, dieser Energie des Schicksalskarmas und damit der Zukunft, ist also möglich; deshalb gibt es Hellsehende. Hellseher aber sind menschlich wie wir alle, und so können ihnen Fehler bei der Deutung der intuitiv aufgenommenen Eindrücke unterlaufen. Oder ihre Wünsche und Vorstellungen können sie – trotz der besten Absichten – irreführen, wenn sie ihr eigenes Geschick oder das anderer voraussagen sollen. Das geschieht bei derartig begabten Menschen ebenso häufig wie im täglichen Leben aller anderen.

Wir alle stehen unter dem Einfluß der subtilen Energien des physischen Universums. Nur sind wir uns dessen manchmal mehr bewußt als zu anderen Zeiten. Im gegenwärtigen Stadium unserer Menschheitsgeschichte ist die Zahl derer, die sich der subtilen Energieschwingungen bewußt sind und Intuitionen und inneres Wissen erfahren, im Zunehmen begriffen. Wie eine breite Welle, die an mehreren Stellen gleichzeitig, aber ohne äußeren Zusammenhang bricht, erlebt eine ganze Generation von Menschen überall auf der Welt unabhängig voneinander gleichzeitig ein Erwachen innerhalb ihres eigenen Bewußtseins.

Astrologen sprechen in diesem Zusammenhang vom Anbruch eines neuen Zeitalters, des Wassermann-Zeitalters. Es begann um die Jahrhundertwende mit Gruppen wie den Theosophen und den Anthroposophen. Die Entwicklung ging langsam vonstatten, wurde aber durch den negativen Gegenpol der beiden Weltkriege beschleunigt. Sie wurde in den Fünfzigern immer lebendiger, gewann dann neues Blut und neue Kraft in den Sechzigern, mehr Reife in den Siebzigern, und sie wird in den neunziger Jahren unseres Jahrhunderts konkrete, praktische Formen annehmen.

Solches Wissen existierte im Osten aber schon immer. Ja, selbst heute gibt es – ungeachtet der Ruhelosigkeit und Verwestlichung – noch Orte, an denen die Atmosphäre von Jahrhunderten der Spiritualität durchtränkt scheint. Im Westen stößt man nur vereinzelt auf historische Spuren echter, gelebter Mystik.

Wie beim inneren Aufsteigen in höhere Regionen, gibt es Übergänge, »Klappen«, die das Herabfließen von Energie und Geist zulassen, aber schwierig in der Gegenrichtung zu überwinden sind. Da bedarf es einer ungeheuren Konzentration, um in einen weiteren und ruhigeren Bereich zu gelangen. Die extreme Polarisierung von Positiv und Negativ, wie wir sie gegenwärtig auf der Welt beobachten können, mag man als ein Aufwirbeln von Energie deuten, das notwendig ist, um in einen Bereich, in ein Zeitalter tieferen Friedens und größerer Harmonie vorzudringen.

Nie zuvor in der uns überlieferten Geschichte besaß der Mensch die Mittel, sich und seinen Planeten so vollständig und bis ins letzte zu zerstören. Und nie zuvor gab es einen so leichten Zugang und ein so weit verbreitetes Verständnis für spirituelle und mystische Realitäten. Oft bin ich überrascht, daß Leute, von denen man erwartet hätte, daß sie mit Skepsis auf Gedanken reagierten, wie sie hier zum Ausdruck gebracht werden, tatsächlich eine Offenheit zeigen, die unserer Menschheit alle Ehre machen.

Ich behaupte nicht, daß ein gesundes Unterscheidungsvermögen und eine vernünftige Bewertung der Tatsachen nicht gut seien – im Gegenteil. Aber das unüberlegte, vorschnelle Abtun und Ablehnen auf einer überwiegend emotionalen anstatt rationalen Ebene ist eine Haltung, der man heute nicht mehr so häufig begegnet wie noch vor einem Jahrzehnt. Das alles sind Aspekte eines kontinuierlichen Vorgangs, einer Entwicklung. In früheren Jahrhunderten wären Köpfe gerollt, wenn jemand solche Gedanken und Vorstellungen geäußert hätte. Die Geschichte der Verfolgung heiliger oder ganz einfach harmloser Menschen ist ein unübersehbarer Schandfleck auf dem Gebiet des menschlichen Verhaltens. Damit will ich nicht andeuten, daß derartige Intoleranz heute ganz der Vergangenheit angehörte. Das wäre leider nicht die Wahrheit. Es ist nur so, daß sich allmählich und allgemein eine Haltung breitmacht, die Gruppen und Individuen gewähren läßt, solange sie harmlos sind; vielleicht beschäftigt man sich sogar eingehender mit ihnen, um festzustellen, was sie im Sinne der Weiterentwicklung des Menschen anzubieten haben.

Mystisches Wissen

Mystiker sprechen nur selten über ihre inneren Erfahrungen, weil sie verstehen, daß ihre Darstellungen unglaubwürdig erscheinen würden. Hier und da jedoch stoßen wir auf Äußerungen, die erstaunliche Ähnlichkeiten und Übereinstimmungen aufweisen, obgleich sie aus den verschiedensten Kulturkreisen und Geschichtsepochen stammen. Julian Johnson hat einige dieser Aussagen in seinem Werk *Der Pfad der Meister* zusammengetragen, und eine Auswahl daraus möchte ich hier zitieren. Es ist ausgeschlossen, Angaben darüber zu wagen, bis in welche Höhen der inneren Entwicklung die einzelnen Mystiker gelangt sind – es wäre in jedem Fall auch nur von akademischem Interesse –; die Ähnlichkeit und Gültigkeit der geschilderten Erfahrungen stehen aber außer Frage.

»Nach diesem Gebet fühlte ich mich von einem lebendigen Lichte überflutet; es schien mir, als ob vom Geiste ein Schleier vor meinen Augen gehoben würde, und alle Wahrheiten der menschlichen Wissenschaft – selbst jener, die ich nicht studiert habe – wurde mir durch eingegebenes Wissen offenbar. Dieser Zustand der Intuition dauerte etwa 24 Stunden an; als der Schleier danach fiel, war ich so unwissend wie zuvor.« *Hl. Franz Xaver*

»Als er... am Ufer der Gardenera saß, wurde sein Gemüt plötzlich von einer neuen und eigentümlichen Klarheit erfüllt, so daß ihm in einem Augenblick und ohne irgendeine faßbare Gestalt oder Erscheinung, gewisse Dinge, die zu den Glaubensgeheimnissen gehören, und andere Wahrheiten der Naturwissenschaft offenbart wurden, und dies in solcher Fülle und Deutlichkeit, daß er selbst sagte: Wenn alles geistige Licht, das sein Geist bis heute, da er sechzig Jahre überschritten hatte, von Gott empfangen hat, zusammengefaßt werden könnte, so schiene ihm all dieses Wissen doch nicht jenem gleichzukommen, das seiner Seele in diesem einzigen Augenblick mitgeteilt wurde.« *Hl. Ignatius*

»Und als er da betend stand, wurde er plötzlich auf so wunderbare Weise über sich selbst erhoben, daß er es hinterher nicht erklären konnte, und der Herr offenbarte ihm die ganze Schönheit und Herrlichkeit des Firmaments und alles Geschaffenen, so daß sein Sehnen zufriedengestellt wurde. Als er danach aber wieder zu sich kam, konnte der Prior nichts aus ihm herausbekommen, als daß er eine so unbeschreibliche Verzückung aus dieser vollkommenen Erkenntnis der Schöpfung empfangen habe, daß sie menschliches Begreifen übersteige.«

Herman Joseph

»Er sah ein Licht, das jede Dunkelheit der Nacht vertrieb, und auf diesen Anblick folgte etwas Wunderbares und Seltsames. Die ganze Welt versammelte sich gleichsam unter einem Sonnenstrahl vor seinen Augen. Denn durch dieses übernatürliche Licht wird das Fassungsvermögen der inneren Seele vergrößert. Aber obgleich die Welt vor seinen Augen ausgebreitet lag, waren Himmel und Erde nicht in verkleinerter Gestalt erschienen, als sie von Natur aus besitzen, sondern die Seele des Betrachters war erweitert.« *Hl. Benedikt*

»Wenn der Herr den Verstand unterbricht und ihn von seinem Tun ruhen läßt – (darunter versteht sie, daß die normale Aktivität des Denkens zu einem Stillstand gelangt, bewegungslos wird) –, stellt Er das vor ihn, was ihn verwundert und fesselt; so kann er ohne irgendwie zu reflektieren (ohne mit dem Verstand zu ergründen) in einem Augenblick mehr erfassen, als wir in vielen Jahren mit allen Anstrengungen der Welt begreifen könnten.«

Hl. Theresa

Der Physiker und Schriftsteller Fritjof Capra schildert ein ähnliches Erlebnis im Vorwort zu seinem Buch *Das Tao der Physik:* »Vor fünf Jahren hatte ich ein wunderbares Erlebnis, worauf ich den Weg einschlug, der zum Schreiben dieses Buches führte. Eines Nachmittags im Spätsommer saß ich am Meer und sah, wie die Wellen anrollten, und fühlte den Rhythmus meines Atems, als ich mir plötzlich meiner Umgebung als Teil eines gigantischen, kosmischen Tanzes bewußt wurde... Als ich an diesem Strande saß, gewannen meine ganzen früheren Erfahrungen (das intellektuelle Wissen der Physik) Leben. Ich ›sah‹ förmlich, wie aus dem Weltraum Energie in Kaskaden herabkam, deren Teilchen in rhythmischem Pulsieren erschaffen und aufgelöst wurden. Ich ›sah‹ die Atome der Elemente und meines Körpers sich an diesem kosmischen Tanz der Energien beteiligen. Ich fühlte seinen Rhythmus und ›hörte‹ seinen Klang, und in diesem Augenblick *wußte* ich, daß dies der Tanz Shivas war, des Gottes der Tänzer, den die Hindus verehren.«

Schließlich möchte ich noch aus Paramahansa Yoganandas sehr bekanntem und beliebten Buch *Autobiographie eines Yogi* zitieren. Eines Tages schenkte der Guru Yoganandas, der Mitleid mit seinem Schüler und dessen Meditationsversuchen hatte, diesem ein spontanes Erlebnis kosmischen Bewußtseins. Yogananda schreibt:

»Sogleich stand ich wie festgewurzelt da. Der Atem wurde mir, wie von einem gewaltigen Magneten, aus der Lunge gesogen. Geist und Seele sprengten augenblicklich ihre irdischen Fesseln und strömten gleich einer blendenden Lichtflut aus jeder Pore meines Körpers. Das Fleisch fühlte sich wie abgestorben an, und dennoch war ich im Besitz intensiver Wahrnehmungskraft und wußte, daß ich nie zuvor so lebendig gewesen war. Mein Ichbewußtsein beschränkte sich nicht mehr auf den Körper, sondern umfaßte alle in meinem Bereich liegenden Atome. Menschen aus fernen Straßen tauchten plötzlich in meinem Blickfeld auf, das sich ins Unermeßliche ausdehnte. Die Wurzeln der Pflanzen und Bäume schimmerten durch den transparent gewordenen Boden hindurch, und ich konnte in ihrem Innern die Säfte strömen sehen.
Die ganze nähere Umgebung lag unverhüllt vor mir da. Meine gewöhnliche Sicht erweiterte sich zur unermeßlichen, sphärischen Sicht, so daß ich alles gleichzeitig wahrnehmen konnte. Durch meinen Hinterkopf sah ich einige Menschen bis zum Ende der Rai-Ghat-Gasse hinuntergehen und bemerkte unter anderem eine weiße Kuh, die sich gemächlich unserem Haus näherte. Als sie das offene Tor des Ashrams erreicht hatte, sah ich sie wie mit meinen physischen Augen. Auch als sie hinter der Ziegelmauer des Hofes verschwand, konnte ich sie immer noch genau erkennen.
Alle Gegenstände innerhalb meines panoramischen Blickfeldes zitterten und vibrierten wie Filmbilder. Mein Körper, die Gestalt des Meisters, der von Säulen umstandene Hof, die Möbel und der Fußboden, die Bäume und der Sonnenschein gerieten zeitweise in heftige Bewegung, bis sie sich alle in einem leuchtenden Meer auflösten –

ganz ähnlich wie Zuckerkristalle in einem Glas Wasser zergehen, wenn es geschüttelt wird. Das vereinigende Licht und die mannigfaltigen Formen wechselten ständig miteinander ab – eine Metamorphose, die mir das im Universum herrschende Gesetz von Ursache und Wirkung (Karma) vor Augen führte.

Eine überwältigende Freude ergoß sich über die stillen, endlosen Ufer meiner Seele. Ich erkannte, daß der göttliche Geist unerschöpfliche Glückseligkeit ist und daß Sein Körper aus zahllosen Lichtgeweben besteht. Die sich in meinem Inneren ausbreitende Seligkeit begann Städte, Kontinente, die Erde, Sonnen- und Sternsysteme, ätherische Urnebel und schwebende Universen zu umfassen. Der ganze Kosmos flimmerte wie eine ferne, nächtliche Stadt in der Unendlichkeit meines eigenen Selbst. Das blendende Licht jenseits der scharf gezeichneten Horizontlinie verblaßte leicht an den äußeren Rändern und wurde dort zu einem gleichbleibenden, milden Glanz von unsagbarer Feinheit. Die Bilder der Planeten hingegen wurden von einem gröberen Licht gebildet.

Die göttlichen Strahlen ergossen sich aus einem ewigen Quell nach allen Richtungen und bildeten Milchstraßensysteme, die von einem unbeschreiblichen Glanz verklärt wurden. Immer wieder sah ich, wie sich die schöpferischen Strahlen zu Konstellationen verdichteten und sich dann in ein transparentes Flammenmeer auflösten. In rhythmischem Wechsel gingen Abermillionen Welten in diesem durchsichtigen Glanze auf – wurde das Feuer wieder zum Firmament.

Ich fühlte, wie das Zentrum dieses Feuerhimmels in meinem eigenen Herzen lag – daß es der Kern meiner intuitiven Wahrnehmung war. Strahlender Glanz ergoß sich aus diesem inneren Kern in jeden Teil des Universums. Segensreicher *Amrita*, der Nektar der Unsterblichkeit, pulsierte gleich einer quecksilbrigen Flüssigkeit in mir. Ich hörte das Schöpferwort OM – den Laut des vibrierenden, kosmischen ›Motors‹.«

Solchen Schilderungen gibt es wirklich nichts mehr hinzuzufügen; sie sprechen für sich selbst. Das Erleben ist die Realität; diese Worte sind nur ein Schatten.

Kosmische Philosophie, Mystik und moderne Wissenschaft

Viele der scheinbaren Paradoxa und Widersprüchlichkeiten in allen Aspekten menschlichen Denkens – sei es auf religiösem, philosophischem, ideologischem oder wissenschaftlichem Gebiet – lösen sich auf, wenn man sie im Lichte einer wirklich kosmischen Philosophie betrachtet. Obwohl rechtes Verständnis, wie bereits festgestellt, nur auf dem Wege nach innen und durch eine Beschäftigung mit den Energieströmen von innen zu erlangen ist, hat das intellektuelle Bemühen doch auch Nutzen und Berechtigung, wenngleich nur innerhalb der Grenzen, die seiner Aufgabe in der kosmischen Ordnung zugewiesen sind. Wie kein Mensch erwarten würde, mit seinem Knie sehen zu können, so sollten wir vom Intellekt nicht erwarten, Energien, die weit über ihm stehen, wirklich zu begreifen.
Das Problem besteht natürlich darin, daß uns unser feinstofflicher Aufbau alles andere als klar ist. Viele haben das Gefühl, ihr Körper zu sein, und wenn dieser stirbt, sterben sie ebenfalls. Andere meinen, ihr Geist zu sein, dieser Geist sei jedoch nur der »selbstbewußte« Aspekt des physischen Körpers und sterbe folglich mit diesem. Wieder andere sind sich ihres inneren Selbst viel bewußter und erkennen, daß sie nicht ihr Körper sind und daß es etwas Wirklicheres an ihnen gibt, das den physischen Tod des

Körpers überlebt; um ausdrücken zu können, was dies ist, fehlen ihnen aber die Worte oder Vorstellungen. Andere haben eine religiöse oder philosophische Weltanschauung, in der solche Fragen in einen festen Rahmen gepreßt werden, der den einzelnen daran hindert, sich mit den Grundfragen wie »Was bin ich?« oder »Was geschieht hier?« zu beschäftigen. Abgesehen davon ist jeder in größerem oder geringerem Maße von den Ereignissen des Tages mit Beschlag belegt, die die Sinne auf sich ziehen und das Denken verwirren mit ihrem Verlangen nach Aufmerksamkeit, so daß es leicht passiert, daß man die weitaus wichtigeren kosmischen und mystischen Fragen aus den Augen verliert, ja sogar darüber spottet.
Der Intellekt ist also durch Emotionen und seine doch nur begrenzte Rationalität verwirrt und folgt seinen eigenen Wegen. Weitgehend ohne Leitung von innen neigt er dazu, das Individuum zu beherrschen, anstatt vielmehr bewußt als wertvolles Werkzeug gebraucht zu werden, im Rahmen seiner Grenzen. Ein lautes »Ich« spricht aus dem Denken, und mit ihm kommt ein Identitätsgefühl, ein Ego, das nur schwer preiszugeben ist und heftigst reagiert auf die Herausforderung durch Ideen, die ihm nicht gewohnt sind.
Der Intellekt arbeitet mit Analyse und Vergleich. Was außerhalb seiner Grenzen liegt, erscheint ihm als paradox. Diese Situation erinnert an die Geschichte von den zehn Blinden, die einen Elefanten beschreiben sollten. Jeder von ihnen bekam einen anderen Teil des großen Tieres zu fassen und stellte sich dieses auf verschiedene Weise vor. Dem einen erschien der Elefant wie ein gewaltiger Pfeiler, dem anderen als groß, schlaff und dünn, und dem dritten als dick, rund und weich. Als die Blinden über ihre Entdeckungen diskutierten, gerieten sie in Streit, den sie nicht zu schlichten vermochten, bevor sie nicht erkannten, daß sie vielleicht alle recht hatten. Jeder

von ihnen hatte seine eigenen Eindrücke beschrieben, als wären sie allgemeingültig, als wären sie die ganze Wirklichkeit, statt nur eine Teilerfahrung.
Auf ähnliche Weise könnten bei einem Paradoxon alle Aspekte wahr sein; es gibt viele Facetten eines Brillanten, und sie reflektieren das Licht in den unterschiedlichsten Farben, was zu den widersprüchlichsten Schilderungen führen könnte. Sehr intellektuelle Menschen sollten vielleicht einen »Schritt zurück« tun. Eine übermäßige Identifikation mit einer Idee erzeugt das Gefühl, als Person bedroht zu sein, wenn die Idee in Frage gestellt wird. In früheren Zeiten brachte eine fanatische Identifizierung mit einer bestimmten Denkweise solche Menschen sogar dazu, Rechtfertigungen für den Mord oder die Gefangennahme von Vertretern anderer Denkweisen zu finden; in manchen Teilen unserer Welt hat sich dies bis heute nicht geändert. Es ist ein auf Vorurteile gegründetes Verhalten – und dessen Wurzeln liegen sehr tief im menschlichen Denken.
Das Schöne an einer mystischen oder kosmischen Philosophie ist, daß sie auf alle Fragen irgendeine Antwort weiß und für alle anderen Philosophien oder Denkweisen Platz hat. Es gibt nichts, was außerhalb ihres Betrachtungshorizontes wäre, und trotzdem sagt sie immer: »Diese Gedanken sind nur ein Indiz, nur ein Hinweis, ein Wink. Wenn du wirkliches Wissen willst, mußt du es in deinem Innern erfahren. Und dies sind die Schritte, denen du folgen mußt.«
Die moderne Physik hat – seit sie sich direkt den subatomaren Energieverhältnissen zuwendet – eine führende Rolle bei der intellektuellen Analyse physischer Energiemuster übernommen. In der Tat gibt es viele Parallelen im Denken der modernen Physik und der Mystiker. Fritjof Capra legt uns in seinem Buch *Das Tao der Physik* eine glänzende Darstellung solcher Parallelen in Sinngehalt und sprachlichem Ausdruck vor.

Die mystische Philosophie und die moderne Physik sagen übereinstimmend, daß es nichts anderes gebe als Energiemuster, Energiewege und -beziehungen. Selbst die klassische Thermodynamik erkennt, daß wir uns in einem geschlossenen Energiesystem befinden und daß man in der Natur nicht »etwas für nichts« erhält. Die moderne Physik dringt auf ihrer Suche nach jenem »Etwas« immer tiefer in die Materie ein und entdeckt dabei, daß, was uns als fest erscheint, nichts weiter als ein kosmischer Tanz ist, dessen Phänomene bei der Suche nach makroskopischen Analogien einmal auf Teilchen-, ein andermal auf Wellen- und Feldmodelle schließen lassen.

Manche modernen Theoretiker sprechen von »Geister-Materie«. Sie sagen, damit ein Teilchen existieren kann, müsse es eine Energieschwingung, einen Plan, ein Vorbild in einem Energiefeld geben, das wir heute noch nicht ausmachen können. Sie nennen es »Geister-Materie« – Geister-Elektronen, -Protonen usw. – oder virtuelle Materie, etwas also, das noch vor der Existenz physischer Materie da ist.

Das ist feinstoffliche Materie, feinstoffliche Energie, wie sie die mystische Weltsicht kennt und wie sie schon weiter oben beschrieben wurde. Energie – wir sahen es bereits – wird von oben oder von innen »erschaffen« und nach unten projiziert.

KAPITEL 3

Spirituelle, mentale und physische Heilungsenergien

Allgemeine Einführung

Die Erörterungen der vorausgegangenen Kapitel versetzen uns nun in die Lage, Heilen und Krankheit in ihrem tiefsten Sinne zu verstehen.
Das in den letzten fünf Jahren zu beobachtende wachsende Interesse des Westens an alternativer Medizin oder naturgemäßen Heilweisen ist ein deutliches Zeichen des geistigen und spirituellen Erwachens der Generation, die Ende der sechziger und in den siebziger Jahren die Reife erlangte. Zahlreiche Therapien waren schon vorhanden, andere sind erst kürzlich aufgekommen oder wurden – von Fall zu Fall in modifizierter Form – aus älteren, weiseren Kulturen eingeführt.
Alles Leiden und die Relativierung unseres Glücklichseins hat seine Ursache in unserer Trennung von der einen Quelle. Harmonie, Rhythmus und Vitalität in den Energiemustern, die die Seele umgeben, erzeugen Gesundheit, Wohlbefinden und Gedeihen. Disharmonie, Trägheit und Negativität schlagen sich in Form von Krankheit und Beschwerden nieder. Keine Seele wird, nachdem sie in die Region des menschlichen Geistes hinabgestiegen ist, je von ausschließlich positiven Einflüssen umgeben sein. In den Bereichen der Dualität sind positiv und negativ grundlegende Attribute, gleichgültig, auf welcher Ebene wir die Schöpfung untersuchen.
Im physischen Körper finden wir eine Kombination von positiven und negativen Tendenzen. Wäre der Körper

ganz und gar positiv, wären auch die subatomaren und subtilen Energien ausschließlich von kreativer und positiver Schwingung. Dann würde der Körper nie sterben und nie Krankheit erleiden. Darüber hinaus aber würde keine Zelle je sterben, abgebaut und ersetzt werden. Das heißt, der Körper würde dicker und dicker! Stünde er andererseits nur unter negativen Aspekten, könnte er nie zu Existenz gelangen. Er würde rasch von Gebrechen, Krankheit und Tod dahingerafft.

Die Behandlung von Krankheit können wir auf allen Ebenen betrachten. Die echte Heilung ist die, welche die Ursache des Leidens beseitigt. Die einzige wahre Heilweise ist also die, die uns zu unserer Quelle, zu unserem Ursprung zurückführt. Auf anderen als dieser Ebene ist eine Heilung nur vorübergehend und relativ. Sie hat ihre Berechtigung, sie hat ihre Bedeutung, ist aber nicht von Dauer.

Wir sind wie Gefangene in einer Strafanstalt. Wenn ein Menschenfreund daherkommt und Reformen durchsetzt, um unser Los zu verbessern, ist das nützlich. Besseres Essen, warme Kleidung und eine angenehmere Umgebung sind als Nahrung uns hoch willkommen. Wenn aber jemand mit einem Schlüssel kommt, der uns den Weg zur Freiheit öffnet, dann wird die Relativität der Bemühungen des Philanthropen offenbar. So verhält es sich auch mit allen menschenfreundlichen Behandlungen – sie sind willkommen, aber relativ.

Heilung durch einen echten Mystiker

Dieser eine, der heilt, indem er uns aus dem Gefängnis holt, indem er uns erlöst vom Rad der Geburten und Tode, ist ein Mystiker, ein Satguru oder Heiliger. Er heilt nur jene, die er zeit seines eigenen Lebens unter seinen

Schutz nimmt. Es wird schon früher Mystiker gegeben haben für jene, die zu einer früheren Zeit lebten, und später werden andere kommen für jene, die dann leben. Das Heilen erfordert den individuellen Kontakt von Wesen zu Wesen. Ein wahrer Mystiker hohen Grades nimmt eine Seele unter seinen Schutz. Er nimmt das Ordnen der verwickelten Energiemuster und Beziehungen selbst in die Hand, der Ursachen und ihrer Auswirkungen sowie des Karmas, mit dem die Seele sich im Laufe der zahlreichen Aufenthalte und Wiedergeburten in den Welten der physischen, astralen und kausalen Bereiche umgeben hat. Ein Bindfadenknäuel kann sich nicht selbst lösen, ein dünnes Tuch kann sich nicht aus einem Dornenbusch befreien, und kein Mensch kann ohne Hilfe aus dem Treibsand gelangen. Jeder eigene Versuch, sich zu befreien, führt zu weiteren Verwicklungen. Die Notwendigkeit für das Eingreifen des Mystikers/Heilers ist groß.

Geistige Heilung

In den subastralen Bereichen des universellen Geistes gibt es Seelen – oft erfüllt von guter Absicht, Liebe und Bescheidenheit –, die für auf der physischen Ebene lebende Seelen vollbringen, was als geistige Heilung bekannt ist. Manche von ihnen leben in einem materiellen Körper, andere in höheren Bereichen – zumeist subastralen –, und arbeiten durch ein Medium auf der physischen Ebene. Ihre Methode besteht darin, bewußt oder unbewußt einige der negativen Tendenzen, Verwicklungen oder karmischen Belastungen jener auf sich zu nehmen, die sie zu heilen beabsichtigen. Das ist gut für den Behandelten; geht aber immer auf Kosten des Heilers. Er muß nämlich die Negativität auf sich nehmen. Auf dieser Ebene zu heilen – wie rein die Motivation auch sein mag – wird

von Mystikern der höchsten Stufen nicht empfohlen. Im Gegenteil: Sie raten sogar ausdrücklich davon ab.
Das gleiche gilt für Yogis und Mystiker, die noch nicht über den Bereich des universellen Geistes hinausgelangt sind und etwas vom Karma ihrer Schüler oder Jünger übernehmen. Das geschieht letztlich auf Kosten ihrer eigenen Spiritualität. Ihre »Ewigkeit« ist eben noch eine relative, und das Reservoir ihrer spirituellen Kraft wird letzten Endes erschöpft, da es nicht bewußt mit der unerschöpflichen Quelle aller Spiritualität verbunden ist.
Im Grunde genommen sind die Begriffe geistig und spirituell im Zusammenhang mit dieser Art von Heilung nicht ganz korrekt. Es handelt sich um eine Heilung mentaler, emotionaler und physischer Energien, bei der mentale und – ganz gelegentlich auch – höher-mentale, astrale oder kausale Kräfte eingesetzt werden. Der Geist kommt dabei gar nicht ins Spiel. Echte geistige Heilung bedeutet also, den Geist oder die Seele vom Gemüt zu befreien, und das kann nur ein echter Mystiker vollbringen. Nur dadurch wird der Geist von seiner Verbindung mit Gemüt und Materie geheilt. Auch der Begriff astral wird von den meisten Menschen im Westen viel zu freizügig verwendet. Nur sehr wenigen ist es in unserer Zeit möglich, die astrale Ebene zu erreichen, und hier erst beginnt der Sog nach oben. Es gibt nichts, was das Astrale drängt, sich in die Tiefe zu begeben, um hier Physisches zu heilen.
Ich bin mir darüber im klaren, daß viele gute und liebe Menschen sich mit diesen Behandlungsweisen beschäftigen und daß die Behandelten dadurch Hilfe erfahren. Aber es handelt sich in Wirklichkeit um eine gedankliche Falle für jene freundlichen und gutmeinenden Menschen, deren späteres Leben oft vom übernommenen Karma der Behandelten belastet ist. Viele von ihnen fühlen sich überdurchschnittlich schwer belastet und sehen auch entsprechend aus. Es ist nicht nötig, daß wir die

Bürde eines anderen tragen, ein jeder hat genug eigenes Karma. Es gibt auch zahlreiche Heilweisen, die nicht die eigenen Energien erschöpfen.

Positives Denken, Visualisierung und psychologische Therapien

Wenn wir die Wege der Energie weiter nach unten verfolgen, gelangen wir erneut zu den Antashkarans, zum physischen Gemüt und zu dem Energiezentrum, in dem wir Denken erleben. Die von einem wahren Mystiker bewirkte Heilung kommt aus der höchsten Quelle und resultiert in einer vollständigen Heilung. Geistheilung stammt aus den subastralen, astralen und gelegentlich auch kausalen Regionen. Alle anderen Behandlungsweisen, die wir kennen, beziehen ihre Energie aus dem Bereich von den Antashkarans bis hinunter zum Grobstofflichen.
Die Denkprozesse des Menschen, die komplexen Energiemuster in den Antashkarans, projizieren sich nach unten, und zusammen mit den mannigfaltigen Energieströmen von oben in Form von Chakras, Pranas und anderen subtilen Energien äußern sie sich am Ende alle als der physische Körper.
Auf diese Weise kommt es zu allen möglichen psychosomatischen Wirkungen. Wenn Menschen sagen: »Das ist nur psychisch«, dann meinen sie in der Regel, daß man es als etwas Unreales nicht zu beachten brauche. Aber das ist es nicht. Es ist sehr real. Es ist Energie. Es muß also einen Weg der Energie geben, der die Ursache mit ihrer Auswirkung verbindet. Die Ursache ist der Gedanke, und die Auswirkung ist die Disharmonie, Krankheit oder psychosomatische Symptomatik im physischen Körper. Wenn etwas »psychisch« ist, dann ist es ernst. Tatsäch-

lich besitzt jede Krankheit einen psychischen Aspekt. Wir sind ein komplexes Energiesystem und nicht eine Sammlung von Einzelsystemen. Alle Aspekte der Energie manifestieren sich auf allen Ebenen innerhalb unseres physischen Wesens – physische, subtile, emotionale und mentale.

Die Befürworter des positiven Denkens haben also absolut recht. Positive Gedanken spiegeln sich nicht nur als bessere Gesundheit im Körper wider, sondern zeigen sich über die gleichen Energiewege äußerlich durch die Manifestierung von Energiemustern in unserer Umgebung und unserem Tun.

Vielleicht ist Ihnen schon einmal aufgefallen, wie so manchen Menschen einfach alles gelingt, während bei anderen alles schiefgeht. Das liegt nicht nur daran, daß der eine mit seinen Händen im rein mechanischen Sinne geschickter ist. Ich habe mehr als fünfzehn Jahre in der Computer-Welt der Universität Cambridge gearbeitet und kann mich an häufige Gelegenheiten erinnern, in denen bestimmte Ingenieure nur auf der Bildfläche erscheinen mußten, und die Apparate begannen wieder zu funktionieren. Es war auch auffällig, daß die Geräte bei manchen, die sie bedienten, viel öfter versagten als bei anderen – oder umgekehrt: Alles ging reibungs- und störungsfrei, bis ein bestimmter Ingenieur seinen Urlaub antrat. Das Kraftfeld subtiler Energien, das jeden von uns umgibt, beeinflußt die elektrischen Eigenschaften hochempfindlicher elektronischer Geräte. Ein Mensch mit einem harmonischen, ausgeglichenen Schwingungsfeld wird mehr Leben aus seinen elektronischen Geräten herausholen können als jemand, der eine störende, unausgeglichene Atmosphäre um sich hat.

Als Hersteller und Versandhändler, der Tausende von Artikeln eines breiten Produktspektrums an Kunden lieferte, habe ich auch festgestellt, daß bestimmte Individuen oder Firmen ständig Probleme haben. Wenn man viele Tausend Kunden hat, kommt es natürlich auch zu fehlerhaften Lieferungen, auch wenn man ständig bemüht ist, die Qualität zu verbessern. Aber es liegt weit über jeder Zufallswahrscheinlichkeit, wie manche Kunden immer wieder Probleme anzuziehen scheinen. Da geht eine Sendung auf dem Postwege verloren oder sie erwischen den einen Artikel unter Tausenden, der fehlerhaft ist, oder ein Teil fehlt, in einem Buch ist eine Seite kopfstehend gedruckt oder ganz unbedruckt, ein Produkt versagt immer wieder, die Ersatzlieferung kommt woanders an, wir verpacken die falschen Teile usw. Solche Dinge, die alle paar tausendmal vorkommen, treffen immer wieder die gleiche Person! Es gibt aber auch Menschen, die immer Glück haben; sie sind immer zur rechten Zeit am rechten Ort. Sie erreichen gerade noch ihren Zug, sie machen eine Anschaffung und stellen danach fest, daß der Verkaufspreis kurz darauf angehoben wurde, sie werden, wenn sie an einer Leiter vorübergehen, von einem herunterfallenden Farbeimer knapp verfehlt – diese Menschen haben in der Regel eine leichte, positive Einstellung. Für sie ist alles einfach. Sie sind die geborenen Gewinner.

Andere verpassen ihren Zug um Sekunden, bezahlen immer mehr, als eigentlich nötig wäre, werden von herunterfallenden Ziegelsteinen getroffen und haben eine recht negative Einstellung zum Leben. Sie sind die geborenen Verlierer.

Die mentale, die gedankliche Haltung beeinflußt die Harmonie der subtilen Energien, sie beeinflußt die Schwingungen eines Menschen und alles, was von diesen ausgeht.

Das gleiche gilt für die Gestalttherapie und andere Formen der Psychotherapie, die den freien Fluß der Energien von innen nach außen öffnen wollen. Das Problem bei solchen Therapien ist jedoch, daß sie die Tendenzen haben, sich selbst unabkömmlich zu machen, und stark gewohnheitsbildend und prägend auf die mentalen und emotionalen Energien wirken. Dem Menschen wird innerhalb dieses Rahmens geholfen, ihre Aufmerksamkeit wird aber dabei derartig auf ebendiese Seinsebene konzentriert, daß es ihnen schwerfällt, von dieser Verhaltens- oder Ausdrucksebene wieder loszukommen.

Es kommt also auf das richtige Maß an. Wir sprechen uns selbst gut zu und versuchen, uns in gute Richtungen zu beeinflussen, uns von Freunden guten Rat einzuholen – oder auch von verschiedenen Therapeuten, wenn es die Gelegenheit verlangt –; für jene, die nach noch Höherem streben, ist es aber am besten, wenn sie sich nicht zu sehr auf dieser Ebene einlassen.

Ebenso wie es unmöglich ist, sämtliche Wechselbeziehungen materieller Dinge durch mentale Analyse oder äußere Betrachtung festzustellen und zu identifizieren, ist es auch unmöglich, die Elemente der Energie zu identifizieren und zu charakterisieren, die die menschliche Persönlichkeit bilden. Im übrigen würde ein solcher Versuch die Neigung zum »Ich«-Denken vergrößern und unser Ego-Gefühl verstärken. Das aber ist auch – wie immer – vom einzelnen abhängig. Manche Leute stecken tiefer in einer psychischen Klemme als andere und brauchen vielleicht spezifische, therapeutische Hilfe. Bei anderen genügt ein gesundes Maß kritischer Selbstbetrachtung – die sich mit der Praxis spiritueller und meditativer Übungen ohnehin einstellt. Wir brauchen nicht erst »mühselig und beladen« zu werden, wir können auch unbeschwert sein und einfach und liebevoll Spaß haben!

Als ein Beispiel für Selbstheilung und das, was durch die Kraft des eigenen Denkens erreicht werden kann, möchte ich einen mir befreundeten Autor, George Sandwith, zitieren, der viele Jahre als Landvermesser in Afrika und im Zweiten Weltkrieg auch beim Militär war. Er erzählt, wie ihr Konvoi kurz nach der Besetzung Äthiopiens durch die Italiener im Jahre 1941 von Angehörigen eines Gurage-Stammes aus dem Hinterhalt überfallen wurde.

»Wir feuerten wie wild aus den Fenstern unseres Lastwagens und hielten an, um einen verwundeten Gurage aufzuheben, den wir auf die Ladefläche legten ... Nachdem wir dem Hinterhalt entkommen waren, untersuchten wir unseren Gurage. Eine Kugel hatte ihm glatt den Hals durchschlagen. Obwohl er beängstigend viel Blut verlor, lehnte er unser Angebot ab, seine Wunden zu verbinden. Sein Gesichtsausdruck verriet, daß er einen Verband als Mittel zur Blutstillung geringschätzte. Als wir ihm anboten, auf ein paar Säcken zu liegen, wies er das spöttisch zurück; er zog es vor, auf der Ladefläche unseres offenen Lastwagens zu stehen, sich am Dach des Führerhauses festzuhalten und auf beiden Füßen sein Gleichgewicht zu halten, während wir über die Schlaglöcher fuhren. Als die Sonne aufging, starrte er sie an, als wäre er hypnotisiert. Bald darauf war nicht nur die Blutung zum Stillstand gekommen, sondern es waren auch nur noch zwei kleine, verschorfte Stellen übriggeblieben, die erkennen ließen, wo das Geschoß in den Hals eingedrungen war und wo es ihn wieder verlassen hatte. All dies geschah binnen einer Stunde nach Sonnenaufgang. Der junge Gurage lächelte triumphierend über unsere offensichtliche Verwunderung angesichts seiner Gleichgültigkeit gegenüber Schmerz oder Blutverlust – ganz zu schweigen von seiner Fähigkeit, die eigenen Verletzungen innerhalb einer Stunde zum Heilen zu bringen. Nach weiteren zweieinhalb Stunden Fahrt boten wir ihm an, ihn zum britischen Militärhospital in Addis Abeba zu bringen, worüber er nur krächzend lachte. Wir fragten uns: ›Wie kann ein Mann lachen, dem man erst vor kurzem durch den Hals geschossen hat?‹ Schließlich bedankte er sich noch mit einigen Worten, bevor er seelenruhig davonschlenderte, als wäre er gerade aus dem Urlaub zurück.«

Physische Heilung

Materie ist Energie, und alle unsere Tätigkeiten in dieser Welt lassen sich als nichts weiter denn das Umordnen von Energiemustern nach den Geboten unseres Pralabdh-Karma oder Schicksals betrachten. Wir sind stolz auf das, was wir tun, oder identifizieren uns damit, wir können es in unserem Denken zu etwas aufbauen, das für uns selbst oder gar die Menschheit von Bedeutung oder Wert ist. In Wirklichkeit aber sind wir nichts weiter als Marionetten im großen, kosmischen Tanz der Energien.

»Gute« ebenso wie »schlechte« Aktivität ist notwendig für das Fortbestehen des Lebens in dieser physischen Welt. Besäßen wir nur »gutes« oder »schlechtes« Karma, wären wir nicht hier, sondern befänden uns in den Regionen »nur-guter« oder »nur-schlechter« Schwingungen.

Die Funktion der verschiedenen Heilweisen können wir in einem ähnlichen Lichte betrachten. Ob es sich dabei um moderne Schulmedizin und Chirurgie handelt oder um esoterischere Formen des Heilens, die im Ausgleichen subtiler Energien wurzeln: die angewendete Therapie tut nichts weiter, als die Energiemuster von Körper, Denken und Fühlen umzuordnen, um Harmonie und Gesundheit zu schaffen.

Die Neigung, Bereiche des Heilens, die man nicht versteht, zu kritisieren oder ihnen mit Mißtrauen zu begegnen, gilt es deshalb zu sublimieren. Häufig ist der unkonventionelle, alternative Behandler mit seinem Standpunkt genauso stur und unnachgiebig wie der Schulmediziner. Es gibt keinen Grund, warum nicht die Besten aus beiden

Bereichen zum Wohle des Menschen zusammenarbeiten sollten.

Das Heilen ist schließlich die erklärte Absicht aller Behandler. Persönliche Vorurteile, Ängste und Eifersüchte sollten zumindest eingesehen und bekämpft werden. Es ist allzuleicht und allzumenschlich, einfach nur zu kritisieren, was wir nicht verstehen.

In chinesischen Krankenhäusern arbeiten moderne Medizin und alte chinesische Natur-(Pflanzen-)heilkunde sowie Akupunktur Seite an Seite zusammen. Für beide ist Raum und Zeit vorhanden. Wir können nicht aufgrund von Vorurteilen bestimmen, was das Beste für einen Patienten ist. Immer gibt es an unserer eigenen Heilmethode noch etwas zu verbessern, und ein Arzt muß auch auf seinen Patienten zu hören verstehen.

Jeder ist ein einzigartiges Individuum und bedarf der individuellen und liebevollen Pflege, um in einen Zustand der Gesundheit und des Wohlbefindens zurückgebracht oder darin erhalten zu werden. Menschliche Qualitäten und das Einfühlungsvermögen des Praktikers sind ebenfalls von äußerst großer Bedeutung. Eine solche Tiefe der Persönlichkeit oder gar der Spiritualität kann in Hörsälen nicht vermittelt werden, sondern ist im einzelnen Studenten zu entfalten. Das medizinische System muß eine Struktur besitzen, die es erlaubt, diese Liebe und Fürsorge im Individuellen zu fördern. Es gibt viele gute, konventionelle Ärzte, die einfach nicht die Zeit oder die Möglichkeiten haben, ihre Patienten richtig kennenzulernen; viele alternative Behandler dagegen widmen einem neuen Patienten eine oder anderthalb Stunden – ein Luxus, den sich nur sehr wenige Schulmediziner leisten können.

Allgemein gesagt, liegt der Unterschied zwischen der alternativen und der konventionellen Medizin im ganzheitlichen oder holistischen Zugang des alternativen Praktikers, bei dessen Behandlung der Schwerpunkt auf der Erhaltung von Gesundheit und Wohlbefinden liegt und nicht so sehr auf der symptomatischen Linderung äußerer Krankheitszeichen. Unsere Welt ist ihrem Wesen nach unvollkommen, und deshalb ist eine pragmatische und praktische Inangriffnahme von Problemen in der Regel erfolgreicher im Erzielen einer harmonischen Lösung als die einseitige Anwendung philosophischer Ideologien, die die Grenzen der alltäglichen Praktikabilität weit hinter sich lassen.

Ich möchte einmal eine einfache Szene entwerfen:

Ein Mensch wird in einen schweren Unfall verwickelt und bricht sich ein Bein, vielleicht handelt es sich sogar um eine komplizierte Fraktur. Der Verletzte hat starke Schmerzen, und es sind auch ernste Fleischwunden da. Der Krankenwagen erscheint. Von dem gut ausgebildeten Helfer erhält der Verletzte ein homöopathisches Mittel oder vielleicht eine subtile Blütenessenz gegen den Schock und das emotionale Trauma. Mit Decken wird er warmgehalten. Homöopathische oder pflanzliche Salben finden Verwendung für die Fleischwunden und gegen die Schmerzen. Vielleicht hilft auch ein Akupunkteur, den Schmerz zu lindern. Wenn die Beschwerden zu stark sind, sind vielleicht schmerzstillende Drogen angezeigt. Der Patient wird ins Krankenhaus gebracht. Der Unfallchirurg wird herbeigerufen und der Operationssaal vorbereitet. Der Patient braucht eine Narkose, sei es durch Akupunktur, durch ein modernes, chemisches Mittel oder vielleicht ein pflanzliches Präparat. Wird eine massiv wirkende Droge verabreicht, weiß der Arzt, was er später gegen die Nebenwirkungen zu unternehmen hat. Jetzt, im Augenblick, könnte dies jedenfalls die praktischste, verfügbare Möglichkeit sein.

Der Chirurg behandelt den Bruch; vielleicht braucht er eine Streckvorrichtung oder gar Nägel aus Edelstahl, um

die Knochenstruktur zu fixieren. Röntgenbilder werden ihm helfen, die Art des Bruches deutlicher zu sehen. Die Fleischwunden werden behandelt. Hierfür gibt es zahlreiche sehr heilsame pflanzliche und homöopathische Präparate, die als Umschläge oder Packungen verwendet werden können. Vielleicht ist auch eine Naht notwendig. Das Bein wird vergipst.
Der Patient ruht. Je nach seiner Konstitution werden homöopathische, pflanzliche, Akupunktur- oder subtile Energie-Essenzen – wie die von Blütenmitteln – eingesetzt, um Körper, Gemüt und Gefühl des Patienten zu kräftigen, die aus der Harmonie geraten sind, und um die natürlichen Reserven zu aktivieren. Große Sorgfalt wird auf die Ernährung des Patienten verwandt. Es braucht nun erstklassigen »Treibstoff«, um die Körper-Maschine zur vollen Gesundheit und Leistungsfähigkeit zurückzubringen.
Der Patient bekommt Gelegenheit, die emotionalen und psychischen Aspekte des Unfalls mit dem erfahrenen und gutausgebildeten Personal auf einfühlsame und heilsame Weise zu besprechen. Es geht ihm allmählich besser, und er wird schließlich entlassen; noch hat allerdings ein großer Teil des Heilungsprozesses in seinem Bein stattzufinden. Ein Osteopath wird konsultiert, der feststellen soll, ob etwa Verschiebungen in der Wirbelsäule eingetreten sind. Vielleicht ist physikalische Therapie notwendig, um die volle Beweglichkeit der Glieder wiederherzustellen. Subtile, energie-ausgleichende Techniken, pflanzliche Mittel und Diätmaßnahmen werden alle dazu beitragen, unserem Patienten die volle Gesundheit und sein Wohlbefinden zurückzugeben. In unserer idealen Geschichte erhält er vermutlich so viel liebevolle Pflege, daß er hinterher nicht mehr der gleiche ist und als Mensch aus seinem Unfall unschätzbar profitiert haben wird.
Und so weiter: Das potentiell Negative wird in Posivites

verwandelt. Der entscheidende Punkt ist natürlich, daß alle Aspekte des verletzten Menschen in Betracht gezogen und gepflegt werden – das heißt nicht nur das Bein –, und daß alle Therapien und Therapeuten ohne persönliche Vorurteile kooperieren. Es scheint alles so selbstverständlich, und doch gibt es nur ganz wenige Krankenhäuser oder Heilungszentren, in denen man eine solche Behandlungsart anbietet oder auch nur in Aussicht stellt.
Für alles gibt es eine rechte Zeit, einen rechten Ort und die richtigen Bedingungen. Es gibt keinen Grund, warum die moderne, wissenschaftliche Praxis nicht mit alten oder neuen ganzheitlichen, naturgemäßen Methoden Hand in Hand zusammenarbeiten sollte. Von keinem Arzt oder Therapeuten kann man erwarten, daß er über alle Behandlungsweisen alles weiß. Jeder ist ein Spezialist, der seine eigenen Fähigkeiten und Wesenszüge durch seine Arbeit ausdrückt. Die Multitalente sind selten. Was von den Heilenden erwartet werden kann, ist eine Übersicht über das ganze Spektrum der Heilungsmöglichkeiten: *damit er weiß, wann ein anderer Behandler für einen Patienten von größerem Wert ist als man selbst.*
Wir sind alle verschieden und auf unterschiedliche Weise eingestimmt. Bestimmte Behandlungsformen werden für bestimmte Menschen ganz natürlich sein und wären dann auch deren richtige Therapie. Sie werden mental akzeptiert und vermitteln auch das Gefühl der Heilwirkung. Andere Behandlungen werden für andere Menschen besser sein. Eine Abstimmung von Denken und Praxis und ein Glauben an das, was man tut (Vertrauen), sind auch von Wichtigkeit. Es ist wohlbekannt, daß das Denken physiologische Funktionen beeinflussen kann, und umgekehrt. Eine gute Behandlung und ein Vertrauen in diese Behandlung gehören zusammen. Das Denken des Menschen ist sehr mächtig; die mentale Energie steht in direkter Verbindung mit emotionalen und physischen Energien.

Die Heilung durch Chirurgie oder Chemie ist eine Manipulation grobstofflicher Energiemuster oder Molekularstrukturen. In vielen Fällen weiß keiner genau, wie eine Droge die Wirkung ausübt, die sie besitzt, und welche Nebenwirkungen sie hat. Die Aspekte der subtilen Energien werden weitgehend unberücksichtigt gelassen. Die Dissonanzen, die in zellulären, molekularen, subatomaren, ätherischen, emotionalen und mentalen Energien erzeugt werden, machen sich als allgemeines Unbehagen spürbar; man fühlt sich »nicht allzugut«. Wenn Chemie oder das Messer die einzigen Behandlungsmöglichkeiten sind – wie bei einem Unfall oder einer ernsten, bakteriellen oder viralen Infektion –, dann sollten die Disharmonien im subtilen Bereich ebenfalls – oder sobald es praktikabel ist – in Betracht gezogen werden.
Ungiftige, pflanzliche Mittel erweisen sich, da sie natürlichen Ursprungs sind, als besser auf die natürlichen Vorgänge im Körper abgestimmt. Aber alles besitzt auch einen subtilen Energie-Aspekt, der von den Absichten, von der Motivation des Behandelnden abhängig ist. Die Absichten der Beteiligten gehen mit in das Medikament ein. Der »grüne Daumen« ist nicht nur für Gärtner wichtig! Wenn die Hauptmotivation bei der Produktion einer Droge oder eines Medikaments der Profit ist, wenn der Arzt etwas ohne sorgfältige Überlegung verabreicht, wenn ein Mangel an Weitsicht und liebevoller Fürsorge an irgendeiner Stelle im Behandlungsgeschehen existiert, wird das die Resultate mit beeinflussen. Das aber gilt für alle Aspekte des Lebens, nicht nur für das Heilen. Liebe wirkt Wunder. Fürsorge, Überlegung, Bedachtsamkeit, Harmonie – sie alle haben einen aufbauenden, heilenden Einfluß auf die subtilen Energiemuster. Einen »grünen Daumen« brauchen wir in allen zwischenmenschlichen Beziehungen.
Mitgefühl und Liebe bei Zubereitung und Verabreichung

werden beim einen Behandler dafür sorgen, daß ein Heilmittel wirkt, wohingegen ein anderer, der nicht über diese Qualitäten verfügt, keine solchen Resultate erzielen wird. Die ideale Behandlungsart muß auf allen Ebenen stimmen: die richtige Behandlung, zur rechten Zeit gegeben, mit der richtigen inneren Einstellung. Auch der Patient hat seinen Teil dazu beizutragen; er kann nicht nur passiv bleiben und erwarten, daß Gesundheit und Wohlbefinden sich ohne irgendwelche Bemühung seinerseits auf ihn herabsenken.

Homöopathische Mittel und Blütenessenzen bestehen fast ausschließlich aus der subtilen Energieschwingung, die auf den physischen, mentalen und/oder emotionalen Zustand, den sie ausgleichen sollen, harmonisierend einwirken. Ähnliches läßt sich von bestimmten Kristall-Energien sagen, seien es die Energien des Kristalls selbst oder die Schwingungen, die vom Stein auf reines Wasser als Träger der subtilen Energien übermittelt werden; solche Edelsteinmedizinen sind heute erhältlich. Die Qualität der Zubereitungsmethode, die subtile Energie und die Gedanken derer, die an der Herstellung beteiligt sind, werden sich in der Wirksamkeit und Wirkungsweise der Arzneien widerspiegeln. Ein mit Liebe und Aufmerksamkeit bereitetes Mahl wird jene glücklich stimmen, die daran teilnehmen, und es wird ihnen köstlich schmecken. Ein mit Zorn und innerem Widerstand bereitetes Essen wird Uneinigkeit bei denen fördern, die es zu sich nehmen. Dieser Prozeß ist bei aller menschlicher Aktivität der gleiche. Die Art und Weise, wie Dinge getan werden, ist ebenso wichtig wie das Tun selbst.

Akupunktur und Akupressur (Shiatsu) sind die am genauesten karthographisch festgelegten Therapien im Bereich der subtilen Energien. Der Fluß dieser Energien und ihre Beziehung zu physiologischen, aber auch emotionalen und mentalen Energien wird mit präziser Wissenschaftlichkeit dargestellt, und die auf solchen Informationen basierenden Behandlungen können starke, umfassende Resultate erzielen. Wenn Wissenschaftler beispielsweise »entdecken«, daß der Einsatz der Akupunktur zum Zwecke der örtlichen Betäubung Endorphine freisetzt, die, wie sie sagen, die Anästhesie »erzeugen«, dann verfehlen sie den entscheidenden Punkt. Die Endorphine sind nämlich ein sekundärer Aspekt; sie sind Teil oder Folge der Beeinflussung subtiler Energien, nicht etwa die Ursache.

Die Fähigkeit, sowohl das horizontale als auch das vertikale Energiespektrum gleichzeitig im Sinne zu behalten, muß erst noch entwickelt werden, damit man allmählich die kosmischen Energiemuster und ihre Wechselbeziehungen und gegenseitigen Verbindungen verstehen lernt. Horizontale Energien beeinflussen einander »seitlich« oder »quer«. Vertikale Energien lassen sich aufeinander zurückführen oder voneinander ableiten, und sie sind auf jeden Fall sowohl »nach oben« wie »nach unten« miteinander verbunden.

Die Radionik-Therapie arbeitet ausschließlich auf der Ebene der subtilen Energien und kann deshalb auch für eine Behandlung über Entfernungen hinweg eingesetzt werden. Hierzu ist nichts weiter notwendig als ein Einstimmungsapparat. Irgendeine »Probe« vom Patienten – ein Haar, ein Blutstropfen, ein Foto, eine Unterschrift etc. – kann die Resonanz erzeugen und als Mittel zur Kommunikation dienen, irgend etwas also, das die einzigartige Schwingung des Individuums an sich trägt.

Einige moderne Physiker sind sogar schon dabei, Theorien zu entwickeln, nach denen alle Energie gleichzeitig miteinander auf einer vor-subatomaren (oder subtilen) Ebene in Verbindung steht, ungeachtet der räumlichen Abstände. Die Kommunikationslücke zwischen Physik und Mystik schließt sich zusehends.

Die Mannigfaltigkeit der heilenden Künste und ihrer Vertreter können wir uns wie ein Orchester vorstellen, das aus unterschiedlichen Instrumenten und ihren Musikern gebildet wird. Von keinem der Musiker wird erwartet, daß er alle vorhandenen Instrumente beherrscht; ein jeder spielt das Instrument, zu dem er sich am meisten hingezogen fühlt und für das er von Natur aus am besten begabt ist. Manche Musiker spielen mehr als ein Instrument, aber nur ganz wenige sind so talentiert, daß sie eine größere Zahl von Instrumenten spielen können. Alle Musiker im Orchester aber verstehen mehr oder weniger, welche Stellung und Bedeutung den anderen Musikern und ihren Instrumenten zukommt. Der Soloflötist würde nie den Part des Pianisten übernehmen wollen. Und kein wirklicher Musiker wird je versuchen, einem neuen Talent den Zugang zum Orchester zu versperren, ohne ihm zumindest die Möglichkeit zu geben, vor unvoreingenommenen Ohren eine Probe seines Könnens abzugeben. Vielleicht ist es eine verbogene Blechpfeife, die von einem Amateur miserabel geblasen wird und am besten nicht ins Spiel kommt. Vielleicht handelt es sich um eine einfache Trommel, die jedoch von einem westindischen Musiker mit großem Talent geschlagen wird. Möglicherweise aber ist es ein neues, mächtiges Instrument, das Eifersucht hervorruft und die Position der ersten Geige bedroht – es muß zum Wohle des Ganzen, der Musik, integriert werden. Mag sein, daß das neue Instrument schön, aber fremd klingt – wie die indische Sitar, als sie zum erstenmal vor westlichen Ohren gespielt wurde; dann muß es in seinen eigenen musikalischen Kontext gestellt werden, um Erfolg zu haben. Manche Instrumente hingegen sind am besten zu solistischem Spiel geeignet – Klavier und Gitarre zum Beispiel, vielleicht auch begleitet vom ganzen Orchester.

Viele wichtige Aspekte können wir dieser Analogie entnehmen: Das Orchester ist der Mikrokosmos des Lebens, aber auch der heilenden Künste. Aus Analogien, die uns emotional oder persönlich nicht betreffen, können wir neue Ansichten und ein gewisses Maß an Toleranz lernen, auch Liebe und Verständnis für unsere Mitmenschen und ihre Aktivität. Die Geschichte der Medizin ist angefüllt mit den Kämpfen und Streitereien ihrer menschlichen Exponenten. Diese Kämpfe werden in der Regel im Namen der Orthodoxie und des menschlichen Wohlergehens geführt, obwohl der eigentliche Grund zum Streiten viel häufiger allzumenschlicher Stolz, Eitelkeit, Sturheit, Egoismus und Profitgier sind.

Ich möchte ein Beispiel aus Barbara Griggs' hochinteressantem Werk *Green Pharmacy*, der Geschichte der Kräuterheilkunde, anführen. Zehntausende englischer Seeleute waren im Laufe der Jahrhunderte an Skorbut gestorben, einem Mangel an Vitamin C, bis im Jahre 1795 die britische Admiralität anordnete, daß jeder Seemann eine Ration von einer Unze (ca. 30 ml) Zitronensaft bekommen sollte, nachdem er sechs Wochen auf See war. Von jenem Zeitpunkt an gab es in der britischen Marine keinen Skorbut mehr. Jedoch hatte bereits im Jahre 1593 John Hawkins über die heilenden Wirkungen von ›*Sowre Orange and Lemons*‹ (sauren Orangen und Zitronen) geschrieben, und John Woodhalls *Surgion's Mate* (»Gehilfe des Arztes«) war in der Kajüte jedes Schiffsarztes zu finden. Woodhall schrieb darin: »Der Gebrauch des Saftes von Zitronen ist eine wertvolle und wohl bewährte Arznei. Sie ist gesund und gut, und sollte deshalb an erster Stelle stehen, die sie verdient.« Die holländische Marine hatte kaum Verluste durch Skorbut zu beklagen, denn hier gehörte Sauerkraut (Vitamin-C-haltig) zur Verpflegung. »Quacksalber« und Straßenärzte in London, die Erfolg haben mußten, um zu überleben, boten Extrakte von »Skorbut-Gras« (Löffelkraut, Cochlearia officinalis) zum

Verkauf an, wenn sie nicht einfach die ganzen Pflanzen feilboten. Löffelkraut enthält viel Vitamin C und wuchs seinerzeit an den Ufern der Themse und überall an der Ostküste Englands.

In der Zwischenzeit hatte die damalige Schulmedizin Theorien wie diese entwickelt: Skorbut war eine neue Krankheit, die Gott als Strafe für die Sünden der Welt geschickt hatte (Eugalero, 1641); Skorbut wurde von ungesunder Luft verursacht sowie von einer entweder »sulphureo-salinen« oder »salino-sulphurischen Dyskrasie des Blutes« (Dr. Willis, 1667); die Ursache sei eine »außergewöhnliche Trennung des serösen Anteils des Blutes vom Crassamentum« (Boerheave, 17. Jh.). Die »Heilmethoden« reichten von wiederholtem Aderlaß und kühlenden Umschlägen über wärmende Arzneien, Abführmaßnahmen, Methoden zur Öffnung von Darm und Poren, bis hin zu Quecksilber; letzteres beendete das Leiden und Leben der Kranken schlagartig.

Die englische Marine stellte kein frisches Gemüse oder Obst zur Verpflegung ihrer Seeleute bereit, und nur die umsichtigeren Kapitäne kümmerten sich selbst um eine ausgeglichene Ernährung. Während des Siebenjährigen Krieges mit Frankreich und Spanien starben 130 000 der 185 000 zum Dienst in der Marine eingezogenen Männer an Krankheiten, die meisten an Skorbut.

Im Jahre 1747 endlich führte der Marinearzt James Lind einen eigenen Versuch durch, der auf seinen umfangreichen Untersuchungen und der *experimentellen* Forschung an zwölf Skorbutpatienten beruhte. Diese erhielten entweder Apfelwein, eine Arznei aus Knoblauch und Myrrhe, ein Vitriol-Elixier, Essig, Meerwasser oder zwei Apfelsinen und eine Zitrone pro Tag. Nach zwei Wochen ging es den Patienten, die Apfelessig erhielten, etwas besser; jene, die Orangen und Zitronen bekamen, waren wieder auf den Beinen. Die übrigen zeigten nur schwache oder gar keine Zeichen von Genesung.

Lind legte seine Arbeit, ergänzt um alle Informationen zeitgenössischen oder älteren Datums, die er finden konnte, vor, und schloß seine Ausführungen mit den Worten: »Die Erfahrung zeigt hinreichend, daß grünes oder frisches Gemüse und reifes Obst die beste Arznei dafür sind, und so erweisen sie sich auch als die beste Vorbeugung dagegen.«
Dessenungeachtet kostete es *weitere fünfzig Jahre* und ungezählte Menschenleben, bis die Admiralität die Beweise schließlich anerkannte und anordnete, daß Zitronensaft fester Bestandteil der Verpflegung ihrer Seeleute werden sollte.
Die »Moral« der Geschichte ist nicht zu übersehen. Das Problem ist, daß Voreingenommenheit uns als solche nie erkennbar ist, wenn wir selbst unter ihrem Einfluß stehen. Wir präsentieren unsere Vorurteile anderen und uns selbst immer unter neuen Vorwänden und mit rationalen Erklärungen und Rechtfertigungen; die persönlichen, egoistischen, unterbewußten, aber mächtigen Motive bleiben dabei jedoch allen verborgen außer denen, die Augen haben, zu sehen und zu verstehen. Das ist leider die menschliche Denkungsart!

Schwingungsaspekte der Krankheit

Eine zehntägige Reise nach Delhi machte mir kürzlich wieder einmal die Macht von Schwingungsstörungen bei der Manifestierung von Krankheit deutlich. Ich bin kein Mensch, der leicht krank wird, und tatsächlich hatte ich vor dieser Reise über ein Jahr lang nicht einmal eine Erkältung gehabt. Wenn ich einmal eine Erkältung bekam, war sie in der Regel innerhalb einer Woche wieder verschwunden. Als ich jedoch um halb sieben in der Frühe ins Auto stieg, um zum Londoner Flughafen

Heathrow zu fahren, spürte ich die ersten leichten Halsschmerzen, die bei mir – wie bei vielen anderen – ein Frühsymptom einer Erkältung sind.
Aber ich fühlte mich gut, und die Halsschmerzen verschlimmerten sich während des Fluges nicht, das Kratzen flaute sogar wieder ab. Es war eine problemlose, zehnstündige Reise, und um acht Uhr abends heimatlicher Zeit – d.h. um halb zwei Uhr morgens Ortszeit – waren wir in unserem Hotel. Jeder, der schon einmal in Delhi war, weiß, daß die Atmosphäre und die Schwingungen dieses Ortes völlig verschieden sind von der Ordentlichkeit Englands oder Amerikas. Alles ist schmutzig, staubig, voller Lärm und Menschen, von denen viele in Hütten oder anderen Notbehelfen, wenn nicht einfach auf der Straße leben. Es gibt auch recht übelriechende Gegenden; ein Haus, das wir besuchten, nannten wir nur »das Haus an der Puuh!-Ecke«.
Fremden Besuchern hat Delhi eine große Auswahl von Husten, Erkältungen, Infekten, Darmgrippen und Ähnlichem zu bieten, die alle mit der unverwechselbaren indischen Mischung von Hals-, Kopf- und Gliederschmerzen beginnen. Wenn Sie schon einmal in Indien waren, wissen Sie, was ich meine. Eine indische Erkältung unterscheidet sich grundsätzlich von einer englischen, und zwar durch die Art, wie sie einen erwischt.
Ich für meinen Teil hatte jedenfalls schon eine »englische« Erkältung mitgebracht. Meine Frau Farida und ich hatten nicht unter der Zeitverschiebung zu leiden, und unsere Tagesrhythmen paßten sich rasch dem fünfeinhalbstündigen Zeitunterschied an. Die andersartige Schwingung unserer Umgebung jedoch bewirkte, daß wir uns leicht kaputt fühlten; es war ein nicht sehr unangenehmes Gefühl, nicht ganz dazusein, sondern irgendwie losgelöst von unserer Umgebung.
Mir war jedoch klar, daß die Schwingungsveränderung

die mitgeschleppte Erkältung beflügeln würde, die dann mit indischer, nicht britischer Symptomatik auftrat, nachdem sich die Halsschmerzen fünf Tage lang hingezogen hatten. Es war nichts sehr Ernsthaftes, und der Höhepunkt war in anderthalb Tagen überschritten. Unser Besuch in Delhi war nur ein kurzer Aufenthalt, und am letzten Tag war auch die Erkältung so gut wie überstanden.

Der Heimflug war nicht so einfach. Wir machten uns mitten in der Nacht, um halb zwei, auf den Weg zum Flughafen, nachdem wir nur drei Stunden geschlafen hatten. Der Flug war irgendwie körperlich disharmonischer als der Hinflug. Schlafen war mir nicht möglich, und das Flugzeug selbst schien mich elektrostatisch und magnetisch weiter aus dem Gleichgewicht zu bringen. Wir landeten vormittags in Heathrow und fuhren gleich heim nach Cambridge.

Meine Erkältung begann nun wieder aufzuflackern, dieses Mal mit der typisch britischen Symptomatik. Jetzt zeigten sich die Folgen des Fluges deutlicher – es war eine Reise von Osten nach Westen –, und der Wechsel der Schwingungsumgebung zu britischen Verhältnissen war wohl willkommen, aber er machte sich störend bemerkbar. Es dauerte fast zehn Tage, bis die Schleimhautreizung und fiebrigen Symptome endgültig verschwunden waren.

Doch warum erzähle ich dies alles? Weil es mir sehr deutlich zeigte, daß die Erkältung, die ich erlebte, eine Auswirkung der körperlichen Anpassung an die Schwingungen in der subtilen Atmosphäre meiner Umgebung war. Das Auf und Ab der Symptomatik stand in direkter Verbindung zu meinem Aufenthaltsort – Indien oder England. Und mir wurde klar, daß Erkältungen und Grippen sich – jedenfalls bei mir – meist im Frühling, im Herbst oder im Urlaub in einem anderen Land (vor allem nach einer Flugreise) zeigten. Der Schwingungsunterschied in der Atmosphäre aufgrund des jahreszeitlichen Wechsels ist in der Tat recht beachtlich. Sie haben vielleicht selbst schon gemerkt, daß man in manchen Jahren das Gefühl hat, der Frühling sei nun plötzlich eingetroffen, auch wenn die Veränderungen in der Natur allmählich vor sich gehen. Innerhalb relativ kurzer Zeit hat sich die Stimmung der Natur zum Rhythmus des neuen Lebens hin verändert. Ähnliches geschieht im Herbst: Die Blätter haben sich schon seit einiger Zeit herbstlich gefärbt, aber eines Morgens, ganz plötzlich, spürt man dann eine gewisse Wehmut aufkommen, und man weiß innerlich, daß der Sommer nun vorüber ist – selbst wenn das Wetter oft noch warm ist.

Die Natur regt sich in diesen Rhythmen, und alle Lebewesen sprechen auf solche atmosphärischen Veränderungen an und tragen zu ihnen bei. Im Frühling finden sie zu Paarung und Nestbau zusammen, während die Energie im Äußeren strahlend und freudig ist. Im Herbst wird Energie bewahrt und zurückgezogen. Pflanzen und Bäume selbst ziehen ihre Lebensaktivität in den Wurzelbereich zurück, und manche Tierarten bereiten sich auf ihren Winterschlaf vor. Die Energie wird im Innern konzentriert. Der Herbst ist eine Zeit der süßen Erinnerung, der erfüllten zufriedenen Wehmut. In tropischen Breiten wie Indien kann die mit dem Wechsel der Jahreszeiten einhergehende physische Veränderung sehr abrupt spürbar und fast auf den Tag genau festzulegen sein. Und mit dem Wechsel der Jahreszeiten kommen Schnupfen und Erkältung – die Reaktionen des Körpers auf seine Abhängigkeit von den wechselnden Schwingungen. Andere Krankheiten sind vielleicht nicht direkt auf eine Veränderung von Jahreszeit oder Schwingung zurückzuführen, die »Erkältungskrankheiten« sind es aber bestimmt.

Stark beschäftigte Menschen bekommen ihre Infektion oft am Wochenende. Es scheint unfair zu sein, aber die

Zusammenhänge von Denken, Fühlen und Körperlichem sind nicht mehr so geheimnisvoll, daß sie uns nicht einen Schlüssel zum Verständnis solcher Phänomene bieten. Ich habe viele Freunde, die wie selbstverständlich sagen, sie hätten keine Zeit, sich »ihre Grippe zu nehmen«.
Die konventionelle Erklärung des Phänomens Erkältung als Virusinfektion ist mir natürlich bekannt, und ich gedenke nicht, die biochemischen und pathologischen Fakten in Frage zu stellen. Ich glaube aber, sie sind Teil der Auswirkung von Energiemustern. Die subtilen Energieschwingungen, die einer Erkältung zugrunde liegen, müssen sich offensichtlich als Energiestörungen auf molekularer und biochemischer Ebene manifestieren. Und es steht auch zweifelsfrei fest, daß man sich eine Erkältung »einfangen« kann – aber nur dann, wenn ein Schwingungsaspekt in einem vorhanden ist, der die Einnistung eines Virus oder eines bakteriellen Erregers zuläßt.
Die Immunologie hat vielleicht Interesse daran, die Dinge einmal aus dieser Sicht zu betrachten; homöopathische Nosoden und Gegenmittel für spezifische Krankheiten sind nach ähnlichen Gesichtspunkten bereits gefunden worden. Erzeugt man heilsame Stärke und Immunität auf subtiler Ebene, stellt sich das biochemische System von Antikörpern und so weiter automatisch darauf ein und setzt der Krankheit eine natürliche Widerstandskraft entgegen.
Diese Veränderung der Schwingungs-Atmosphäre läßt uns auch »neue« Krankheiten – wie zum Beispiel AIDS – besser verstehen. Die Krankheit hat ihren Ursprung im Zustand unserer von Umwelt und Gesellschaft beeinflußten subtilen Energien, die die Existenz eines Virus im vertikalen Energiespektrum des Menschen erst ermöglichen; das Virus selbst ist also nicht die Ursache. Das erklärt auch, warum nicht jeder Symptome des Virus zeigt, selbst wenn dieses sich im Blutstrom befindet. Ja, man kann sich

keine Krankheit zuziehen, solange sich nicht ein Element im subtilen Wesen des einzelnen befindet, mit dem der Krankheitserreger im Gleichklang schwingt.
Während unserer Indienreise blieb Farida frei von der bereits erwähnten Erkältung, bis sie sich eines Tages etwas niedergeschlagen fühlte, was den negativen Aspekten der indischen Schwingungen erlaubte, in sie einzudringen. Am nächsten Tag wachte sie mit Halsschmerzen auf und dem sicheren Wissen, daß sie der Infektion selbst Tür und Tor geöffnet hatte.
Nachdem sie diesen Abschnitt gelesen hatte, fügte sie hinzu: »Die Bach-Blütentherapie und die homöopathische Therapie verschieben die Behandlung der Krankheit oder Symptome auf eine höhere Ebene, auf der man Persönlichkeitsgruppen mit ähnlicher Schwingung unterscheidet. Der Gemütszustand geht der Erkrankung voraus, stört den physischen Körper und ist die eigentliche Ursache der Krankheit. Verschiedene Persönlichkeitstypen sprechen auf eine Krankheit ähnlich an, auch wenn ihre Symptomatik unterschiedlich ist. Man wird verletzlich, wenn Schwingungswechsel – zum Beispiel bei einer Reise, in fremden Kulturen und Klimazonen – das Wesen beeinflussen. Jedes Individuum reagiert entsprechend seinem Persönlichkeitstyp – zum Beispiel mit Angst, Unsicherheit, Schuldgefühlen, Stolz etc. Sobald man das innere Gleichgewicht verloren hat, steht der Manifestierung unangenehmer Symptome nichts mehr im Wege. Man wird lernen, die ersten Störungen im mentalen und emotionalen Bereich immer deutlicher zu erkennen und bewußt wahrzunehmen, bis es dem einzelnen möglich sein wird, der Krankheit durch eine Beeinflussung seines eigenen Gemüts und Denkens vorzubeugen. Dr. Edward Bach lehrte auch, daß man frühe Stadien der Erkrankung durch bloßes Denken an das Heilmittel und Wiederherstellung des inneren Gleichgewichts kurieren könne.«

Ich entsinne mich gut daran, wie Farida zum ersten Mal nach England kam. Sie ist Kanadierin, war aber schon Anfang zwanzig nach Kalifornien und Arizona gezogen, wo sie sich zum ersten Mal in ihrem Leben gesund und richtig wohl fühlte. Die heiße, trockene Wüstenatmosphäre, die viele so lieben, hat besonders heilkräftige Schwingungen, und Farida blühte auf. Als ich sie fast zwanzig Jahre später ins feuchte, kühle England »importierte«, erhielt sie einen solchen Schock durch den Wechsel von Schwingungen und kultureller Atmosphäre, daß sie viele Jahre brauchte, um sich zu akklimatisieren. Ich würde sagen, es dauerte fast sieben Jahre. Jede Zelle, jedes Molekül ihres Körpers schwangen im Gleichklang mit der Wüstenatmosphäre Kaliforniens und Arizonas. Physiologisch und emotional war sie völlig aus dem Gleichgewicht, und dieses strahlende Wesen kämpfte und mühte sich nun ab, den Kopf über Wasser zu halten.
Erst als Dr. Yao zu uns kam – siebeneinhalb Jahre nach Faridas Ankunft in England – und uns eine Reihe sehr wirksamer Pulsor-Behandlungen zum Energie-Ausgleich (siehe Kapitel 5) gab, fühlte sie sich schließlich auf England eingestellt. Der »Sog« ihres an der Wüstenatmosphäre hängenden Organismus hörte endlich auf, und ihr Körper fühlte sich hier heimisch.
Eine Bekannte von uns, die in Indien in einer englischen Familie geboren und aufgewachsen war, mußte das Land bei der Teilung im Jahre 1945 verlassen und kam in das ihr fremde England. Die Klarheit und Spiritualität in der Atmosphäre der Bergorte im indischen Himalaja – ihrer Heimat – war durch die jahrhundertealte Tradition mystischer und yogischer Lehren und Philosophien geprägt, die im Denken der indischen Völker fest verwurzelt sind. Selbst in den verwahrlosten Armenvierteln im Umkreis der großen Städte des Landes ist diese Atmosphäre auch heute noch nicht ganz verloren.

Diese Freundin wurde – wie Farida – von dem Wechsel der Atmosphäre zwischen den beiden Ländern stark getroffen, und selbst heute noch, nach vierzig Jahren, fühlt sie sich Indien so stark verbunden wie eh und je, obwohl ihr Körper und Gemüt sich schon lange an die neue Umgebung angepaßt haben.
Diese Qualität der subtilen Schwingungen ist also ein wesentlicher Umweltfaktor für unser Wohlbefinden oder Kranksein, der bei keiner ernstzunehmenden Bemühung um Heilung außer acht gelassen werden darf. Er ist sehr schwer zu quantifizieren – ja, die analytisch-wissenschaftliche Forschung wird vor einem großen Problem stehen, wenn sie versucht, diesen sich ständig verändernden Tanz der Energien in den Griff zu bekommen. Aber – kann man denn wirklich erwarten, das Leben unter dem Mikroskop einzufangen?

KAPITEL 4

Energie, Polarität und Harmonie

Allgemeine Einführung

Der moderne Mensch hat sich mit der Tatsache vertraut gemacht, daß sich das physische Universum, wie er es mit seinen fünf Sinnen wahrnimmt, sehr von dem unterscheidet, das die Wissenschaft beschreibt. Dieses wissenschaftliche Bild des Universums hat sich verändert, und es verändert sich immer weiter.

Andere Arten von Lebewesen, die auf unserem Planeten heimisch sind, haben zur Wahrnehmung der physischen Materie Sinne, die wir nicht besitzen: Manche Vogelarten können das Magnetgitternetz der Erde wahrnehmen, und sie machen auf ihren jahreszeitlichen Zügen Gebrauch von dieser Fähigkeit. Andere Geschöpfe nehmen Wellenlängen und Frequenzen von Tönen und elektromagnetischer Energie (z. B. des Lichts) auf, die uns unzugänglich sind. Hunde, Pferde, Elefanten und vermutlich die meisten anderen Tiere scheinen einen »sechsten Sinn« zu besitzen; sie nehmen subtile Energieschwingungen wahr, die von Menschen und ihren tierischen Zeitgenossen ausgehen.

Manchen Schulkindern werden heute die erdgeschichtlichen Größenordnungen im Klassenzimmer mit Hilfe einer wie eine Girlande um den Raum aufgehängten großen Rolle Toilettenpapier veranschaulicht: Die ganze Rolle stellt die Zeit dar, aus der nach Schätzung der Archäologen die ältesten bekannten Fossilien stammen, und reicht bis hin zu jener Zeit, in die man die ältesten

fossilen Indizien für menschliches Leben einordnet. Im Vergleich stellt man dann fest, daß der Mensch erst ungefähr ein Blatt vor dem Ende des WC-Papiers auftauchte, genauer gesagt entspricht seine Existenz nur dem perforierten Rand des letzten Blattes. Zugegeben, das Beweismaterial ist etwas dünn; jedenfalls kann man aus dem Spiel mit dem Papier einen gewissen Eindruck von den Zeiträumen und ihrer verhältnismäßigen Länge bekommen. Wenn wir nach der gleichen Methode das ganze elektromagnetische Spektrum über einen Bereich von tausend Meilen darstellen (das entspricht den Entfernungen Königsberg–Marseille oder München–Istanbul), so würde der Wellenlängenbereich, den wir Licht nennen und den wir mit unseren physischen Augen wahrnehmen können, von diesen 1600 Kilometern nur einen achtzigmillionstel Millimeter ausmachen.
Aber selbst unter uns Menschen differieren wir sowohl in unserer Wahrnehmungsfähigkeit als auch in der Interpretation der empfangenen Daten. Manche Leute können einen wesentlich höheren Frequenzbereich hören als der Durchschnitt, andere sind farbenblind. Ein Künstler sieht Farben viel lebendiger, und ein Musiker hat vielleicht das »absolute Gehör«. Manche Menschen haben einen oder mehrere Sinne ganz verloren, während eine wachsende Zahl unserer Mitmenschen die subtilen Schwingungen von Gegenständen und Lebewesen spüren kann. Unsere Stimmung, unser Gesundheitszustand und unser Wohlbefinden haben einen Einfluß auf unsere Wahrnehmung. Mit anderen Worten: Was wir wahrnehmen, ist keine feste Realität, sondern ein subjektives Erlebnis, das auf unserem körperlichen, emotionalen und mentalen Befinden basiert.
Die Behauptung, daß es Energiefelder und -muster gebe, derer wir mit unseren fünf Sinnen nicht bewußt sind, sollte uns also zumindest als Arbeitshypothese akzeptabel

sein. Nach wie vor schalten wir unseren Fernseher ein und genießen die Bequemlichkeit einer Fernbedienung, ohne dabei jemals irgend etwas wahrnehmen zu können, das uns »ins Haus kommt« oder von der Fernbedienung ins TV-Gerät hinüber »geht«! Wir machen auch nach wie vor regen Gebrauch von der Elektrizität, ohne ihr Wesen und ihre Gesetzmäßigkeiten zu verstehen.

Unser physisches Universum ist ein Gemisch von wahrnehmbarer und nicht wahrnehmbarer »grobstofflicher« Materie und »feinstofflicher« Energiefelder. Subtile oder feinstoffliche Energiefelder sind die Blaupausen, die Pläne für die physische Materie. Unser physischer Körper besteht genaugenommen aus zwei Körpern: aus dem grobstofflichen Leib, den wir mit den fünf Sinnen wahrnehmen können, und dem feinstofflichen oder »ätherischen« Körper, dessen Materialisierung oder Projektion ins Physische der grobstoffliche Körper ist. Der Zustand des subtilen Körpers bestimmt die gesundheitliche Verfassung des physischen Körpers. Nach der Terminologie der Hochenergie-Physik ist die subtile Energie die »Geister-Energie«, aus der physische Materie hervorgeht. Wie bereits in einem früheren Kapitel erwähnt, sprechen manche Physiker unserer Tage zum Beispiel auch von »Geister-Elektronen«. Nun hat noch kein Wissenschaftler je die Existenz eines »Geister-Elektrons« vorgeführt, aber theoretisch scheint seine Existenz für das wissenschaftliche Denken und die Rationalität wesentlich zu sein. In der Natur kann man nicht etwas aus nichts erhalten; um also ein Elektron oder ein anderes subatomares Teilchen zu bekommen, muß etwas dasein, das ihm Substanz oder Energie gibt. Dieses Etwas ist sein »Geister-Teilchen« oder seine feinstoffliche Entsprechung.

Wie schon im Weltbild des Mystikers dargestellt, soll das Universum das Spiel seines Schöpfers sein. Die Mystiker sagen: Die Quelle ist eins. Das bedeutet: keine Bewegung, keine Differenzierung, sondern vollkommener Frieden und Einssein, Glückseligkeit und Liebe. Schöpfung ist eine Tat oder Bewegung innerhalb des Einen. Dieser ist noch immer eins und im Frieden, sagen die Mystiker. Aber in sich hat er ein Spiel der Liebe mit sich selbst erschaffen; Seine Schöpfung ist wie der Schaum an Seiner Peripherie. Doch das sind eben nur Metaphern, die eine Wirklichkeit zu beschreiben versuchen, die am besten selbst zu erleben ist.

Wie auch immer man es darstellen will: Bewegung und Differenzierung in den Energiefeldern des Kosmos sind die Grundlage jeglicher Existenz. Und dieses Spiel der Bewegung wird zusammengehalten durch die Aktion der drei Zustände oder Attribute von Denken und Materie – der Gunas, die im Prolog geschildert wurden. Einige ihrer Aspekte lassen sich folgendermaßen auflisten:

Rajas (Yang)	*Satvas*	*Tamas (Yin)*
Aktion	Ruhe	Inaktion
positiv	null/neutral	negativ
Expansion	Gleichgewicht	Kompression
oben	in der Mitte	unten
vorwärts	bewegungslos	rückwärts
zentrifugal	auf der Kreisbahn	zentripetal
Geburt	Leben	Tod
Tag	Dämmerung	Nacht
Anabolismus	Metabolismus	Katabolismus

Wie schon weiter oben gezeigt, lassen sich alle Attribute des Lebens und der Schöpfung in dieses Schema einordnen. Ja, das Wechselspiel dieser Kräfte ist eine aller Existenz zugrunde liegende Realität. Es ist allerdings unmöglich, irgendeine Aktivität als ausschließlich und allein einem der Gunas zugehörend einzuordnen. Alles enthält (zumindest) den Samen der anderen Gunas, denn es ist unmöglich, eine Münze mit nur einer Seite zu haben oder ein Ja auszusprechen, ohne daß dies zugleich auch ein Nein bedeutete; es gibt kein Oben ohne ein Unten. Wenn wir also sagen, daß etwas »Rajas« sei, bedeutet es, daß der Rajas-Aspekt gerade im Aszendenten steht. Und da alle Energieverhältnisse unzählige Aspekte besitzen – und selbst diese Aspekte wiederum eigene Aspekte haben (so wie auf Hundeflöhen vielleicht Flohflöhe sitzen!) –, können manche Aspekte Rajas, andere dagegen Tamas sein; wieder andere sind ausgeglichen oder Satvas. Und da es in Wirklichkeit »nur das Eine gibt«, dürfen wir sagen, daß innerhalb dieses Einen das Prinzip der Dualität ausgeglichen ist und die Gunas oder Yin und Yang sich die Waage halten.

Man beachte, daß zum Beispiel der Guna der Ruhe tatsächlich ein Zustand der Spannung zwischen einander entgegengesetzten Kräften ist, ein Gleichgewicht zwischen dem Positiven und dem Negativen. Das heißt, in Wirklichkeit ist auch Satvas kein »reiner Frieden«. Das Gleichgewicht kann jeden Augenblick gestört werden. Innerhalb der Sphären der Bewegung und Schöpfung ist Frieden wohl wünschenswert, aber echter Frieden ist jenseits der Gunas, jenseits der Bereiche von menschlichem Geist und Materie; echter Frieden ist fest verwurzelt im Ursprung.

Aber auch Gleichgewicht und Ruhe sind relativ, wie schon Einstein zeigte. Wir mögen zwar auf unserem Planeten ganz in Ruhe sein; von der Sonne aus gesehen rast unsere Erde trotzdem mit fast 30 km pro Sekunde durch den Raum. Was also aus der Sicht des einen positiv ist, kann für den anderen negativ sein. Und das ist ganz auf die Komplexität der Energieströmungen und -felder zurückzuführen, mit denen wir im Inneren wie im Äußeren verbunden sind.

In der Bhagavadgita werden die Gunas auch als die »Gegensatzpaare« erwähnt. Krishna rät seinem Schüler Ar-

juna, sie mit Gleichmut aufzunehmen. Gleichmut bedeutet, das Gleichgewicht zu finden, den mittleren Guna zwischen den beiden Gegensätzen, um auf einem wahren und edlen Weg durch das Leben zu schreiten.
Im Bereich der Energiefelder unseres physischen Universums sind diese drei Kräfte aus subatomarer, aber auch aus subtiler Sicht ständig in Aktion zu beobachten. Dabei bewegen sich die zusammenhaltenden Kräfte von Gravitation, Magnetismus und Energie spiralförmig im Uhrzeigersinne – die natürliche Anziehung von Energie zu Energie, von Materie zu Materie. Demgegenüber gibt es die Tendenz der Ausdehnung und Entfernung, die zentrifugale Kraft der Energie, die sich im Gegenuhrzeigersinn bewegt.
Alle subatomaren Teilchen befinden sich ständig in Bewegung, sie wirbeln und bewegen sich in drei Dimensionen. Man kann sagen, daß die Bewegung der Energie in drei Dimensionen die physische Materie erst als »fest« oder »real« erscheinen läßt. Unser physisches Universum ist Bewegung, Aktion, Ursache und Wirkung – *Karma*, wie es die indischen Yogis und die mystischen Philosophen nennen.
Das Wesen dieser Bewegung einschließlich der Anziehung und Abstoßung von Kräften innerhalb atomarer Strukturen ist eines der wichtigsten Forschungsgebiete in der modernen Physik. Daraus wird klar, daß die Verbindungsstelle zwischen subtilen Energiefeldern und ihrer ersten Manifestation, Kristallisation oder Projektion als grobstoffliche Materie im Wesen der Bewegung oder des »Spins« der subatomaren Energie begründet sein muß. Grobstoffliche Materie ist einfach subtilere Materie, die innerhalb der Hierarchie schöpferischer Energien in ihrer Schwingungsrate »tiefergelegt« wurde – quasi der Schaum auf dem Schaum. In dieser Bewegung erkennen wir das Wirken der Gunas, der drei grundlegenden Kräfte der Natur.

Alle Kräfte und Bewegungen besitzen also Polarität; es kann kein Auf ohne ein Ab geben, kein Plus ohne ein Minus, kein Ja ohne ein Nein. Das ist sowohl begrifflich, also in unserem Denken wahr, als auch in den Vorgängen der Natur. Da nun unser grobstofflicher Körper aus subatomarer Materie besteht – aus Energie in Bewegung, die in molekulare, physiologische und anatomische Strukturen und Prozesse eingeordnet und gestaltet wurde, die wir als den lebendigen Leib kennen –, ist es mehr oder weniger selbstverständlich, daß auch die positiven und negativen Aspekte sich im subatomaren Bewegen und Sein wiederfinden.

Die grundsätzliche *Polarität* unseres Körper-Fühlen-Geist-Komplexes wurde schon zu allen Zeiten von unzähligen therapeutischen Ansätzen her benutzt, um bewußt oder unbewußt die Gesundheit zu erhalten und Krankheit zu bekämpfen. Unser grobstofflicher Körper ist die Manifestation seines subtileren, feinerstofflichen »Gegenstücks«, und die Polarisierungen oder Gleichgewichtszustände im einen werden sich direkt auf den Gleichgewichtszustand des anderen auswirken. Wenn Energie fließt, dann fließt sie von Plus zu Minus, von oben nach unten; sie folgt einem Gefälle, um es auszugleichen. Zur Fortdauer der Existenz aber muß die Polarität aufrechterhalten werden, um den Energiefluß in Bewegung zu halten. Im Bereich der Elektrizität verwenden wir eine Batterie oder einen Generator, für den Magnetismus brauchen wir einen Nord- und einen Südpol; und auf der Ebene der subatomaren Materie haben wir es mit Bewegung und den Kräften der Anziehung und der Abstoßung zu tun. All diese *Polaritäten* sind zwangsläufig Reflexionen der Polaritäten auf subtileren Ebenen.

Polaritäten können sich verändern, ohne Energie zu verlieren. Wenn Sie einen Ball gegen eine Mauer werfen, ändert sich seine Richtung, aber nicht sein Energiegehalt.

Eine Veränderung der Umgebung, die zu einer Veränderung der Harmonie und Bewegung subatomarer Materie führt, wird automatisch die Polaritäten im subtilen Energiefeld ändern, und umgekehrt, ohne daß es äußerlich sichtbarer Zeichen dieses Wechsels bedarf. Mit anderen Worten: Der innere, kinetische Zustand innerhalb der subatomaren Materie kann wechseln, ohne daß die normalen fünf Sinne des Menschen irgendeinen Unterschied wahrnehmen können.

In unserem Körper wird das Maß unserer Gesundheit und unseres emotionalen und mentalen Wohlbefindens vom Zustand unserer subtilen Energien bestimmt. Harmonie oder Disharmonie der subtilen Energien und subatomaren Energiemuster in unserer Umgebung lassen uns eine gute oder schlechte Atmosphäre oder Schwingungen fühlen. Unser physischer Körper besteht also aus dem Grobstofflichen, das wir leicht wahrnehmen können, und dem subtilen oder ätherischen »Bauplan«, der den Zustand und das Maß unserer Gesundheit im Grobstofflichen bestimmt. Eine Heilung kann deshalb in zwei Richtungen geschehen: durch Einflußnahme auf das Grobstoffliche, was die Polaritäten im Subtilen verändern wird, und/oder durch Veränderung der Polaritäten im Subtilen, was sich nach unten auswirken und als Entstehung gesunden Gewebes im grobstofflichen Körper manifestieren wird. In der Praxis wenden die den heilenden Berufen Angehörenden bewußt oder unbewußt eine Kombination beider Heilwege an.

Ein Akupunkteur zum Beispiel wirkt auf die subtilen Energien ein, empfiehlt vielleicht aber auch den Einsatz gewisser Heilkräuter, Diätmaßnahmen und Veränderungen der Lebensweise und der gedanklichen Einstellung, um seine Bemühungen in den subtilen Bereichen zu unterstützen. Vielleicht renkt er einem Patienten mit Rükkenbeschwerden die Wirbelsäule ein, wenn er eine entsprechende Ausbildung besitzt, während er natürlich auch mit seinen Nadeln über den feinstofflichen Körper die Struktur und Statik der Wirbelsäule beeinflussen kann. Je nach den Umständen des Einzelfalles wird die eine oder die andere Methode angebracht sein.

Wie es eine Myriade von Gestalten und Formen in der Welt der Materie gibt und eine Vielzahl physiologischer Systeme und Aspekte in unserem Organismus, so gibt es auch eine Fülle von Schwingungsfrequenzen oder -mustern im Bereich der subtilen Energien. Manche lassen sich als »horizontal« betrachten, das heißt, sie schwingen auf der gleichen Energie-Ebene, andere dagegen sind »vertikal« oder »nach innen gewendet« in dem Sinne, daß sie einen »Bauplan« oder ein Vorbild darstellen, nach dem niedere Energien geprägt werden – ebenso, wie die physischen Gegenstände, die unsere alltägliche Welt der grobstofflichen Materie ausmachen, Energiefelder und Partikel sind, wenn man sie aus subatomarer Sicht betrachtet.

Es gibt also zahlreiche Heilmethoden im Bereich der subtilen Energien, und jede wirkt auf andere, aber verwandte Energiefelder. Manche Heilweisen sind bis in Einzelheiten genau festgelegt und beschrieben – zum Beispiel die Akupunktur –, andere gehen viel einfacher vor und verlassen sich oft weitgehend auf feinere Wahrnehmungen, stützen sich auf Gespür, Intuition und die angeborene Heilungsgabe des Behandlers.

Subatomarer Spin und Magnetismus

Der Gedanke, daß die Spin-Richtung mit der grundsätzlichen Dualität in Verbindung steht, mit dem Wechselspiel der positiven und negativen Kräfte, ist nicht neu oder einzigartig. Wir finden ihn beispielsweise in den Schriften von Davis und Rawls, zweier Pioniere der Erforschung des Magnetismus und seiner Auswirkungen auf den menschlichen Körper. Sie fanden heraus, daß die magnetischen Pole – Nord- und Südpol – unterschiedliche Eigenschaften und Wirkungen auf lebendige Organismen besitzen. Ich zitiere aus ihrem Buch *The Magnetic Effect:* »Wir können diese Entdeckung aufgrund der tatsächlichen Messung der Richtung des Elektronenspins anzeigen, die von den Polen aller Magneten ausgeht.

Die Bewegungsrichtung der Elektronen (der magnetischen Energie) im Nord- und im Südpol ist umgekehrt. In der Tat ist festzustellen: Die vom Südpol eines Magneten ausgehende Energie pflanzt sich fort in Gestalt eines nach rechts, also im Uhrzeigersinn, rotierenden Energiewirbels, während die Energie, die vom Nordpol eines Magneten ausgeht, sich rotierend nach links, also im Gegenuhrzeigersinn, bewegte.

Diese Entdeckung konnte erst in unserem derzeitigen Raumfahrt-Zeitalter offiziell bestätigt werden, als Messungen der magnetischen Energie mit Hilfe komplizierter Magnetometer vom Raum aus durchgeführt wurden. Die Energie eines Magneten – wie die des Erdmagnetfeldes mit seinen beiden Polen, dem nördlichen und dem südlichen Magnetpol – verläßt nicht einfach einen Pol und wandert dann um den Magneten herum, um am anderen Ende oder Pol wieder in ihn zurückzufließen. Wenn sie den Südpol verlassen hat, wandert sie nur halb um den Magneten bis zu seiner Mitte. Hier wechselt sie ihren Elektronen-Spin (Drehimpuls), beginnt in der entgegengesetzten Richtung zu rotieren und wird zur entsprechenden Energieform, um erst dann die Mitte des Magneten bzw. der Erde zu verlassen, weiterzuwandern und in den Nordpol des Magneten oder des Erdmagnetfeldes einzukehren. Veröffentlichte Ergebnisse der Raumforschung erbringen heute den Beweis für die Richtigkeit dieses

Sachverhalts.« In der Tat hatte die Wissenschaft schon früher festgestellt, daß einzelne Elektronen sich wie Magneten verhalten.
Davis und Rawls entwickelten eine Methode, »diese unsichtbaren Kraftlinien« tatsächlich zu fotografieren. Es gelang ihnen, »die beiden rotierenden Wirbel magnetischer Energie zu beobachten und sie im Detail zu untersuchen«. Diese Arbeit ist in ihrem Buch *Magnetism and Its Effect on the Living System* publiziert.

Kugelblitz und Partikelspin

Ein Durchbruch, der 1985 Dr. Geert Dijkhuis, dem Direktor einer in Rotterdam ansässigen Firma gelang, läßt auf die Nutzung des Partikelspins als Teil einer neuen Energiequelle hoffen. Dijkhuis' Forschungsarbeit galt der künstlichen Erzeugung des Kugelblitzes, um Möglichkeiten zu finden, seine Eigenschaften kennenzulernen und seine Energien zu nutzen. Der Kugelblitz galt unter den Wissenschaftlern traditionell als volkstümliches, nicht ernstzunehmendes Ammenmärchen, bis unvermindert eingehende Berichte über diese leuchtstarken elektrischen Kugeln, die in Fahrzeugen, Häusern und sogar Flugzeugen nach Gewittern umherschweben können, das Problem der Existenz dieses Phänomens in die Forschungslabors brachten. Vor einiger Zeit hatte sogar ein ebenso überraschter wie faszinierter Physiker selbst Gelegenheit, einen in einem Flugzeug schwebenden Kugelblitz zu beobachten. Der Wissenschaftler veröffentlichte sein Erlebnis später in einer Fachzeitschrift – ich habe leider vergessen, in welcher, glaube aber, es handelte sich um den *New Scientist*.
Dijkhuis gelang es, einen 10 cm großen Kugelblitz von einer Sekunde Lebensdauer zu erzeugen, und er hofft,

demnächst eine größere 3-Sekunden-Kugel zustande zu bringen. Dr. Dijkhuis, der seinen Titel im Fach angewandte Physik von der Stanford-Universität erhielt, vertritt die Theorie, daß der Kugelblitz aus supraleitfähigem Gas besteht, das durch die Nähe eines Blitzstrahls ionisiert wurde und sich zu Wirbeln formiert, die in der gleichen Richtung rotieren, die auch der Spinrichtung ihrer Partikel entspricht. Dieser Spin überträgt sich dann auf das ganze Gebilde, das sich zu einer rotierenden, leuchtenden Kugel verdichtet.

Dijkhuis nimmt an, daß diese Forschungen zu einem verhältnismäßig kleinen Atomreaktor führen könnten, der auf Deuterium-Basis betrieben würde. Deuterium oder schwerer Wasserstoff (^{2}H) kann aus Meerwasser gewonnen werden und ist natürlich beträchtlich billiger und sicherer als herkömmliche Reaktorbrennstoffe.

Terminologie der subtilen Energien

Überall in der Literatur über subtile Energien begegnet uns ein weites Spektrum von Bezeichnungen, die zu deren Beschreibung verwendet werden. Wie das physische Universum eine schier endlose Vielfalt sich verlagernder und wandelnder Energiemuster zeigt, von denen wir einen Teil mit unseren Augen wahrnehmen können, so gibt es auch im Bereich der subtilen Energiefelder ein ganzes Spektrum von Energien. Verschiedene Therapien scheinen sich an unterschiedliche Aspekte oder Bereiche in diesem Spektrum zu wenden. Da diese Energien jenseits des Erfassungsbereichs unserer fünf körperlichen Sinne liegen, ist ihre Aufzeichnung schwierig, und ihre Beschreibung durch eine Vielfalt von Begriffen führt leicht zu Verwirrung. Wir verwenden die Begriffe »subtile« oder »feinstoffliche« Energie, um alle subtilen physischen und superphysischen Energien bis zur Ebene der mentalen oder Gedankenschwingungen zu bezeichnen. Andere gebräuchliche Bezeichnungen – manche spezifisch, andere eher allgemein – sind: Chi-, Prana-, Bio-Energie, ätherische Energie, aurisches Kraftfeld, Strahlungsfeld usw.

Es soll auch in aller Deutlichkeit darauf hingewiesen werden, daß es ein semantisches Problem im Zusammenhang mit der Verwendung der Begriffe *positiv* und *negativ* gibt. Beide Bezeichnungen haben in Wirklichkeit zwei Bedeutungen. Manchmal werden sie als Bewertung gebraucht – bei negativen Emotionen und Gefühlen beispielsweise oder bei einer negativen Persönlichkeit und Einstellung. Manchmal aber werden sie zur Kennzeichnung eines Polaritäts-Aspektes verwendet, womit dann keinerlei Beurteilung oder Bewertung verbunden ist, zum Beispiel bei einer negativen elektrischen Ladung. Die beiden Wörter können in unserem Sprachgebrauch einfach zwei Gedankenkategorien ausdrücken, aber ihre jeweilige Bedeutung geht meist aus dem Zusammenhang klar hervor. Manchmal überschneiden sich auch die Bedeutungsebenen, aber solange man sich des Unterschiedes bewußt ist, sollte das nicht zur Verwirrung führen.

Der Geist-Fühlen-Körper-Komplex

Die Polaritäten der Natur zeigen sich im lebendigen Geschöpf in vielfacher Weise. Vom höchsten Gesichtspunkt aus betrachtet, ist die Seele der schöpferische, positive Strom, während der universelle Geist die neutrale Mitte, das physische Universum aber den negativen Pol der Schöpfung darstellt. Innerhalb unserer menschlichen Struktur repräsentiert die Energie unseres denkenden Gemüts den positiven Pol, die Emotionen – unsere ver-

mittelnden Energien, die weitgehend als unbewußte Energie Ausdruck finden – sind die neutrale Mitte; die grobstoffliche, physische Materie unseres Körpers bildet den negativen Pol.
Diese Energien spiegeln sich in den Körperorganen wider, die sie regieren und in denen sie Ausdruck finden. Das denkende Gemüt spiegelt sich im Gehirn wider, in den Sinnesorganen und über die Sprechfunktion auch in der Kehle. Dies sind die Zentren der Intelligenz und der Kontrolle im Körper. Das Kehlzentrum oder -chakra ist der Sitz des subtilsten der fünf Tattwas oder Elemente, des »Äthers« oder Akash, aus dem die anderen Elemente hervorgehen. Das sechste Chakra (Do-Dal-Kanwal), hinter den Augen gelegen, ist das Zentrum, in dem auf dem Meditations-Entwicklungsweg die ersten Versuche zur Konzentration der mentalen Kraft stattfinden, um in höhere oder »innere« Bereiche zu gelangen. Die mentalen Energien und ihre äußeren Manifestationen sind somit die kontrollierenden Aspekte, der positive Pol, von dem Energie zur Erschaffung und Kontrolle der tieferen Energien und Strukturen ausgeht.
Der selbstbeherrschte Mensch ist hinter den Augen konzentriert. Er hat die stärkste Kontrolle über sich selbst in der Hand und eignet sich auch zum Anführer anderer, wenn es sich so ergibt. Zur Selbstbeherrschung gehören Aufrichtigkeit, Liebe und ein Charakter mit hohen moralischen Maßstäben, die sich in Harmonie mit dem Gesetz der Natur befinden. Der unehrliche Mensch hat einen »unsteten Blick«, wie wir sagen; sein Wesen und Sein ist nicht auf einen Brennpunkt hin konzentriert. Er kann nie dem Blick eines Ehrlichen standhalten. Sein Ego und seine Selbstsucht lenken seine Aufmerksamkeit auf tiefere, unbewußtere Ebenen seines Körpers, und er erfährt sich selbst nur selten als ein lebendiges, bewußtes Wesen. Ehrlichkeit ist ein Attribut des Elements Akash,

das seinen Sitz im Kehlchakra hat. Absolute Ehrlichkeit ist etwas, das nur wenige von uns besitzen, denn jeder wird durch sein Ego mehr oder weniger davon abgebracht.
Wenn der Yoga-Übende sich auf die Chakras seines Körpers konzentriert und sein Bewußtsein dort entfaltet, erlangt er die Meisterschaft, die Herrschaft über die Energie, die mit dem jeweiligen Chakra verbunden ist. Sein inneres Verstehen gibt ihm die Möglichkeit, Wunder zu vollbringen: Mit der Kraft des Rektal-Chakras beispielsweise, das für die Manifestationen des Elements Erde die Kontrollinstanz darstellt, kann er feste Gegenstände bewegen; mit dem nächsthöheren, dem Kreuzbein-Chakra – zuständig für das Element Wasser –, vermag er übers Wasser zu gehen und so weiter. Im Bereich des Kehlchakras kommt dem praktizierenden Yogi die letzte der »Riddhis und Siddhis«, der Wunderkräfte, zu. Nun ist sein denkendes Gemüt so verfeinert, daß er ganz ehrlich und aufrichtig ist, und alles, was er sagt, ist wahr. Wahrheit aber hat ihre eigene Kraft, eine Macht, die unsere Herzen und unser Gemüt erreicht, wenn wir sie vernehmen. Bei einem Menschen, dessen Bewußtsein durch spirituelle Praxis eine hohe Stufe erreicht hat, zeigen sich Wahrheit, Liebe, Ichlosigkeit und wirkliche Selbstbeherrschung an seiner inneren Kraft. Vertrauen und Selbstvertrauen haben nichts mit Überheblichkeit zu tun, sondern sind ein Attribut der Ich- und Selbstlosigkeit, bei der Gemüt und Seele im Göttlichen verankert sind.
Das sind einige Aspekte der mentalen Energien in unserem menschlichen Wesen.
Unsere Emotionen sind Gemütsenergie, die nach außen strahlt und von den Chakras und den subtilen Tattwa-Feldern reflektiert wird oder in Wechselbeziehungen mit ihnen tritt. Dazu gehören die Lungen, das Herz als Kreislaufkontrollorgan und das Energiezentrum des unwill-

kürlichen, unbewußten Nervensystems: der Solarplexus mitsamt Leber und Milz. Wenn wir emotional erregt sind, können wir ein gewisses Maß an Selbstkontrolle durch tiefes, regelmäßiges Atmen gewinnen. »Atme erst einmal tief durch«, raten wir in solchen Fällen. Ein größeres Problem für emotional aufgeregte Menschen sind Herzbeschwerden. Häufig bekommen Patienten Medikamente verordnet, die sie ruhig halten, weil eine emotionale Aufregung ihnen eine Herzattacke einbringen könnte. Angst, ein Verbündeter des Elements Feuer, hat ihre Wurzeln im Bereich des Sonnengeflechts. Wir alle kennen das Gefühl, »als hätte man einen Schlag in die Magengrube bekommen«. Wenn wir essen, während wir emotional erregt sind, wird unsere Nahrung nicht richtig verdaut, weil die zur Verdauung und Verbrennung benötigte Energie von unserer emotionalen Störung verbraucht wird. Es ist ebenfalls längst bekannt, daß ein Wutanfall die Funktionen von Leber und Milz beeinträchtigt, die ebenfalls vom Element Feuer kontrolliert werden; eine emotionale Aufregung kann, wie gesagt, einen Herzanfall auslösen oder starkes Herzklopfen verursachen.

Wenn wir hungrig werden, rutscht unsere Aufmerksamkeit in den Bereich des Magens, zu unserem Emotionalzentrum hin, und damit fort vom Zentrum unserer Rationalität. So ist es nicht überraschend, daß wir leicht gereizt oder empfindlich im Emotionalen werden, wenn wir aufs Essen warten. Ähnliches geschieht, wenn wir müde werden: Die Aufmerksamkeit gleitet ab in den Bereich tiefer gelegener Chakras, zum Kehlchakra und weiter hinab, und damit geraten wir erneut in den emotionalen Bereich unseres Wesens, was sich als Wut oder in Form anderer emotionsbestimmter Verhaltensweisen manifestiert.

Unser Gemüt beeinflußt also über die Emotionen den Körper. Die Wirkung der Tattwas gibt uns Eigenheiten, die die Attribute der Tattwas widerspiegeln, wie wir sie in

den Konstitutionstypen der ayurvedischen Medizin finden, aber auch in der Typenbestimmung der Astrologie, wo die Persönlichkeit direkt mit der Elemente- oder Tattwa-Aktivität in Verbindung gebracht wird.
Der untere Teil unseres Körpers wird mit den beiden untersten Chakras assoziiert, in denen sich die Materiezustände Wasser und Erde manifestieren. Sie werden vertreten durch die Geschlechts- und Wasserhaushalts-Organe, also die Keimdrüsen und die Nieren, sowie durch die Ausscheidungsfunktion des Rektums (Erde).
Sexualität und Gefühl sind sehr stark miteinander verbunden. Wenn im Rahmen einer zwischenmenschlichen Beziehung unsere Aufmerksamkeit in den Bereich des Sexualzentrums absinkt, befinden wir uns in wachsender Gefahr, unser rationales Denkvermögen zu verlieren, und unsere Aufmerksamkeit, unser Bewußtsein wird mit Macht von seinem ihm angemessenen Zentrum im Stirnbereich weggezogen. Die Gesetzgebung vieler Länder trägt diesem Umstand stillschweigend Rechnung, indem sie geplante Verbrechen, die vorsätzlich durchdacht sind, mit einem höheren Strafmaß belegt als »Verbrechen aus Leidenschaft« oder »im Affekt«.
Als Menschen brauchen wir alle Aspekte unseres gesamten Wesens, um in Harmonie leben zu können. Unser Körper und seine grobstofflichen Bedürfnisse wollen bedacht sein, wenn auch nicht zu sehr verwöhnt. Unsere Gefühle und Empfindungen müssen sich in einem gesunden Gleichgewichtszustand befinden, und wir brauchen das Herz als Gegengewicht zu unserem Kopf. Unser rationales Denkvermögen sollte mit einem Wissen um die Grenzen und die wirkliche Funktion des Intellekts verbunden sein.
Es gibt ebenso viele, sich subtil unterscheidende Möglichkeiten, wie diese Energien sich manifestieren, wie es Menschen gibt, denn allgemein kann man sagen, daß

diese Energien unser physisches Wesen bilden. Der begabte Mensch, der sich Pläne ausdenkt und sie in die Tat umsetzt, zeigt eine starke Verbindung von mentaler und physischer Energie. Auch seine Emotionen sind mit beiden Aspekten eng verwoben, und so wird er sich oft reizbar und ungeduldig geben und die verschiedensten Variationen gefühlsbetonten Verhaltens zeigen, wenn er in seinen Bemühungen, seine Gedanken in die Tat umzusetzen, behindert wird, denn am Erfolg seiner Arbeit ist er auch emotional beteiligt. Je weniger die emotionale Energie mit diesem Komplex verflochten ist, desto rationaler wird der Mensch in seiner Fähigkeit sein, mit den Feinheiten und Problemen umzugehen, die sich bei der Verwirklichung seiner Pläne in der physischen Realität ergeben.

Der Typ des überreagierenden Managers ist ein Mensch, dessen mentale, emotionale und physische Energien zu eng miteinander verflochten sind – häufig auf Kosten seines bewußten, rationalen Denkens. Er reagiert sofort und instinktiv, leidet unter Bluthochdruck, Herzanfällen und Magengeschwüren – alles äußere Manifestationen seiner inneren Verfassung.

Mit Hilfe einiger der im folgenden Kapitel beschriebenen Methoden zum Energieausgleich kann man innerlich Abstand finden, sich entspannen und die enge gegenseitige Verknüpfung der Energien lockern und damit die Voraussetzungen schaffen, unter denen körperliche Probleme von allein Linderung und Heilung finden.

Das genannte Beispiel des Managers ist zwar einleuchtend, aber zugleich auch etwas zu sehr vereinfacht. Die starken, unbewußten emotionalen und mentalen Schwingungen, mit denen wir geboren werden und die uns zu dem machen, was wir sind, nehmen eine unendliche Vielzahl von Konstellationen an und manifestieren sich – entsprechend unserer Persönlichkeit – als Krankheit, disharmonische Energiemuster oder Beschwerden in unserem physischen Körper. Wir sind ein einziges System von Energien. Unseren physischen Körper und das äußere Leben können wir als die niedere Widerspiegelung unserer mehr innen liegenden Energien betrachten, wobei all die unbewußten Probleme unserer Persönlichkeit sich in unserem körperlichen Gesundheitszustand genau und detailliert abbilden.

Stellen Sie sich das Gegenteil des oben karikierten Managers vor: den unpraktischen Idealisten, der so viele wunderschöne Ideen im Sinne hat, aber so wenig Verbindung zu seinen physischen Energien, daß er im Äußeren kaum – falls überhaupt – etwas davon erreichen wird. Der Maler oder Musiker, der mit seinen höherentwickelten Sinnen – Sehen bzw. Hören – im Kopfbereich arbeitet, braucht oft die Hilfe anderer Menschen, um Möglichkeiten zu finden, durch seine Arbeit einen Lebensunterhalt zu verdienen. Seine Hände sind fein gestaltet und gleichen gewiß nicht den kräftigen, großen Händen des praktischen Arbeiters. Der Idealist, der Träumer ist häufig auch im Gefühlsleben frustriert, weil er die Dinge nicht in Übereinstimmung mit seinen gedanklichen Vorstellungen und Bildern bringen kann, die häufig von Emotionalität verschleiert sind. Der stillere Typ des Idealisten neigt zu Krankheitssymptomen wie niederem Blutdruck, Kreislaufschwäche etc.; seine mentalen, emotionalen und physischen Energien sind nur locker miteinander verbunden.

Der Zusammenhang spezifischer Krankheitsmuster mit Persönlichkeitstypen wurde in den letzten Jahren mehr und mehr Gegenstand von Forschungen; hierbei stieß man natürlich auch, wie zu erwarten war, auf die Persönlichkeitstypen, die in ernstzunehmenden astrologischen Werken dargestellt sind. Dr. Edward Bach entdeckte schon vor über einem halben Jahrhundert eine einfache Heilweise, bei der grundsätzlich die Persönlichkeitszüge des Kranken mit Blütenessenzen und deren subtilen Energien behandelt werden, um Störungen des Gleichgewichts auf höheren Ebenen zu korrigieren.

Körperpolaritäten

Gesunde menschliche Aktivität ist da möglich, wo alle natürlichen Energieströme, die in unser Wesen einfließen, ohne Einschränkung wirken können. Das Fließen von Energie ist die Folge von Polarität, ist Resultat eines Unterschiedes und der Tendenz, Einheit zu erstreben. So betrachtet, könnte man sagen, daß das ganze Universum seinem Ursprung zustrebt und von dem Verlangen bewegt ist, mit ihm einszuwerden und Unterschiede und Dualität zu beseitigen. Die Große Macht aber erhält das Spiel aufrecht, und so bleiben die Energiemuster der Schöpfung erhalten. Sie spielt das Spiel des Strebens nach sich selbst, ein Spiel der Liebe. Und sie allein weiß, warum!

In unserem Geist-Fühlen-Körper-Komplex ist deshalb Polarität der Kern alles Wohlbefindens, und das Korrigieren der Polarität ist eine wirksame Methode subtiler Behandlung. Sind die natürlichen Polaritäten harmonisiert, ausgeglichen und »im Lot«, fließen die sie begleitenden Energien, und daraus folgen gesunde mentale, emotionale und physisch-körperliche Funktionen. Wie aber ist dies zu erreichen?

Die Antwort hat zwei Teile, die miteinander zusammenhängen:

1. durch die richtigen Lebensgewohnheiten,
2. durch äußere Mittel, z. B. Behandlungen.

Richtige Lebensgewohnheiten

Es gibt die verschiedensten Richtungen, aus denen wir dieses Thema angehen können – moralische, philosophische, religiöse Betrachtungen usw. –, aber da wir uns im Rahmen einer Abhandlung über Energien bewegen, wollen wir die energetische Betrachtungsweise beibehalten.
Wenn wir uns durch die Chakras, die überaus wichtigen Energiezentren, nach unten begeben, beginnen wir mit dem Augen- und dem Kehlchakra. In diesem Bereich haben wir es mit unserer *mentalen Einstellung* und ihrer Beziehung zu unseren *Emotionen* zu tun, von der wir einige Aspekte bereits besprochen haben.
Unsere Haltung, unsere Einstellung zum Leben im Mentalen und im Emotionalen, übt einen starken Einfluß auf unsere körperliche Verfassung aus. Die Energie unserer Gedanken ist auf einer höheren Schwingungsebene angesiedelt als die unserer Gefühle. Wir sind uns dessen bewußt, wenn wir unsere Emotionen durch rationales Denken unter Kontrolle bringen. Doch alle Energien sind miteinander verbunden: unsere Gedanken oder mentalen Schwingungen, unsere Emotionalenergie, unsere subtile Energie, und das Grobstoffliche. Es gibt Energiebahnen, die diese Aspekte miteinander verbinden. Wir *denken:* »Ich hebe meine Hand hoch«, und über einen Energieaustausch zur physischen Ebene tun wir es dann auch. Diese Verbindung ist klar, sie funktioniert meist automatisch und instinktiv. Ebenso klar, aber nicht so leicht akzeptierbar, ist die Tatsache, daß sich unser Denken und unser Gefühlsleben im Gesundheits- oder Krankheitszustand des Körpers widerspiegeln. Unsere subtilen Energiesysteme werden durch unsere negativen Gedanken und Emotionen (die weitgehend unbewußt sind) aus der Harmonie gebracht und in ihrer Polarität umgekehrt; die Folgen sind mangelndes Wohlbefinden, Beschwerden

und Krankheit. Eine positive, starke Einstellung und ein ausgeglichenes Gefühlsleben wiederum führen zu guter Gesundheit, zu Wohlbefinden und sogar Wohlstand.
Das Maß der Bewußtheit des einzelnen ist abhängig davon, wo er im Innern sein Bewußtsein konzentriert hat. Ein Mensch, dessen Aufmerksamkeit ausschließlich auf den physischen Körper gerichtet ist, wird sich mit diesem identifizieren. Er wird das Gefühl haben, daß alles, was er ist, sein Körper sei; so wird der Tod dieses Körpers für ihn das Ende bedeuten. Seiner mentalen und emotionalen Energiemuster ist er sich weitgehend nicht bewußt, auch nicht der Gewohnheiten, die ihn beherrschen. Er denkt, frei zu sein, und doch ist sein wahres, eigentliches Wesen von den unbewußten, inneren Gewohnheitsmustern derartig behindert, daß er nicht mehr Freiheit besitzt als irgendein anderes, von Instinkten getriebenes Geschöpf.
Ein Mensch, dessen Aufmerksamkeit eine Stufe erreicht, auf der er seiner eigenen Gedanken und Gefühle gewahr ist, beginnt Fragen nach dem Sinn seines inneren Lebens zu stellen. Im Laufe seines Bewußtwerdungsprozesses erfährt er spontane Erkenntnisse – »Koans«, wie der Zen-Buddhist sie nennt. Die Meditation steigert dieses Gewahrsein noch und hebt damit auch die Bewußtseinsebene an; sie erlaubt direkten Einblick in das innere Wirken des eigenen Geistes und Seins.
Die psychologische Therapie und Beratung tragen dazu bei, die Energiemuster von Gedanken und Emotionen neu zu ordnen, die unsere Persönlichkeit bilden. Eine mangelhafte Therapie oder gewisse Schulen, die Methoden zur Kontrolle des eigenen Denkens anbieten, übertreiben es dabei. Die genannten Energien sind sehr subtil und können deshalb auch zur Manipulation oder Desorientierung des einzelnen mißbraucht werden – wie bei der Technik der Gehirnwäsche.
Gute psychologische Beratungs- und Gesprächstechniken

jedoch können zu einer Steigerung der physischen Gesundheit führen, und zwar durch ihre Wirkung über die Energiebahnen im subtilen Energieplan des Körpers. Meditation ist ein noch besserer Weg, da die mentalen Energien hier automatisch zur Harmonie gelangen und weil man dabei die Aufwühlung und Verwirrung durch die Psychotherapie vermeiden kann. Jeder Mensch muß seinen eigenen, vielleicht vorbestimmten Weg zur Selbsterkenntnis und schließlich zur Gotteserkenntnis finden.
Vielleicht sollten wir an dieser Stelle ergänzen, daß Selbsterkenntnis das Wissen der Seele bedeutet, wenn diese aus dem Bereich des universellen Geistes, des »Ich bin DAS«, hinaustritt und sich selbst als Seele erkennt, während sie noch viel weiter oben und ihrem Ursprung näher ruft: »*Ich* existiere nicht – ich bin *Gott!*« Selbsterkenntnis bedeutet nicht nur ein umfassendes Wissen über die eigene Persönlichkeit, obgleich dieses zweifellos einer der ersten Schritte der sehr langen Reise zu ihr ist.
Uns geht es hier darum, die Wirkung auf die subtilen Energien unseres inneren Wesens zu zeigen. Da die Energien auf- *und* abwärts fließen, werden sich Veränderungen in unseren subtilen Energien und die Harmonie auf physischer Ebene auch »nach oben« in bezug auf unsere Stimmungen und Gedanken auswirken. Dieser Zusammenhang ist der Schlüssel zu der bekannten Tatsache, daß unsere Nahrung und alles, was wir zu uns nehmen, unser Gemüt und Denken beeinflussen kann; dies gilt zum Beispiel für Narkosemittel, Alkohol und psychedelisch wirkende Drogen. Das Ganze ist ein höchst dynamischer Prozeß mit vielfältigen Wechselwirkungen. Es ist eben jener gewaltige Energiekomplex, den wir als unser Leben bezeichnen.
Nun kommen wir zum Herz- und Nabelzentrum mit ihren physischen Manifestationen in den ihnen unterstellten Organen unseres Körpers. Die beiden Chakras vertre-

ten die Elemente *Luft* und *Feuer.* Das Gleichgewicht zwischen den beiden ist wesentliche Voraussetzung für eine ausgeglichene Polarität im Organismus.

Luft ist der Vermittler des Prana, der vitalen Lebensenergie, die über den Blutstrom unserem ganzen Wesen zugeführt wird. Denken Sie nur an die frische, subtil energiegeladene Luft in den Bergen und in bestimmten anderen Gegenden, die so erhebend und belebend wirkt. Da bleiben wir instinktiv stehen und atmen tiefer, um von strahlender Gesundheitskraft erfüllt in unser städtisches Leben zurückzukehren. Sauerstoff ist der Brennstoff für die Oxidierung, die Verbrennung, bei der Wärme und Feuerenergie freiwerden. Die Luft enthält auch eine ionische Ladung – positiv oder negativ –, und alle bisher durchgeführten Experimente haben recht deutlich ergeben, daß negativ ionisierte Luft eine merklich positive Wirkung auf die körperliche Gesundheit ebenso wie auf das emotionale und mentale Wohlbefinden ausübt. Das knüpft wieder eine Verbindung zu unserer Betrachtung des Elektronenspins, seiner Polarität und seiner Rolle in den Energieströmungen innerhalb lebendiger Organismen. Im Bereich der Elektrizität gilt eine negative Ladung im Körper als stärkend, dämpfend, lindernd, erfrischend und entspannend, wohingegen positive Energie anregt und, wenn sie im Übermaß auftritt, Schmerz, Reizung, Hitze und Schwellung verursacht. Beide Energien gemeinsam halten das Gleichgewicht der Polarität aufrecht. Interessanterweise haben Wissenschaftler, die sich mit der Wirkung ionisierter Luft auf lebende Organismen beschäftigten, festgestellt, daß eine negative Ladung langfristig das Pflanzenwachstum steigert, positive Ladung aber einen augenblicklichen Wachstumsschub auslöst, der später nachläßt, wenn die Pflanze unter Energiemangel zu leiden beginnt und ihre letzten Reserven mobilisieren muß. Die beiden untersten Chakras sind für das Funktionieren der Elemente Wasser und Erde zuständig, für Assimilation und Elimination von Essen und Trinken, vom grobmateriellen Treibstoff unseres Körpers, darüber hinaus auch für die Fortpflanzungsfunktionen und die sexuelle Energie. Qualität und Wert dessen, was wir essen und trinken, spielt eine große Rolle. Frische, unzerkochte, naturbelassene Gemüse und Früchte, besonders Sprossen und Keime, tragen ein hohes Maß an positiver, vitaler Lebensenergie in sich, die in all ihren Zellen und Molekülen vibriert. Wie bei allen Aspekten des Lebens gilt es auch hier, das richtige Gleichgewicht für sich selbst herauszufinden. Zuviel Essen kann abträgliche Zustände im Organismus herbeiführen, da der Magen mit dem Übermaß nicht zurechtkommen kann. Auch die Qualität der Nahrung ist wichtig. Welkes Gemüse und minderwertige Produkte werden zu Verdauungsbeschwerden führen; das gleiche gilt für gekochte Speisen, die verdorben sind. Wenn man die Lebensmittel beobachtet, kann man erkennen lernen, wann sie in ihre Tamas-Phase eintreten. Sie sind dann von einer stumpfen Aura und trüben Schwingungen umgeben.

Wasser hat von Natur aus eine starke Beziehung zu subtiler Energie – ob negativ oder positiv –, und kann einen mächtigen Einfluß auf unsere Gesundheit ausüben – ebenfalls negativ oder positiv. Betrachten Sie beispielsweise einmal die harmonisierende Wirkung eines Sees oder Baches auf die Umgebung – wohingegen Wasseradern unter einer Wohnung Energie rauben und eine negative Schwingung im Haus verursachen können, da die positive Energie mit der Wasserströmung fortgezogen wird.

Umweltverschmutzung

Wie jeder andere Begriff, der ständig in der Öffentlichkeit diskutiert wird, ist auch die Umweltverschmutzung mit so vielen emotionalen Assoziationen behaftet, daß es manchmal schon schwerfällt, vernünftig darüber zu sprechen. Die Verschmutzung ist im Grunde genommen eine Störung im natürlichen Energiefluß der Energiemuster, die dem Fortbestehen von gesundem, kraftvollem, ausgeglichenem Leben abträglich ist. Sie ist ein negativer Einfluß oder eine negative Polarisierung, und fast alle Arten der Umweltverschmutzung, die von Naturvorgängen allein nicht mehr ausgeglichen oder neutralisiert werden können, sind vom Menschen verursacht. Tiere besitzen vielleicht nicht unsere Neigung zur bewußten Höherentwicklung, aber sie werden auch nicht von negativer und egoistischer Intelligenz dazu verführt, das Gleichgewicht in der Natur zur Befriedigung einer kurzlebigen persönlichen Gewinnsucht und Begierde vorsätzlich durcheinanderzubringen. Selbst die Überweidung von Wiesen und Savannen durch Tierarten wie Ziegen, die zur Verwüstung von Landstrichen führt, geschieht durch menschliche Unvernunft und kommt in einer der Natur überlassenen und von dieser regulierten Gegend nicht vor.

Verschmutzungen gibt es auf allen Ebenen menschlicher Energie, und sie können negative Wirkungen erzeugen, die Energiestörungen, Krankheit und eine Verminderung der Lebensqualität des Menschen nach sich ziehen. Die Werbung und die Medien sind verantwortlich für eine mentale Verschmutzung der Innenwelt – und auch die Schwingungen anderer können uns beeinträchtigen. Wasser und Luft sind durch die wachsende Zahl lebensvernichtender Chemikalien in ihrem natürlichen Gleichgewicht gestört. Unsere Nahrung ist vielmals so massiv mit allen denkbaren Giften gedüngt, geimpft, besprüht, behandelt, konserviert und überhaupt lieblos gehandhabt worden, daß man leicht den sehr ungesunden Zustand eines großen Teils der Menschheit verstehen kann. Junkfood dürfte eigentlich nur mit einer offiziellen Warnung vor ihren gesundheitsschädigenden Wirkungen verkauft werden!

Elektromagnetische Verstrahlung

Dies ist kein Buch über Umweltschutz, deshalb will ich auch nur den Bereich der Umweltverschmutzung behandeln, der den konventionellen Wissenschaftlern am wenigsten eingängig ist, weil er so subtil, so schwer faßbar ist: die elektromagnetische Strahlung. Im Zusammenhang unserer Thematik ist sie von großer Tragweite und bedarf einer ausführlicheren Darstellung.
Unser Körper besitzt gewisse elektrische Potentiale und Polaritäten, die im folgenden Kapitel behandelt werden sollen. Diese elektrischen Polaritäten beeinflussen die Polaritäten und den Energiefluß in den subtileren Energiefeldern, vermutlich aufgrund ihrer Elektronenspin-Richtung, auf jeden Fall aber aufgrund der allgemeinen Harmonie im Fluß der subatomaren Energieströme. Wir erinnern uns: Bewegung ist unweigerlich mit Polarität verbunden. Die moderne Physik versteht unter subatomarer Materie Energiemuster und Kräfte mit Schwingungsfrequenzen, die sich der Lichtgeschwindigkeit nähern. Tatsächlich ist diese gewaltige kinetische Energie einer ihrer wesentlichen Aspekte. Die Kräfte, die sie zusammenhalten, sind ein weiterer wesentlicher Faktor ihrer Existenz. Diese Kräfte sind elektromagnetische, Gravitations- und ähnliche Felder. Starke kosmische Strahlen und Partikelströme können, wie wir wissen, die atomare

Struktur selbst im makroskopischen Bereich verändern; Moleküle und Atome wandeln sich ständig als Teil der Auswirkungen radioaktiver Emissionen.
Höchstwahrscheinlich beeinflussen also alle elektromagnetischen Energien – einschließlich des Lichtes – die Bewegung der Energiemuster auf subatomaren Ebenen. Da die subatomare Energie und die elektromagnetische Energie wesensverwandt sind, ziehen sie sich an und stoßen sich ab; sie reagieren aufeinander und können sich nicht „gleichgültig" zueinander verhalten.
Subatomare und elektromagnetische Energien gehören zu den ersten physischen Manifestationen subtiler Energie. Der Schwingungszustand der subtilen Energie beeinflußt die subatomaren Energiemuster und umgekehrt. Daher überrascht es nicht, daß elektromagnetische Energie auch die Polaritäten in unserem subtilen Körper beeinflußt und dadurch Veränderungen im Zustand unserer Gesundheit und unseres Wohlbefindens verursacht. Diese Einflußnahme braucht nicht allein negativer Art zu sein, doch es hat den Anschein, daß unser Körper und die verschiedenen Funktionen unseres Organismus ausschließlich auf die Wellenlängen natürlichen Sonnenlichtes eingestimmt sind. Außerhalb dieses Schwingungsbereichs fangen die Dinge an, problematisch zu werden.
Der Mensch unserer Zeit wird bombardiert von elektromagnetischer Strahlung, die er selbst produziert hat. Eine Schätzung kommt zu dem Ergebnis, daß die Summe elektromagnetischer Strahlung, die uns aus Hochspannungsleitungen und Kabeln, Mikrowellen, Radar und Kommunikationsnetzen, Fernseh- und Radio-Übertragungen, industriellen und häuslichen Elektrogeräten erreicht, 200millionenmal höher ist als zur Zeit unserer Vorfahren, die nur der Strahlung von Sonne und Kosmos ausgesetzt waren. Unser Körper und unsere biophysischen Energien sind Empfänger, Leiter und Vermittler

dieser elektromagnetischen Verstrahlung. Wenn Sie je eine Radioantenne angeschlossen haben, wissen Sie, wie Ihr Körper als Antenne wirkt, allein dadurch, daß Sie das lose Ende des Antennenkabels in der Hand halten.
Sie können selbst einen einfachen Versuch machen mit einem der modernen Spannungssuchgeräte, die blinken, wenn sie in den Umkreis des oszillierenden elektrischen Induktionsfeldes gelangen, wie es vom Wechselstrom erzeugt wird. Stellen Sie den Spannungssucher in die Nähe des Netzkabels irgendeines elektrischen Apparates, und das Blinken oder Piepsen wird stärker bzw. lauter. Richten Sie das Gerät auf eine menschliche Hand, normalisiert sich das Piepsen. Sobald aber Ihre Versuchsperson mit der anderen Hand das isolierte Kabel faßt, reagiert der Spannungssucher fast genauso »aufgeregt« wie zuerst, als Sie ihn direkt an das Kabel hielten. Bitten Sie nun eine zweite Person, die erste an der dem Kabel abgewandten Hand zu fassen, und prüfen Sie die freie Hand der zweiten Person: das Piepsen ist unvermindert.
Sie können den Versuch weiter ausdehnen und werden feststellen, daß Sie schon vier bis fünf Personen brauchen, die eine Strecke von gut vier Metern überbrücken, bevor sich das Piepsen im Vergleich zum ersten Test am Kabel merklich abschwächt! Wir haben diesen Test mit fast zwanzig Personen durchgeführt, und der Strom floß fast ungehindert bis zum letzten Glied der Menschenkette. Den gleichen Effekt erhält man, wenn man den Spannungssucher direkt an das Innere einer Antennensteckdose hält, die nicht mit dem Stromnetz, sondern lediglich mit der Fernsehantenne auf dem Dach und dem Fernsehgerät verbunden ist. Gleiches gilt auch für die Bildschirme, die heute zusammen mit den meisten Computern und Textverarbeitungsgeräten verwendet werden. Praktisch alle Elektrogeräte im Haushalt sind von einem elektrischen Feld umgeben, das zu dem allgemeinen Feld

des Hauses beiträgt, das durch die elektrische Anlage und Verkabelung erzeugt wird. Vielleicht haben Sie schon in einer Fernsehsendung eine Vorführung dieser Zusammenhänge gesehen, als es um den Verdacht auf Gesundheitsrisiken bei der Arbeit am Bildschirm ging. Ja selbst ein Fernsehgerät ist – auch im ausgeschalteten Zustand, solange es nur durch das Netzkabel mit der Stromquelle verbunden ist – ein starker Sender von elektromagnetischer Strahlung. Allgemein gesagt, ist es eine gute Gewohnheit, sämtliche Elektrogeräte schon an der Steckdose vom Stromkreis zu trennen, sobald man sie nicht benötigt, um die Ausstrahlungen des Kabels und der Apparate selbst zu verhindern. (Jene alte Dame hatte also recht, als sie angeblich protestierte: »Nein, so etwas kommt mir nicht ins Haus; das kann ja überall undicht werden!«)
Sie werden auch feststellen, daß manche Menschen elektrische Felder besser leiten als andere; bei dem einen wird der Spannungssucher stärker piepsen als beim anderen. Das liegt nicht nur daran, daß der elektrische Hautwiderstand und die Hautfeuchtigkeit sich von Mensch zu Mensch und von Fall zu Fall unterscheiden, sondern auch an der elektrischen Kapazität des Körpers selbst, die nicht bei allen Menschen gleich ist. Der Körper speichert nämlich die Elektronen, die den Fluß des elektrischen Stromes ausmachen. Die Speicherung der Elektronen in metallenen Gegenständen am Körper, aber auch in seiner knöchernen und Gewebestruktur, kann zu einer Umkehrung der Polaritäten, zu einer Disharmonie in den subtilen Energiefeldern führen. Zu den metallenen Gegenständen gehören Schmuck, Schnallen, Reißverschlüsse, nachts auch die Sprungfedern in der Matratze, und vor allem: die Zahnfüllungen. Es wurde schon des öfteren von Menschen berichtet, die in der Nähe von Radio- oder Fernsehsendern wohnen und mit Hilfe ihres Mundes

Rundfunksendungen empfangen und wiedergeben. Das Metall wirkt dabei als Antenne, und die Kombination von halbleitenden Zahnfüllungen und Körpergeweben sowie die akustischen Resonanzeigenschaften des Schädels ermöglichen die Klangerzeugung.
Jüngere Untersuchungen haben ergeben, daß aus Amalgamfüllungen der Zähne aufgrund des elektrischen Potentialgefälles im Munde Quecksilberionen gelöst werden; hier wirkt sich das gleiche Prinzip aus, das in einer Batterie genutzt wird. Die Wirkung induzierter elektrischer Ströme in Zahnfüllungen verstärkt diesen Effekt vermutlich noch. Das Vorhandensein induzierter Ströme, die auf elektrische Leitungen oder Radio- und Fernsehwellen zurückzuführen sind, können Sie leicht mit einem Spannungssucher feststellen. Das Gerät wird bei jedem Metall- oder leitenden Gegenstand in der Nähe eines elektrischen Kabels piepsen, sei es ein Drahtkleiderbügel, der Drahtrahmen eines Lampenschirms oder irgendein Teil des menschlichen Körpers – nicht nur die Hände! Es wäre interessant herauszufinden, ob Elektroingenieure und Rundfunk- bzw. Fernsehtechniker überdurchschnittlich viel gelöste Quecksilberionen in ihrem Organismus haben.
Ich erinnere mich an ein Mädchen, das mich wegen einer Behandlung aufsuchte; sie pflegte anderen Menschen bei körperlicher Berührung elektrische Schläge auszuteilen. Als Französin war ihr das Küssen und Händeschütteln bei der Begrüßung auch im Alltag selbstverständlich, und so wurde ihr Problem zum Ärgernis. Als ich sie mit einem Spannungssucher überprüfte, stellte ich fest, daß überhaupt kein Strom durch sie floß. Sie war also ein sehr guter Kondensator. Sie speicherte alle Elektrizität im Körper und gab hin und wieder anderen etwas davon ab, die eine geringere Ladung mit sich trugen – ein Kuß ist als Kontakt zum Elektrizitätsaustausch geradezu ideal!
Wir fanden aber noch etwas anderes Interessantes bei ihr

heraus. Als ich sie bat, vor der Behandlung alle metallenen Gegenstände abzulegen, ergab sich eine Sammlung von vier metallenen Armreifen, zwei langen Ohranhängern, drei Ringen und einem großen Schlüssel an einer 30 Zentimeter langen Kette! Das Messing-Medaillon, das sie sonst an einer Kette um den Hals zu tragen pflegte, hatte sie an diesem Tage nicht dabei. Mit anderen Worten: Sie steigerte die bereits in ihrem Körper angelegte Neigung, Elektrizität zu speichern, noch einmal erheblich. Wie eine Süchtige wurde sie genau zu dem gezogen, was ihr Problem verursachte. Ich sah sie nur jenes eine Mal, denn sie war gerade in Cambridge in Ferien und reiste bald darauf wieder ab, aber ich erfuhr, daß ihr Ohrensausen – der andere Grund, warum sie eine Behandlung gewünscht hatte – verschwand und ihr allgemeines Wohlbefinden sich verbesserte, nachdem sie sich zu einer Reduzierung der Metallmengen, die sie an sich trug, entschloß.
Im außergewöhnlich kalten Winter des Jahres 1986 spürten meine Frau und ich elektrische Schläge, wenn wir Stromschalter betätigten oder ins Auto stiegen, gelegentlich auch, wenn wir andere Menschen berührten. Ich erhielt auch eine ganze Reihe von Telefonanrufen von Leuten aus den verschiedensten Teilen des Landes, die das gleiche Phänomen erlebten. Man nimmt an, daß irgendein Aspekt der besonderen Wetterverhältnisse dafür verantwortlich war, und ich erwähne es nur, um auf die Dynamik der elektromagnetischen Kräfte in der Natur hinzuweisen. Jemand vertrat die Theorie, daß der Sonnenwind aus subatomaren Teilchen, der das Polarlicht und andere atmosphärisch-elektrischen Phänomene verursacht, vom Halleyschen Kometen beeinflußt worden sein könnte, der seinerzeit gerade »in der Nähe« vorbeikam und eine Verstärkung des elektrostatischen Feldes der Erde bewirkte, die wiederum sehr große atmosphärisch-elektrische Aktivität auslöste.

Eine andere junge Frau, die ich auf dem Flug von Aberdeen nach Edinburgh kennenlernte, erzählte mir, sie habe ein ähnliches Problem. Auf meine Fragen hin erfuhr ich, daß sie die Schalttafel am Flughafen von Aberdeen bediente. Ich fragte sie, ob sie irgendwelche Gelenkbeschwerden oder -schmerzen habe. »Ja«, antwortete sie überrascht und wunderte sich, wie ich darauf gekommen sei: »In meiner rechten Schulter; manchmal ist es so stark, daß ich mit der linken Hand arbeiten muß.« – »Wie verhält es sich bei einem Gewitter?« fragte ich weiter. »Ja«, bestätigte sie, »bei einem Gewitter wird es manchmal noch schlimmer.« Schmerzen in den Gelenken scheinen mit einem mangelnden elektrischen Gleichgewicht im Körper zusammenzuhängen, aber auch umgekehrt können magnetische Behandlungen und Folien oft eine Hilfe bei Arthritis, Rheumatismus sowie Sport- und Unfallverletzungen sein. Auf dieses Thema werden wir noch an verschiedenen Stellen im weiteren Verlauf dieses Buches zurückkommen. Es scheint ein biomagnetisches und bioelektronisches Energiesystem im Körper zu geben, das sowohl ordnende als auch informationsverarbeitende Funktionen hat. Es wirkt ungefähr wie eine Subtile-Energie-Schaltstelle zwischen den schwingungsmäßig mehr ätherischen oder subtilen Zuständen der Materie und den subatomaren, atomaren und molekularen Energie-Ebenen in unserer biophysikalischen Struktur. Es überträgt die Ordnungsmuster von innen zur äußeren Manifestation.
Das elektromagnetische Energiespektrum können wir uns folgendermaßen vorstellen:

10^{29}	10^{26}	10^{18}	10^{16}	$1{,}75 \times 10^{14}$	10^{14}	10^{12}	10^{10}–10^{4}	50–0
kosmische Strahlen	Gammastrahlen	Röntgenstrahlen	Ultraviolett	sichtbares Licht	Infrarot	Mikrowellen, Radar	Rundfunk und Fernsehen	ELF

Die Frequenzen sind in Hertz (Hz = Schwingungen pro Sekunde) angegeben. 10^{10} bedeutet also eine Zahl, die aus einer Eins mit 10 Nullen besteht (10 Milliarden). Die Abkürzung ELF heißt »Extremely Low Frequency« (extrem niedrige Frequenz).

Wenn man diese Liste betrachtet, fällt einem auf, daß der größte Teil des elektromagnetischen Strahlungsspektrums als gesundheitsschädlich bekannt ist.

Andere Lebewesen haben Sinnesorgane, die andere Bereiche des Spektrums wahrnehmen, auch magnetische Felder. Eulen und vermutlich auch andere nachts fliegende Greifvögel nehmen die (infrarote) Wärmestrahlung ihrer Beute auf. Gänse, so wurde beobachtet, fühlen sich durch ELF-Ausstrahlungen gestört. Zitronenfalter und viele andere Insekten einschließlich der Honigbienen haben ein feines Gespür für ultraviolettes Licht. Ja, wenn ein Zitronenfalter einen anderen sieht, dann nimmt er Muster auf den für uns einfarbig gelben Flügeln seines Artgenossen wahr, die wir Menschen nicht sehen können. Bienen können sogar genau die Polarisierungsrichtung von Lichtwellen unterscheiden – also deren Schwingungswinkel –, und sie nehmen auch mit einem speziellen Sinn das Erdmagnetfeld wahr. Wie Karl von Frisch schon vor vielen Jahren herausfand, teilen die Bienen einander den Standort einer Nahrungsquelle mit, indem sie an der senkrechten Fläche einer Honigwabe bestimmte, tanzartige Flugbewegungen vorführen. Die Winkelabweichung ihrer Bewegungen von der Vertikalen zeigt den Winkel von der Sonne aus an, in dem die Bienen zu fliegen haben, um die signalisierte Nahrungsquelle zu finden. Dieser Winkel berücksichtigt sogar Abweichungen durch Windrichtung und -geschwindigkeit. Wenn aber das Erdmagnetfeld am Bienenstock durch eine außen angebrachte elektrische Spule neutralisiert wird, verändert sich auch der Winkel des Bienentanzes.

Bienen, Tauben, Enten, Delphine, Schmetterlinge, Maulwürfe, Thunfische, Bakterien, Schildkröten, Krebstiere und Menschenwesen enthalten, wie man festgestellt hat, magnetische Kristalle, Fe_3O_4, das ist Magnetit oder Magneteisenstein, der in der Natur vorkommt und den Lotsen früher bei der Orientierung half. Manche Bakterien schwimmen automatisch auf einen Nordpol, andere auf einen Südpol zu. Manche suchen positives elektrisches Potential, andere schwimmen einem negativen elektrischen Potential entgegen. Bei einer bestimmten Bakterienart macht Eisen bis zu 2% des Trockengewichts aus, und dieses Eisen besteht zum größten Teil aus winzigen Magnetitpartikeln, die in Membranen eingebettet und durch die ganze Zelle hindurch in Längsrichtung angeordnet sind. Dieses Arrangement wirkt letztlich wie ein Magnet und richtet das Bakterium automatisch nach dem Erdmagnetfeld aus.

Bei höheren Arten würde man freilich irgendeine Instanz erwarten, die die Richtungsinformationen der Magnetkristalle in das Zentralnervensystem übermittelt und damit in den Wahrnehmungsbereich des jeweiligen Lebewesens. Manche magnetotaktischen Bakterien wurden schon als Symbionten im menschlichen Blut festgestellt, wo sie eine wesentliche Rolle bei der Blutgerinnung – und damit bei der Blutungsstillung – spielen.

Kurzum: Andere Arten von Lebewesen nehmen Energiefelder und Schwingungen auf, die unseren Sinnen verschlossen sind. Eine sinnliche Wahrnehmung ist nichts weiter als die Fähigkeit, Veränderungen in Energiemustern aufzuspüren, und es gibt absolut keinen Grund, anzunehmen, daß alle Geschöpfe auf Erden auf genau die gleichen Energieschwingungen ansprechen und die gleichen Sinnesorgane besitzen sollten. Das bedeutet, daß Lebewesen empfänglich sind für elektrische, elektromagnetische und magnetische Einflüsse, und unsere Unfähigkeit, diese Energien wahrzunehmen, bedeutet nicht, daß diese nicht auf unsere wesentlichen Lebensfunktionen und subtilen Energiesysteme einwirken oder sogar in einer Wechselbeziehung mit ihnen stehen.

Im *New Scientist* erschien 1985 ein Artikel, in dem geschildert wurde, wie die elektrische Ladung von Blutzellen sich in Gesundheit und Krankheit verändert. Die Forschungsergebnisse und Arbeiten von Dr. Harold Saxton Burr über Veränderungen in den elektrischen Potentialen auf der Körperoberfläche und in deren Nähe zeigen, daß diese in einem unmittelbaren Zusammenhang zu Gesundheit, Krankheit und rhythmischer Körperfunktion stehen. Im folgenden Kapitel werden wir uns der Arbeit von Davis und Rawls zuwenden, die diese Potentiale lokalisiert haben und ihre therapeutische Nutzung ermöglichten. In manchen modernen Kliniken werden magnetische und elektromagnetische Felder bei der Behandlung von Muskelverletzungen, aber auch von Knochen- und Gelenkbeschwerden wie Arthritis und Rheumatismus verwendet; dadurch wird erneut unter Beweis gestellt, daß der Körper für schwache elektrische und elektromagnetische Einflüsse empfänglich ist. Darauf werden wir an einer späteren Stelle noch zu sprechen kommen; im Augenblick jedoch möchte ich festhalten, daß der menschliche Körper elektromagnetische Energiefelder besitzt, die durch elektromagnetische Einflüsse von außen gestört werden können.

Wir alle kennen die schädlichen Wirkungen gewisser Abschnitte des elektromagnetischen Spektrums. Röntgenstrahlen, Radarwellen und ultraviolettes Licht sind die bekanntesten gefährlichen Strahlungen, andere sind nicht so umfassend dokumentiert und nicht so einfach zu identifizieren.

Es gibt einige Indizien, die darauf schließen lassen, daß auch die Ausstrahlung von Mikrowellenherden – um ein

Beispiel zu nennen – gesundheitliche Schäden verursachen kann, unter anderem grauen Star.
Der Fall einer Filmtruppe, die dem radioaktiven Niederschlag ausgesetzt war, als nach einem Atomtest in der Wüste des US-Bundesstaates Nevada der Wind drehte, ging durch die Presse. Heute, rund zwanzig Jahre danach, sind viele von der Filmcrew und den Schauspielern von damals krebskrank, liegen im Sterben oder sind bereits an Krebs gestorben, zum Beispiel John Wayne, Susan Hayward und Clark Gable. Das gleiche gilt für die Ingenieure, die in das Testgebiet geschickt wurden, bevor es frei von Kontamination war.
Jüngere britische Forschungen haben eine überdurchschnittlich hohe Häufigkeit von Selbstmorden und psychischen Störungen bei Menschen festgestellt, die in der Nähe von Masten der Hochspannungsleitungen wohnen, das heißt innerhalb deren sehr starker Induktionsfelder. In diesem Zusammenhang wurden im Ort Fishpond in Dorset erst unlängst Untersuchungen angestellt.
In den Vereinigten Staaten und England haben zahlreiche Studien unabhängig voneinander eine drastisch erhöhte Leukämierate und andere Krebserkrankungen bei Menschen festgestellt, die in der Nähe (im Umkreis von 50 bis 100 Metern) von Überlandleitungen wohnen. Ähnliche Untersuchungen über jene, die beruflich elektromagnetischen Feldern von Netzfrequenz ausgesetzt sind, ergaben ebenfalls ein höheres Leukämierisiko. Übereinstimmende Ergebnisse brachten Studien bei Amateurfunkern in den USA und bei Starkstromelektrikern in Neuseeland.
Andrew Marino, Biophysiker am Veterans Administration Medical Center in Syracuse, New York, hat ähnliche Untersuchungen mit Menschen und Tieren durchgeführt. Hierbei wurden die elektrischen und magnetischen Felder simuliert, die Hochspannungsleitungen umgeben.

Man fand heraus, daß bei Intensitäten, die den direkt unterhalb solcher Hochspannungsleitungen herrschenden entsprachen, Wachstumshemmungen auftraten. Feldstärken, die denen im Abstand von 100 bis 200 Metern von einer Hochspannungsleitung entsprachen, führten zu physiologischen Auswirkungen wie Veränderungen von Herzfrequenz und Blutzusammensetzung, während Feldstärken, die bei 300 bis 400 Meter Entfernung auftreten, Auswirkungen auf das Verhalten zeigten, zum Beispiel eine Reduzierung der Reaktionsgeschwindigkeit.
Zahlreiche weitere Untersuchungen ließen sich anführen. Wichtig ist aber vor allem, daß diese Art von elektromagnetischer Verstrahlung sich vielleicht zehn, fünfzehn Jahre lang nicht als ernste Erkrankung zeigen mag und erst dann zu Spätfolgen führt, wie in vielen Fällen beobachtet. Weiterhin ist es sehr schwierig, die Wirkung der kontinuierlichen Bombardierung durch elektromagnetische Strahlung geringer Intensität zu quantifizieren, wie sie beispielsweise in Form der Radio- und Fernsehwellen und der Emissionen aus dem gewöhnlichen Stromnetz im Haushalt und am Arbeitsplatz auf uns einströmt.
Die kleine, malerische Stadt Canonsburg im Bundesstaat Pennsylvania beherbergte eine Uran-Gewinnungs- und -Verarbeitungsanlage, deren einziger Kunde von 1942 bis 1957 die Regierung der Vereinigten Staaten war. Das Uran wurde zum Bau von Atombomben verwendet. Sylvia Collier schrieb im *Observer* vom 10. März 1985: »Keiner hätte sich je vorgestellt, daß von der vertrauten, alten Fabrik irgendein Schaden ausgehen könnte. Die Einwohner des Ortes sammelten mit der Hand die Gesteinsbrokken und den umherliegenden Schotter oder Sand ein, um ihn fortzukarren und zur Anlage von Terrassen und Gartenwegen oder zur Herstellung von Mauern für Gebäude zu verwenden. Jetzt hat eine von der Regierung veranlaßte Untersuchung ergeben, daß es über die ganze Stadt ver-

teilt 130 ›heiße Stellen‹ gibt, darunter Schlafzimmerwände, Geräteschuppen, Türschwellen, Badewannen und Kinder-Sandkästen.«

Der Baseballplatz, auf dem die Jungen zu spielen pflegten, liegt nun verlassen hinter einem engmaschigen Drahtzaun, wie auch über 7 Hektar angrenzender Grund und Boden im Herzen der Stadt. »Gelbe und purpurrote Warnschilder starren einem vom Zaun entgegen«, schreibt Sylvia Collier; »auf ihnen steht: ›Zutritt verboten, radioaktives Material‹.«

Die US-Regierung beharrt weiterhin darauf, daß es kein Gesundheitsrisiko gebe, ohne sich darin von der Tatsache beirren zu lassen, daß viele von den Burschen, die dort gespielt haben, und zahlreiche andere Bürger der Gegend inzwischen in ihren Zwanzigern an Krebs gestorben sind. Frau Janis Dunn wurde durch Krebs in der eigenen Familie und die eigenartige Atmosphäre um ihr Haus, das sie gemeinsam mit ihrem Mann gleich neben der Abraumhalde gebaut hatte, beunruhigt und stellte 1980 ihre eigenen Nachforschungen an. Sie klopfte an 45 Türen in der Nachbarschaft und stieß auf 67 Fälle von Krebs. In einer Straße, in der 59 Menschen wohnten, waren 20 Krebskranke.

Der lange Zeitraum, der verstreicht, bevor sich Krankheit oder Krebswachstum im Körper zeigen, nachdem man geringen Mengen von Strahlung ausgesetzt war, ist leicht zu erklären. Die Körperzellen sind ununterbrochen dabei, sich zu vermehren, zu regenerieren und dabei alte Zellen abzubauen und zu reabsorbieren. Es gibt Blutzellen, die nur einen Tag »alt« werden, wohingegen Gehirnzellen das ganze Leben lang nicht ausgewechselt werden; statt dessen gibt es einfach eine Unzahl von Ersatz-Gehirnzellen, die die Funktion der absterbenden übernehmen, die dann zu Fettzellen werden. Andere Zellen des Körpers haben eine Lebensdauer von einigen Monaten oder Jahren. So sagt man beispielsweise, wenn man jemanden nach einem halben Jahr wiedersehe, sei keine einzige Zelle seines Gesichts noch dieselbe wie beim letztenmal. Die Mechanismen, die die Vermehrung der Zellen steuern, bei der identische Kopien hergestellt werden, sind sowohl in den langen, verschlungenen DNS-Molekülen im Zellkern – den Chromosomen – gespeichert als auch in den subtilen Energiebauplänen, die sich auf molekularer, chromosomaler Ebene materialisieren. Vereinfacht ausgedrückt, fungieren diese bestimmenden Eiweiße und ihre feinstofflichen Entsprechungen als Muster oder Schablone für die nächste Zellgeneration; sie kopieren sich also einfach selbst. Die Eiweißmoleküle sind lang und kompliziert. Die Beziehungen zwischen den Atomen innerhalb der Moleküle, die räumliche Anordnung und die Schwingungseigenschaften der Energiemuster sind es, die die körperlichen Merkmale (schwarzes Haar, blaue Augen etc.) bestimmen, aber auch die physiologischen Funktionen regeln.

Aus karmischer Sicht betrachtet, werden die Energiemuster, die unser Schicksal bestimmen, in das Gewebe unserer Antashkarans geflochten, in unser physisches Denken. Von hier aus manifestieren sie sich nach außen über die genetischen Kontrollpunkte im Zellkern bis hinein in alle Aspekte unseres inneren und des sogenannten äußeren Lebens. Man kann also mit Berechtigung sagen, daß wir unsere Umgebung sowie alle Ereignisse, die uns begegnen, selbst erschaffen haben, im großen wie im kleinen. Wir sind an der Schöpfung der Welt, in der wir leben, beteiligt. Deshalb spiegeln die Dinge, die uns zustoßen, so oft unsere eigene, innere Einstellung und Persönlichkeit wider. Andererseits werden wir auch mit einer gewissen Persönlichkeit oder Wesensart geboren, die eine Tendenz in uns mit sich bringt, in genau solche Situationen hineingezogen zu werden, für die wir und die für uns bestimmt sind.

Wir wollen nun aber wieder zu unserer Besprechung der feinstofflichen molekularen und genetischen Muster zurückkehren. Elektromagnetische Strahlung und radioaktive Partikelemissionen können die Ordnung und Harmonie dieser subtilen Energie- und Molekülmuster stören oder sogar zerstören. Den DNS-Molekülen gelingt es manchmal, sich wieder korrekt zusammenzufügen, sie können aber auch zugrunde gehen oder sich zu einer neuen Anordnung zusammensetzen, die möglicherweise destruktive Eigenschaften in sich trägt. Wenn nur eine sehr kleine Zahl von Zellen auf diese Weise geschädigt wurde, kann es fünfzehn oder zwanzig Jahre dauern, bis die Kinder dieser Zellen und ihre Abkömmlinge einen Anteil der Gesamtzahl der Zellen bilden, der groß genug ist, um eine Bedrohung für die Gesundheit des Individuums darzustellen. Deshalb kann viel Zeit vergehen zwischen der Bestrahlung und dem körperlichen Ausbruch der Krankheit.

Darüber hinaus ist es auch möglich, daß selbst nach einer geringen Bestrahlungsintensität Störungen in den subtilen Energiefeldern – vielleicht in der Funktion der Informationsspeicherung – zurückbleiben, die dann zu irgendeinem späteren Zeitpunkt im Leben Krankheit verursachen, wenn die körpereigene Abwehrkraft geschwächt ist. Der Körper besitzt freilich seine eigenen Methoden im Umgang mit fremden Eindringlingen, die ständig auch auf natürlichem Wege in ihn Einlaß finden und entsprechend bekämpft werden. Je stärker die subtilen Energiefelder und die Gesundheit des einzelnen sind, desto größer ist auch seine Fähigkeit, Störungen von Gleichgewicht und Harmonie zu beheben.

Krebszellen entfalten oft die schlechte Angewohnheit, sich pausenlos zu vermehren. Die meisten Körperzellen teilen, d. h. vermehren sich, und legen dann eine Pause ein. Bösartige Krebszellen jedoch zeigen in ihrer Vermeh-

rungsfreude keinerlei Hemmungen und können auf diese Weise bald die Oberhand gewinnen.
Alles, was die subtilen Energiemuster oder die Molekularstruktur der Chromosomen stört, kann also krebserzeugend sein. Das bedeutet, daß es auch Chemikalien und Viren gibt, die Krebs verursachen können.
In jüngerer Zeit wurde eine Reihe von Untersuchungen veröffentlicht, die zeigten, daß eine statistisch bedeutsame Rate von Fehlgeburten und embryonalen Mißbildungen bei werdenden Müttern festgestellt wurde, die an Bildschirmgeräten arbeiten. Mißbildungen können die Folge von Chromosomenschädigungen sein, Chromosomendefekte ihrerseits können durch elektromagnetische Strahlung verursacht sein. Bildschirme (auch Fernsehgeräte!) senden elektromagnetische Strahlung aus. Wie schon oben beschrieben, werden Chromosomenschäden bei den Zellen am schnellsten sichtbar, die sich am schnellsten teilen und vermehren. Embryozellen spalten sich naturgemäß rasch, und vor seiner Geburt wächst der Mensch am schnellsten; seine feinstofflichen »Baupläne« und subtilen Energiemuster wirken zur Zeit der vorgeburtlichen Entwicklung mit voller Kraft. Deshalb haben schon kleine Strahlungsmengen bei Embryos einen schädlicheren Effekt innerhalb kürzerer Zeit als bei Erwachsenen. Tatsächlich ist ja die gesamte Struktur des embryonalen Organismus von den Chromosomen abhängig, so daß jeder Chromosomenschaden im embryonalen Stadium für Mißbildungen verantwortlich werden kann. Schließlich sind Mißbildungen eine Ursache für Fehlgeburten: Hier entdeckt der natürliche Abwehrmechanismus Probleme und stößt den Fötus ab. So ist die Wirkung der Bildschirmarbeit auf werdende Mütter klar zu verstehen.
Neuere, nur über einen Zeitraum von drei bis fünf Jahren angestellte Untersuchungen über die Auswirkungen von radioaktiver Bestrahlung auf Nahrungsmittel (damit die

Waren längere Transportwege und Lagerzeiten vor dem Verkauf aushalten, ohne sichtbar an Qualität zu verlieren) sind angesichts dieser Fakten nicht aussagekräftig, weil der Versuchszeitraum nicht lang genug war. Es heißt, die Nahrungsmittel wiesen nur eine »minimale« künstliche Radioaktivität auf; der (für den Hersteller und Handel) positive Faktor, daß – beispielsweise – Kartoffeln nach solcher Bestrahlung nicht mehr keimen, zeigt aber doch nur allzu deutlich, daß die wichtigen Lebensenergien der Kartoffeln gründlich zerstört worden sind. Wenn diese Bestrahlung Bakterien und Viren vernichtet, dann können Sie gewiß sein, daß unser »frisches« Obst und Gemüse nach solcher Behandlung denaturiert und leblos ist. Das Thema der Lebensmittelbestrahlung habe ich in meinem Buch *Radiation* ausführlicher behandelt.

Die Auswirkungen solcher destruktiven Bestrahlung mit hohen Energieformen – wenn auch in geringer Intensität – auf Polarität und Harmonie innerhalb der subtilen Energiefelder können nur negativ sein. Ähnliches gilt für Mikrowellenherde. Die Molekularstruktur sowie die subtilen Energie-Aspekte müssen durch solche Maßnahmen zwangsläufig gestört werden. Nur industrielle und ökonomische Habgier, gepaart mit Ignoranz, können den Anstoß dazu geben, die offensichtlichen Gefahren zu bagatellisieren.

Das rapide Wachstum von Blutzellen ist kennzeichnend für eine der bekannteren Formen der Krebskrankheit: Leukämie. Hierbei handelt es sich um eine außer Kontrolle geratene Vermehrung der weißen Blutkörperchen. Weiße Blutzellen werden von der Milz produziert, und man weiß, daß die feinstoffliche Entsprechung dieses Körperorgans ein wichtiges Chakra für die Aufnahme subtiler Energien und ihre Verteilung im ganzen Körper ist. Man kann also leicht erkennen, warum Mikrowellen, elektrische Felder und radioaktive Strahlung auch dieses

Zentrum beeinträchtigen, was zu Leukämie führen kann. Die Milz und die weißen Blutkörperchen sind ein sehr wichtiger Teil des Immunsystems. Wenn dieses – gerade in seinen subtilen Bereichen – gestört ist, führt dies zu einer Störung des Gleichgewichts in der Milz, zu einer Überaktivität und damit zu einem erhöhten Anteil weißer Zellen im Blut.

Es gibt noch zahlreiche Parallelen zu anderen Bereichen der Umweltverschmutzung. DDT wurde seinerzeit als ein Geschenk des Himmels zur Schädlingsbekämpfung propagiert. Später stellte man fest, daß es für Menschen gesundheitsschädlich ist, und die für die Landwirtschaft empfohlenen Verbrauchsmengen wurden drastisch reduziert. Als man noch später dann merkte, daß DDT sich im Körper über lange Zeit hinweg ansammelt, daß es giftig und krebserregend ist und daß es sich in der Natur nicht abbauen läßt, also Jahr für Jahr im Erdboden bleibt, kam es auf die Liste der »nicht empfohlenen« Chemikalien. Eine vor kurzem in der *Sunday Times* veröffentlichte Arbeit zeigte aber, daß ein Drittel unserer Lebensmittel immer noch Spuren von DDT und anderen hochgiftigen Chemikalien enthält. Es ist anzunehmen, daß das Problem vor allem von dem vor vielen Jahren ausgebrachten DDT kommt, das immer noch im Boden steckt. Außerdem werden in den Entwicklungsländern DDT und ähnliche Chemikalien unvermindert eingesetzt, und viele der dort produzierten Nahrungs- und Futtermittel werden in unser Land importiert.

Übertragen auf unser Problem heißt das: Was heute noch als harmlose elektromagnetische Strahlung abgetan wird, mag sich im Laufe der Zeit und unter dem Druck zunehmender Beweise als langfristig höchst abträglich für die menschliche Gesundheit erweisen. Es wäre zum Beispiel interessant, genaue statistische Angaben zu besitzen über das Verhältnis der hohen Erkrankungsrate an Krebs- und

Herzleiden zu dem in den letzten drei Jahrzehnten rapide zunehmenden Einsatz von elektrischen Geräten, Computern, Bildschirmen und elektronischer Ausrüstung, speziell im Bereich von Radio und Fernsehen. Behandler im Bereich der energieausgleichenden Therapien können Umkehrungen und Störungen der subtilen Funktionen auf elektromagnetische Strahlungseinwirkungen zurückführen. Diese Zusammenhänge sind ihnen Beweis genug, auch wenn konventionellere und konservativere Denker sich vielleicht nicht damit zufriedengeben wollen.

In diesem Kontext möchte ich auf eine Theorie hinweisen, die ich von Dr. Yao aus Kalifornien erfahren habe. Behandler, die einen Einblick in die Arbeitsweise der Chakras, der wichtigsten subtil-spinalen Energiezentren des Körpers, haben, sind sich der Tatsache bewußt, daß diese eine funktionelle Verbindung mit den wichtigsten Hormondrüsen des Körpers haben. Hormone sind chemische Auslöser mit Schlüsselfunktion, sie besitzen Energieschwingungen mit weitreichenden Wirkungen auf unsere emotionalen, mentalen und physischen Energiemuster. Da nun elektromagnetische Energie eng mit den subtileren Energien verwandt ist, kann elektromagnetische Verstrahlung Disharmonien im Bereich jener feinstofflichen Hauptchakras hervorrufen.

Yao spricht den Chakras eine spezifische, subtile Polarität zu, die in Männern und Frauen entgegengesetzt ist. Das Sexualzentrum beispielsweise ist in der Frau rezeptiv und negativ, beim Manne positiv. Auf diesem Unterschied beruht die Erzeugung von Östrogen und Progesteron im weiblichen und von Testosteron im männlichen Organismus. Diese drei Hormongruppen sind sich in ihrer biochemischen Struktur übrigens sehr ähnlich und können vom Körper ineinander umgewandelt werden; ihr »Schwingungscharakter« ähnelt sich also. Sie haben jedoch teil an der Aufrechterhaltung des Unterschiedes zwischen den sekundären Geschlechtsmerkmalen bei Mann und Frau einschließlich der sexuellen Neigungen und Empfindungen, der unterschiedlichen Psychologie, Körperbehaarung usw.

Wenn also die Schwingung im Sexualzentrum gestört und seine Polarität umgekehrt ist – sei es durch elektromagnetische oder sonstige Einflüsse –, kann die direkte biochemische Folge die vermehrte Produktion der falschen Hormone sein.

Das Resultat ist dann eine homosexuelle Tendenz, die äußerlich Ausdruck finden mag oder auch nicht, je nach ihrer Stärke, aber auch in Abhängigkeit von anderen Faktoren innerhalb des betroffenen Individuums oder in seiner Umgebung. Das Abnehmen geschlechtsspezifischer gesellschaftlicher Verhaltensweisen, das Zunehmen der Homosexualität sowie die Nivellierung sekundärer Geschlechtsmerkmale in der verstädterten Umwelt, in der die elektromagnetische Verstrahlung hoch ist und stabilisierende Wirkungen des natürlichen Erdmagnet- und des elektrostatischen Feldes fehlen, lassen sich vielleicht zum Teil auch als Resultate der elektromagnetischen Disharmonisierung der Körperchakras erklären. Diese Feststellung ergäbe zumindest eine hochinteressante und nützliche Arbeitshypothese.

Schon im Jahre 1969 veröffentlichte Dr. Karel M. Marha vom Institut für industrielle Hygiene und Berufskrankheiten in Prag Berichte über Beschwerden von Starkstromarbeitern; darunter waren Gedächtnisverlust und Schwerhörigkeit, Kopfschmerzen sowie Störungen des Menstruationszyklus und der sexuellen Potenz.

Es ist möglich, daß auch das AIDS-Virus seinen Ursprung in Schwingungsdisharmonien hat, die letztlich als sich vermehrendes, komplexes Molekül oder Virus erscheinen und einen günstigen Nährboden bei denen finden, die die ursächlichen oder resonierenden Schwingungen in sich tragen. Diese Theorie würde erklären, warum AIDS in unserer westlichen Kultur eine »neue Krankheit« ist (nämlich wegen der »neuen« Umweltverstrahlung und -verschmutzung), warum sie besonders Homosexuelle betrifft (umgekehrte, disharmonische Polaritäten, die mit der AIDS-Schwingung eine Resonanz bilden) und warum nur ein kleiner Teil der Virusträger Krankheitssymptome zeigen (weil sie nicht die entsprechende, disharmonische Schwingung in sich tragen).

Bioresonanz

Die Bioenergie, das subtile Kraftfeld oder die Aura des Körpers, zeigt auch die Eigenschaft der sympathischen Resonanz mit ähnlichen Kraftfeldern. Das trägt zum Beispiel dazu bei, daß Mann und Frau nach vielen Jahren des Zusammenlebens sich im Äußeren (den Gesichtszügen) und im Inneren (mentale Einstellung, emotionales Verhalten) immer ähnlicher werden. Sie leben im Aurabereich des anderen, und ihre Schwingungen stimmen sich aufeinander ein. Das geschieht unabhängig davon, ob es sich um ein harmonisches Paar handelt oder nicht, doch man kann annehmen, daß Harmonie im Mentalen und Emotionalen diesen Angleichungsprozeß fördert.
Auch in vielen alltäglichen Situationen hat die Anwesenheit anderer Menschen einen Einfluß auf uns. Denken Sie nur daran, wie Stimmungen von einer ganzen Menschenmenge oder einem Saal voll Menschen Besitz ergreifen können. Weiterhin sprechen wir von der – guten oder schlechten – Atmosphäre, die zwischen Menschen entstehen kann. Wir bemerken auch, daß bestimmte Orte, Wohnungen, Häuser oder auch nur Zimmer »gute« oder »schlechte« Schwingungen haben und uns entsprechend beeinflussen.

Wenn dieser Vorgang langfristig stattfindet, erzeugt er ein Gewohnheitsmuster in unserem Körper, das man *Bioresonanz (bio-entrainment)* nennt – eine Art Resonanz im Bereich der subtilen Energien. So gerne wir uns von guten Schwingungen erheben und erbauen lassen, so gewiß würden wir den entkräftenden Sog der negativen lieber vermeiden.
Benutzer des Biokristallgeräts Pulsor® – das im folgenden Kapitel noch näher beschrieben wird – berichten aus ihrer Erfahrung, daß mit dieser Methode die natürliche Aura des Körpers gekräftigt werde und so ein starkes, schützendes Kraftfeld entstehe, in dem man selbst andere eher beeinflussen als von ihnen beeinflußt werden könne. An Orten mit negativer Atmosphäre fühlten sich die Pulsor®-Benutzer wie von einem schützenden Kokon umgeben, der sie vor den Auswirkungen negativer Schwingungen bewahrte.
Die Bioresonanz von Gehirn- und Körperfunktionen kann auch auf elektromagnetische Strahlung erfolgen. Herz, Gehirn und Muskeln senden Signale aus, ihre Frequenzen reichen von weniger als einer bis über 100 000 Schwingungen pro Sekunde. Solche Signale werden zum Beispiel durch Elektrokardiogramme oder Elektroenzephalogramme aufgezeichnet.
Innerhalb all dieser elektrischen Aktivität kann man vier vorherrschende Gehirnstromaktivitätsmuster identifizieren:

Delta	0,5– 3 Hz	Tiefschlaf, höhere Bewußtseinszustände
Theta	4 – 7 Hz	Tagträume, Traumphasen
Alpha	8 –13 Hz	passive, gegenstandslose, entspannte Meditation
Beta	14 –30 Hz	Denken und/oder körperliche Aktivität

Elektromagnetische Ausstrahlungen innerhalb dieser Frequenzbereiche sind also wahrscheinlich psychoaktiv, das heißt, sie können unsere Stimmung beeinflussen. Man sagt, daß sowohl die UdSSR als auch die USA entsprechende Waffen entwickelt haben. Sie nennen dies »Weltstimmungsmanipulation« und »psychotronische Kriegführung«.
Eine vor kurzem ausgestrahlte Dokumentation des BBC-Fernsehens zeigte, daß die Sowjetunion die drei größten Sendeanlagen der Erde gebaut hat. Von diesen Punkten aus wird ein pulsierendes, elektromagnetisches Signal ausgestrahlt, das im Kurzwellenradio als »Klicken« zu empfangen ist. Es ist das stärkste elektromagnetische Signal, das je ausgesendet wurde. Man hat dem Projekt den Codenamen »Specht« gegeben, und Ziel der Ausstrahlung sind die USA und Europa, nicht jedoch das Gebiet der UdSSR. Die Vereinigten Staaten reagierten darauf mit dem Bau einer ähnlichen Sendeanlage, deren Signale von der Ionosphäre reflektiert werden, aber die Sowjets haben inzwischen schon viele Jahre Vorsprung im Bereich der Erforschung psychoaktiver, elektromagnetischer Frequenzen.
Auch das menschliche Gehirn besitzt ein schwaches, elektromagnetisches Feld. Davis und Rawls waren in den sechziger und siebziger Jahren unter den ersten Wissenschaftlern, die darauf hinwiesen, daß die in Telefonapparaten benutzten, sehr starken Magneten einen schädlichen Einfluß auf die Gehirnfunktion haben, wenn man den Telefonhörer ans Ohr hält. Zahlreiche Menschen haben berichtet, beim Telefonieren einen Energieverlust zu spüren. So etwas kann ohne Zweifel auch darin begründet sein, daß man sich die Ohren mit Unsinn von irgend jemandem vollquatschen lassen muß – was aber zum Glück nicht bei jedem Gespräch der Fall ist! Auch elektrische Haartrockner und Rasierapparate erzeugen elektromagne-

tische Felder und Strahlungen, die die Gehirnwellenmuster und die Gehirnfunktion zwangsläufig beeinflussen. Dr. Ross Adey entdeckte bei seiner Arbeit am Gehirnforschungsinstitut der Universität von Kalifornien in Los Angeles 1973, daß Affen, die elektromagnetischer Strahlung in Frequenzbereichen, wie sie uns ständig umgeben, ausgesetzt wurden, Änderungen im Verhalten sowie eine Verzerrung ihres Zeitgefühls zeigten. Adey und viele andere Wissenschaftler glauben, daß die Körperrhythmen, die unsere zyklische und andere Aktivität steuern – zum Beispiel Wachen, Schlafen und viele andere, subtilere Vorgänge – in Bioresonanz zu den natürlichen magnetischen und elektrostatischen Feldern der Erde stehen. Unter der Einwirkung künstlicher elektromagnetischer Felder ist es wahrscheinlich, daß der menschliche Organismus mit Anpassung seiner Rhythmen an den elektronischen »Smog« reagiert. Die Folge davon ist, daß der Körper-Geist-Fühlen-Komplex einer Belastung ausgesetzt wird, unter der viele natürliche Prozesse zum Erliegen kommen, und daß wir der Einwirkung von Krankheiten ausgesetzt sind, gegenüber denen wir andernfalls immun geblieben wären. In den Ländern der westlichen Welt werden erst seit den siebziger Jahren umfangreiche Untersuchungen auf diesem Gebiet durchgeführt. In Rußland und Osteuropa aber haben Hunderte von Experimenten bereits gezeigt, daß elektromagnetische Felder eine Unzahl von gesundheitlichen Problemen verursachen können, unter anderem Störungen des Blutbildes, Hypertonie, Herzanfälle, Kopfschmerzen, sexuelle Funktionsstörungen, Schläfrigkeit und nervöse Erschöpfung. In seinem Buch *Electromagnetic Fields and Life* beschreibt A. S. Presman von der Abteilung für Biophysik an der Universität Moskau viele solcher Experimente im Detail. Das Buch wurde 1968 in russischer Sprache veröffentlicht und 1970 ins Englische übersetzt.

Als Ergebnis der Experimente gibt es in der Sowjetunion strenge Regeln und Anweisungen bezüglich der zulässigen Strahlungsdauer und -menge aus Radiosendern und Radaranlagen, denen ein Mensch ausgesetzt sein darf. Im Westen gibt es nur eine formlose, nicht gesetzlich verankerte Richtlinie, die 1966 vom US-Normenausschuß aufgestellt wurde. Die sowjetischen Toleranzgrenzen für die betroffenen Arbeiter sind tausendmal strenger als diese und zehntausendmal strenger für die Allgemeinbevölkerung. Das ist Beweis genug dafür, daß die Russen davon überzeugt sind, daß selbst geringe Mengen elektromagnetischen Smogs im Laufe der Zeit großen Schaden anrichten können.

Im Januarheft 1980 der US-Ausgabe von *The Readers Digest* stellte Lowell Ponte – von dem auch die eben gebrachten Informationen zitiert sind – die weithin bekannte Geschichte der russischen Mikrowellen-Bestrahlung der US-Botschaft in Moskau dar. 1962, heißt es da, entdeckte die CIA, daß die Sowjets Mikrowellensender auf die amerikanische Botschaft in Moskau richteten. Sie strahlten von zwei Gebäuden auf der gegenüberliegenden Straßenseite aus gezielt auf das Büro des Botschafters. Die Strahlungsdosis betrug ein Fünfhundertstel der Intensität, die nach den amerikanischen Richtlinien als gefährlich galt.

Die CIA fing an zu experimentieren, wobei Affen der gleichen Bestrahlung ausgesetzt wurden; innerhalb von drei Wochen waren schädliche Auswirkungen am Nerven- und Immunsystem der Tiere festzustellen.

Die Botschaftsangehörigen jedoch wurden über die Tatsache ihrer Bestrahlung nicht informiert. Statt dessen forderte man sie auf, Blutproben abzugeben, um sie auf »Krankheitskeime aus dem Moskauer Trinkwasser« hin zu untersuchen. Die tatsächlich mit den Proben angestellten Tests ergaben, daß bei ungefähr einem Drittel der

Botschaftsangehörigen die Zahl der weißen Blutkörperchen fast fünfzig Prozent über dem Durchschnittswert lag – das ist häufig ein Symptom einer schweren Infektion, aber auch Kennzeichen einer Leukämie.
Im Jahre 1976 erklärte das US-Außenministerium, daß die Moskauer Botschaft ein »ungesunder Posten« sei, und man baute metallene Jalousien vor die Fenster, um die Mikrowellenstrahlen abzuschirmen. Das geschah, wohlgemerkt, 14 Jahre nach deren Entdeckung. Heute zeigen die damaligen Botschaftsangehörigen eine höhere Rate an Krebserkrankungen als der amerikanische Durchschnitt, und zwei US-Botschafter, die der Moskauer Bestrahlung ausgesetzt waren, sind bereits an Krebs gestorben.
Solche Beispiele aus dem Bereich der »Supermächte« berichten wir nicht mit irgendwelchen politischen Hintergedanken oder um Spaltungen und Parteilichkeit unter unseren Mitmenschen zu fördern, sondern einfach, weil sie gewisse Problemgebiete beleuchten. Manche dieser Fälle klingen fast unglaublich – aber unglaublich ist auch die Planung und Herstellung von atomaren Mitteln mit der Bestimmung, das Leben völlig zu vernichten, im Interesse politischer oder wirtschaftlicher Ideale. Warum tun sich die Menschen soviel Leid an?

Sucht nach elektromagnetischer Strahlung – Computer- und Video-Junkies

Wenn man mit Menschen spricht und die zwanghaften, besessenen Verhaltensweisen jener beobachtet, die »süchtig« nach Computern und Fernsehen sind, kommt man nicht umhin, sich zu fragen, ob solche starken elektromagnetischen Strahlungen nicht in der Tat gewohnheitsbildend sind wie eine Droge, im Sinne einer ständigen Bioresonanz. Der Körper ist es gewöhnt, daß seine Polaritäten verkehrt und seine Energien disharmonisiert werden, und er beginnt, nach »mehr«, nach einer Fortsetzung dieses Prozesses, zu verlangen. Viele Menschen haben mir, ganz unabhängig voneinander, mitgeteilt, daß das Fernsehen – selbst nur bei kurzer Dauer – in ihnen das Gefühl eines Energieverlustes erzeugt, und trotzdem falle es ihnen schwer, mit der Gewohnheit zu brechen oder es gar abzuschalten. Sich die ganze Zeit müde zu fühlen ist das gemeinsame Symptom von Computer-Junkies und Fernsehsüchtigen. Es ist auch das typische Symptom bei umgekehrten Polaritäten und Disharmonie im Bereich der subtilen Energien. Die Sucht kann man nicht allein als »nur psychologisch« erklären, denn auch bei psychologischen Aspekten muß es Energiebahnen geben, die die Verbindung zwischen dem Körperlichen, dem Emotionalen und dem Mentalen herstellen. Die häufige Bemerkung von vielen Angehörigen der älteren Generation, daß die modernen jungen Leute einfach kein Durchhaltevermögen mehr hätten und nicht mehr imstande schienen, ein gutes Tagewerk zu leisten, ist vielleicht hierdurch zu erklären. Die »Verspanntheit« der Computer- und Videospiel-Junkies ist ein Merkmal, das diesen Typ mit vielen Menschen verbindet, die ständig mit elektronischen Geräten arbeiten; die Pulsorbehandlung entdeckt hier in der Regel umgekehrte Polaritäten. Schon viele solcher Menschen haben mir gegenüber geäußert, daß sie sich nach einer Pulsorbehandlung so gut wie schon lange nicht mehr – oder wie noch nie – gefühlt hätten. Eine in den Vereinigten Staaten durchgeführte Untersuchung hat ergeben, daß der Anteil der heutigen jungen Generation, den man als Computer-Junkies bezeichnen kann, deutliche Verhaltensstörungen im Kommunikations- und Sozialbereich zeigt. Es ist zwingend notwendig, daß diese Probleme erkannt, ernst genommen, veröffentlicht und – gelöst werden!

Erdmagnetfeld und subtile Energiefelder

Unsere Erde ist selbst von den Feldern ihrer Schwerkraft sowie von magnetischen, elektrostatischen und subtileren Energien umgeben und durchdrungen. Diese Felder haben eine Wirkung auf ähnliche Energie-Aspekte im Körper – zu unserem Vorteil oder Nachteil. Wir stoßen auf Orte guter und schlechter Atmosphäre – Orte, die manchmal recht genau lokalisierbar sind und eine lange Vorgeschichte von Krankheit und Scheitern aller möglichen Bemühungen aufzuweisen haben, und Orte, an denen das Gegenteil der Fall ist. In den Kapiteln 7 und 8 werden wir darauf noch näher eingehen; an dieser Stelle nur der Hinweis, daß die Polarität und Harmonie der subtilen Energiefelder von solchen Energien direkt beeinflußt werden.
Die lästigen Auswirkungen von Langstreckenflügen über mehrere Zeitzonen hinweg sowie manche Arten von Reisekrankheit hängen mit Disharmonien im subtilen Energiefeld zusammen, die durch das rasche Überqueren des Erdmagnetfeldes verursacht werden. Man fühlt sich unwohl, mißgestimmt. Deshalb ist eine Reise in ost-westlicher Richtung auch unangenehmer in ihren Nebenwirkungen als eine nord-südliche. Es gibt auch verschiedene Zeichen, die andeuten, daß Piloten und Stewardessen vorzeitig altern. Das wäre auch eine Erklärung, warum Menschen mit einem schwachen, leicht zu beeinflussenden subtilen Energiesystem schwerer unter den Symptomen der Zeitverschiebung bei einer Flugreise zu leiden haben als andere. Aber wir haben auch festgestellt, daß man die subtilen Energien im Gleichgewicht halten und die Auswirkungen der raschen Überquerung des Erdmagnetfeldes lindern kann, indem man Biokristalle bei sich trägt.
Auch das Wohnen über Wasseradern oder auf Kreuzungspunkten der subtilen Energienetzlinien der Erde erzeugt eine negative Schwingung, die zu Disharmonien im subtilen Energiefeld der Betroffenen führen kann.

KAPITEL 5

Polaritätsausgleichende Therapien

Im vorigen Kapitel sprachen wir über Harmonie und Polarität im subtilen Energiefeld. Dieses Kapitel soll der Erläuterung einiger Therapieformen gelten, die durch das Ausgleichen der Polaritäten, durch die Bereinigung von Blockaden im Energiefluß wirken, allgemein gesagt: indem sie Harmonie im Bereich der Energiemuster und -bahnen herstellen. Dies ist außer auf das gesunde Fließen der Energien auch auf eine harmonische, gut ausgeglichene Lebensweise zurückzuführen. Wir wollen uns auf nur drei solcher Behandlungsformen beschränken, die die Polaritäten speziell als Grundlage des Energieflusses betrachten und zudem das Ergebnis von *westlichen* Forschungen und Erkenntnissen sind. Außerdem habe ich das Glück, mit zwei von diesen drei Therapien persönlich vertraut zu sein. Akupunktur, Akupressur, T'ai Chi, Hatha-Yoga, Radionik und weitere Techniken, die den Fluß der subtilen Energien ausgleichen, sind von Experten der jeweiligen Disziplinen genau beschrieben worden und der Allgemeinheit dadurch bereits besser bekannt.

Stones Polaritätstherapie

Dr. Randolph Stone starb 1981 im Alter von 91 Jahren in Indien. Die letzten 30 oder 40 Jahre seines Lebens war er ein Initiat eines mystischen Adepten höchsten Ranges, Maharaj Sawan Singh Ji. Stone, der ursprünglich eine Ausbildung als Chiropraktiker hatte, vertiefte sich in die östlichen Weisheiten, und aufgrund seines Verständnisses der inneren Struktur des Universums und der Gunas, die er sowohl in der hinduistischen Literatur als auch bei seinem persönlichen Guru beschrieben fand, gelang es ihm, Techniken zum Ausgleichen des Energieflusses im Menschen auszuarbeiten.

Stone war eine starke, aufrichtige Persönlichkeit, und ich hatte das Glück, ihn in Indien bei einer Reihe von Gelegenheiten Ende der sechziger Jahre kennenzulernen. Die Menschen, die bei seinem Tode um ihn waren, berichten, daß er strahlend und in Frieden gestorben sei, glücklich, daß seine karmische Lebensaufgabe abgeschlossen war. Er praktizierte und lehrte seine Polaritätstherapie sowohl in Kalifornien als auch in Indien mit großem Erfolg, hinterließ umfangreiche Aufzeichnungen und eine Reihe glänzend ausgebildeter berufsmäßiger Therapeuten und Lehrer seiner Behandlungsweise. In vielen Ländern der Welt wird sein Werk heute fortgesetzt.

Stone faßte seine Anschauung von Gesundheit und Krankheit in seinem einführenden Werk *Health Building – The Conscious Art of Living Well* zusammen, das 1962 erstmalig veröffentlicht wurde:

»Über 45 Jahre lang habe ich mich forschend mit Energiefeldern und ihrem Zusammenhang mit der Heilkunde beschäftigt. Nur begann ich mit dem Lebensprinzip in der Mitte und arbeitete mich in der praktischen Anwendung von innen nach außen voran. Ich studierte die meisten antiken Vorstellungen vom Leben und ihre Anschauung vom Leben als einem Energiestrahlungsprinzip in der Natur in Beziehung zur Lebenseinheit im Menschen. Dieses Prinzip wurde als Od, Mesmerismus, animalischer Magnetismus und mit vielen anderen Namen bezeichnet. Hinter all diesen Begriffen steckt die gleiche Realität: der Aufbau des menschlichen Wesens aus den feineren Energiefeldern von Denken, Fühlen, elektromagnetischen

Lichtwellen, Strahlungen und deren Wirkung auf die Chemie der Zelle als polare Energien von Anziehung und Abstoßung.
Alle Zellen sind bipolar, sonst könnten sie nicht leben und funktionieren. Das Gesetz der Polarität – von positiver, negativer und neutraler Energie – beherrscht alle Materie als das Prinzip der drei Gunas vom universellen Geist aus abwärts. Anziehung und Abstoßung sind die Manifestationen des Lebens, wie in der geschlechtlichen Polarität von männlich und weiblich, die es in der ganzen Schöpfung, im Reich der Pflanzen, Tiere und Menschen gibt. Selbst Metalle besitzen ihre Positiv/negativ-Polarität, wie die Qualitäten von Gold und Silber, die die Energien von Sonne und Mond anziehen und gute Leiter für elektronische Geräte sind. Dafür wird heutzutage sehr viel Silber verwendet.
Bei meinen Forschungen geriet ich auch an eine Wissenschaft, die die alten Vorstellungen von Energien im Aufbau des menschlichen Wesens einschließt, und habe sie mit den neueren wissenschaftlichen Forschungsergebnissen von der Magnetosphäre und den elektromagnetischen Kraftlinien im Menschen verbunden. In meinen Büchern und Kursen für Ärzte gibt es Zeichnungen, die dies im Detail und bezogen auf die Anatomie und Physiologie des Körpers zeigen. Diese Zusammenhänge sind die Kunst der Polaritätstherapie, die auf dem elementaren Energiemuster im Gehirn basiert, das sich in jedem Oval* des Körpers als die fünf Grundlagen der sinnlichen Wahrnehmung und der motorischen Funktion wiederholt, durch die wir leben und handeln. So nahe sie uns auch steht, ist diese Kunst doch verlorengegangen, die Paracelsus, der große Arzt des Mittelalters, die Spagyrik nannte. Er lernte ihre Geheimnisse in Arabien und anderen Teilen der

* Stone bezieht sich hier auf die fünf Ovale des Körpers: Kopf, Hals, Brustkorb, Bauch, Becken.

damals bekannten Welt, selbst von Hirten und Zigeunern, die ein sehr ursprüngliches Leben führten und noch einige merkwürdige Traditionen und Geheimnisse aus der Vergangenheit kannten. Nachdem der große Arzt am 24. September 1541 in Salzburg starb, fiel seine Kunst der Vergessenheit anheim.
Sein großartiger Beitrag zur Heilkunde war die Berücksichtigung der elektromagnetischen Energiewellen in der Chemie des Organismus. Seine Forschungen und Kenntnisse der Chemie gaben dieser Wissenschaft einen großen Auftrieb, aber das wirkliche Geheimnis des Zusammenhangs zwischen Chemie und elektromagnetischer Energie geriet in Vergessenheit. Nur in ihrem materiellen Zweig blieb die Chemie erhalten, und die Welt hat auch davon viel profitiert.
Polaritätstherapie nannte ich die Kunst, Zusammenhänge herzustellen zwischen Körperräumen und -funktionen über die Anziehung und Abstoßung elektromagnetischer Energiewellen als Wurzel der fünf Sinne, die sensorisch und motorisch im Körper wirken. Die Verbindung mit der zerebrospinalen Flüssigkeitsstrahlung und -zirkulation brachte sie in den Bereich der Physiologie, wo sie im Hinblick auf Gehirn, Rückenmark, Spinalnerven und ihre meningealen Hüllen zu einem greifbaren Gewinn für Forschung und Praxis der Heilkunst wurde: Die Polaritätstherapie bietet eine klare Lokalisierung der elektromagnetischen Felder und ihrer steuernden, lebenspendenden Energie im Menschen, die methodisch in der Behandlung genutzt werden kann.
Wenn wir krank sind und Schmerzen haben, dann denken wir, es sei der Körper, der schmerzt und krank ist, während es in Wirklichkeit der Lebensatem oder die Pranaströmungen im Körper sind (die diesen beleben und erhalten), die sich nicht mehr in Gleichgewicht und Koordination mit ihrer Polaritätsfunktion von Anziehung und

Abstoßung befinden. Diese negative und positive Wirkung im ganzen Organismus ist der Faktor, der jede Zelle veranlaßt, sich in ihrem Lebensprozeß zusammenzuziehen und auszudehnen: um Nahrung aufzunehmen – feste, flüssige, gasförmige, Wärme oder Energie –, sie zu verarbeiten, die Abfallprodukte und Gase von sich zu geben und die Wärmeenergie auszustrahlen zur Nutzung und weiteren Verteilung.
Dies scheint als Idee oder Denkweise neu zu sein, weil wir sie von der modernen Grundlage – Energiestrahlung, -leitung und -absorption – angehen, wie Elektronikingenieure es bei ihrer Forschung im atomaren Bereich praktizieren. Dieser energetische Zugang ist dem chemischen und rein mechanischen übergeordnet. Die dreifache Aspektierung von positiver (+), negativer (−) und neutraler (0) Polarität steht über der Chemie, die sich mit Materieteilchen und ihrer chemischen Affinität – oder gegenseitigen Abstoßung – befaßt und zu neuen Kombinationen führen kann.«
Wie Stone weiterhin ausführt, sind die Wissenschaftler allgemein derartig beschäftigt mit allen möglichen Variationen bei den Aktivitäten und Relationen der Energie in Chemie, Technik, Biologie, Medizin, Physik usw., daß sie die Bedeutung der grundlegenden Polarität oder Dualität in der Natur – die an der Wurzel all dieser Energie-Wechselbeziehungen liegt – schlichtweg übersehen. Nur verhältnismäßig wenige Wissenschaftler – wenngleich ihre Zahl im Wachsen begriffen ist – besitzen einen Sinn für die Schönheit und Realität der Einfachheit, die in diesem Verständnis liegt, und erkennen das wahre Wesen des wissenschaftlichen Idioms als einen Versuch, den Kosmos zu begreifen. Letztlich handelt es sich ja um nichts weiter als ein Idiom – nicht um eine absolute Wahrheit.
Materie oder *Maya* ist doch auch eine zu mächtige Illu-

sion für uns, als daß wir ihr widerstehen könnten. Was sich unseren Sinnen und Instrumenten offenbart, erscheint uns so *real*, daß wir die tieferen Schichten des Lebens darüber leicht aus dem Blick verlieren. Wenn wir das Leben jedoch in oberflächlicher Manier angehen und versuchen, seine Probleme symptomatisch zu lösen, dann spiegelt sich solches Verhalten automatisch auch in unserer Haltung gegenüber Wissenschaft und Medizin wider. Je tiefer der Mensch, desto tiefer seine Wissenschaft. Das aber gilt für den einzelnen ebenso wie auf gesellschaftlicher und fachlicher Ebene.

Laut Stone hat die Lebensenergie in der subtilen wie in der elektromagnetischen Form ihren Sitz im Gehirn und Rückenmark als eine höchst kraftvolle, starke und vibrierende subtile Essenz. Durch die positiven und negativen Polaritäten dieses Feldes, die sich auf physischer Ebene als elektromagnetische Energie manifestieren, wird die vitale Lebensenergie durch die ganze, ansonsten tote Materie des Körpers befördert, den sie mit dem Lebensprinzip durchtränkt. Aller Schmerz – so Stone – ist durch Hindernisse in diesem Fluß auf molekularen, elektromagnetischen oder noch subtileren Energie-Ebenen bedingt. Bringt man Harmonie und Ausgeglichenheit in diese Polaritäten – den Motor, die Antriebskraft der Lebensenergie –, so wird die Gesundheit wiederhergestellt, während der Schmerz automatisch aus dem Bewußtsein verschwindet. Unterdrückt man aber die Symptome, wird sich die zugrunde liegende Störung des Gleichgewichts von selbst in irgendeinem anderen, vielleicht schwerer wiegenden, ernsteren Aspekt manifestieren.

Gesundheit stellt sich ein nach Entfernung aller Hindernisse zwischen der inneren Lebenskraft und dem äußeren, physischen Körper. Dann kann die Quelle aller Liebe, alles Lebens und aller Energie ungehindert fließen und Gesundheit, Erfolg und Glück erzeugen. Man sagt,

Gott unterhalte einen Schönheitssalon, und Er könnte gewiß auch einen Gesundheitssalon führen, wenn wir Seiner Lebensenergie, Seinem Wesen erlaubten, das unsere zu durchtränken und alle verzerrten, blockierten, stagnierenden und verwirrten Energiebahnen unseres Denken-Fühlen-Körper-Komplexes zu klären und zu begradigen.

Damit unterstreicht Stone also die Bedeutung einer gesunden mentalen und emotionalen Struktur als Richtungsweiser für den Fluß positiver und negativer Energie und für einen ausgeglichenen biochemischen Haushalt. Negative Gedanken und Gefühle sind Blockaden im freien Fluß der Lebensenergie und manifestieren sich letztlich als degenerative Zustände. Wer nach Gesundheit strebt, muß eine ausgeglichene, positive Einstellung entwickeln und ein Gespür für das Einssein mit sich selbst, mit anderen und mit der Natur.

Emotionen schlagen sich umgehend in der Biochemie des Organismus nieder. Der zornige oder aufgebrachte Mensch zum Beispiel entwickelt einen übersäuerten Organismus, in dem das positiv geladene H^+-Ion überwiegt. Sein Denken und seine Gefühlsmuster sind so blockiert, daß sie »hängenbleiben« wie eine alte Grammophonplatte, die auf einer Rille in den höheren Energiefeldern rotiert, was sich schließlich als »saurer Magen«, Verdauungsstörung und Magengeschwür oder auch als Rheuma und Arthritis, als Verhärtung der Arterien und Herzkrankheit manifestiert.

Der übersäuerte Organismus verlangt nach genau den Nahrungsmitteln, die seine Übersäuerung noch verstärken. Wie der Drogensüchtige, der seinem Suchtmittel nicht widerstehen kann, verlangt der Übersäuerte, der durch Überaktivität, Starrheit, Intoleranz und Voreingenommenheit charakterisiert ist, nach Spannung und Kaffee, nach süßem, kohlenhydrat- und fettreichem Essen,

nach Alkohol und Ähnlichem. Ein Einfließen von ausgeglichener Lebensenergie aus dem Inneren ist das einzige Heilmittel, das den unvermeidlichen Niedergang aufhalten kann, verbunden mit Beratung oder Aufklärung und einer Veränderung der Ernährungs- und Lebensgewohnheiten. Ein Magengeschwür oder Herzbeschwerden mit Medikamenten zu behandeln ist völlig oberflächlich, weil es die Fakten des Menschlichen – aber auch zur Verfügung stehende Behandlungsmethoden – ganz und gar außer acht läßt. Das ist, wie wenn man Risse in der tragenden Wand mit Tapete überklebt.
Eine negative geistige Einstellung zieht negative Energie auf allen Ebenen an, während eine positive Einstellung die Aufnahme von positiver Energie aus den ätherischen und subtilen Feldern fördert, die uns im Innern und im Äußeren umgeben. Wir werden zu dem, was unser Denken bewußt oder unbewußt beschäftigt. »Wir machen das Bett, in dem wir liegen. Wir bauen das Haus, in dem wir wohnen«, sagt Stone.
In Stones Schriften findet sich eine herrliche Darstellung der Prinzipien der Polarität in bezug auf die Gesundheit des Menschen. Die größten Naturheiler sind ihrer Arbeit immer nachgegangen wie Künstler oder Dichter, aber zugleich mit einer sicheren Grundlage an Kenntnis und Wissenschaft. Sie sind Kinder der Natur, ein Geschenk für die Menschheit, um das Gleichgewicht der Gesundheit aufrechtzuerhalten. Ohne Zweifel werden Sie darin manches finden, was ein wenig anders ausgedrückt ist, als ich es darstelle, aber es enthält die gleichen, wesentlichen Beobachtungen und Grundideen.
In etwas poetisch-mystischem Stil schreibt Stone: »Das Leben ist der Liebe Ausdruck in Form von Schallwellen und Energieströmen, in der ganzen Schöpfung wie im Menschen. Liebe ist Licht, das sich im Spektrum als Schönheit kristallisiert, das zu Farben und Gasen wird,

während seine Schwingungsfrequenz abnimmt, und das die herrlichen Farben der Blütenknospen bildet, der Blumen und der Früchte. Es materialisiert sich als das feine, zarte Rosa im filigranen Gewebe des menschlichen Körpers. Überall sind Ausdrucksformen von Liebe und Schönheit als Kunst und Gestaltungsmuster zu erkennen. Konzentrierte Wellen erzeugen elektromagnetische Felder, bauen die Zellen und lenken sie durch Anziehung und Abstoßung. Die drei Gunas sind überall vorhanden als Attribute von Materie und Bewegung, als positiv (+), negativ (–) und neutral (0). Überall ist Leben in Bewegung: im Klang der Stimmen, dem Gesang der Vögel, im Brüllen und Schreien der großen und kleinen Tiere. Es ist Musik überall, als Plus- und Minustöne, im Innern und im Äußeren, wenn wir sie nur vernehmen und in Liebe und Verständnis für das Wesen und die Gnade des Schöpfers sehen könnten. Es ist die Essenz, der Wesenskern allen Lebens und aller Schönheit, überall. Wenn wir uns diesen Schlüssel der Erkenntnis bewahren, fließt das Leben wie ein Strom dahin, als natürlicher Ausdruck von Kraft und Gesundheit.«

Stone spricht oft von positiven und negativen »Raum-Partikeln« und bezieht sich damit, wie ich annehme, auf das subtile Akash- oder Äther-Element, das an manchen Stellen auch als »Raum« oder »Vakuum« bezeichnet wird. Die verschiedenen Lebewesen haben unterschiedliche Anteile an den fünf Elementen in ihrem Aufbau. Der Mensch ist das einzige Geschöpf, bei dem alle fünf Elemente zusammenwirken. Dieser Umstand gibt uns unsere Fähigkeit zum rationalen (aber auch irrationalen) Denken. Da es sich hierbei um ein schwingendes Energiefeld wie jedes andere handelt, stellt Stone sich »Partikel« oder Konzentrationen dieser Energie vor, die wir anziehen, um daraus unsere – positiven oder negativen – Gedanken zu bilden und so unsere Gesundheit und unser Wohlbefinden auf allen Ebenen zu beeinflussen.

Stones Verwendung der Begriffe elektromagnetische Wellen oder elektromagnetische Lichtwellen geht über die übliche, wissenschaftliche Bedeutung der Worte hinaus und umfaßt auch höhere, subtilere Energien, deren Kristallisierung oder Materialisierung auf tieferen, physischeren Ebenen die elektromagnetische Energie ist. Dem inneren Sehvermögen sind diese Energieströme im Körper und im Universum tatsächlich wahrnehmbar als eine feine, ursprünglichere Essenz des Lichtes, als eine Aura, die das Dichtere, Materielle einhüllt und durchstrahlt, dessen feinstoffliche Matrix sie ist.

Dies wird besonders deutlich, wenn er beispielsweise von der »elektromagnetischen« Energie des Lebens spricht, die aus dem großen, astralen Kraftzentrum in den tausendblättrigen Lotus fließt. Dabei kann es sich offenkundig nicht um die gleiche Kategorie von Energie handeln wie die des elektromagnetischen Spektrums, zu der auch Radiowellen, Licht und Röntgenstrahlen gehören.

Gesundheit ist ein Gleichgewichtszustand, ein Zustand neutraler Polarität, in dem Positiv und Negativ ausgeglichen sind in einem harmonischen Fluß der Lebensenergie von innen, die sich im Äußeren in Gestalt ausgeglichener zellulärer und biochemischer Aktivität zeigt. Die innere Quelle ist unendlich und unerschöpflich, sie erhält sich selbst und den ganzen Organismus. »Leben fließt dann, seiner selbst unbewußt, überschwenglich in seinem Ausdruck hinaus, wie in der Kindheit«, sagt Stone. Das ist der mystische Baum des Lebens, der den Körper erhält durch den Strom innerer Energie, der ins Gehirn, ins Rückenmark und in die fein- und grobstofflichen Systeme des Körpers zur Übermittlung und Umwandlung von Energie fließt.

Es sind auch die Prinzipien der Polarität, die es unseren Lebensenergien erlauben, in Verbindung mit den Energien des Kosmos zu treten. Kein Energieaustausch findet je passiv statt; immer handelt es sich um eine Wechselbeziehung. Wenn Licht auf unseren Körper fällt und reflektiert wird, so ist dies kein statisches Ereignis, sondern eine Wechselwirkung von elektromagnetischer Energie und den Molekülen, Atomen, elektrischen und anderen Kräften, die das Material bilden, aus dem unser grobstofflicher Körper besteht. Das ist ein wechselseitiger Austausch, wie er stattfindet, wenn blinde Menschen lernen, Farben mit den Fingerspitzen zu fühlen, oder wie Menschen spüren können, daß sie sich in der Nähe eines elektrischen Kraftfeldes befinden.

Stones Einsichten führten zu einer höchst detaillierten Therapie, in der Diät, Ernährung, Lebensweise, Bewegungsübungen, Beratung, heiße und kalte Wasseranwendungen, Sonnenbäder, spezielle Massagen und Techniken zur Beeinflussung der Polarität, Methoden zum Ausgleichen und Verstärken des Energieflusses und vieles mehr zu einem harmonischen Ganzen miteinander verbunden sind. Stone war in seiner ganzen Denkweise überaus praktisch. Auch körperlich war er ein sehr kräftiger Mensch. Ich kann mich noch gut erinnern, wie erstaunt ich zusah, als er im Alter von 78 Jahren allein durch Ausstrecken der Finger einer Hand eine schwere Pendeltür auffliegen ließ.

Die zugrunde liegende An- oder Abwesenheit harmonischer, ausgeglichener und vitaler Lebensenergie – oder deren Blockierung – erklärt, warum die gleiche Therapie bei verschiedenen Menschen unterschiedliche Wirkungen zeigt und warum sie zuweilen nicht anschlägt. Wenn die Quelle der Probleme bestehen bleibt, können auch naturgemäße oder ganzheitliche Verfahren in noch so großer Zahl keine Heilung herbeiführen.

Eine Übersäuerung, ein Übermaß an H^+-Ionen – so sagt Stone in Übereinstimmung mit vielen anderen naturheilkundigen Ärzten – ist die Ursache zellulärer und biochemischer Überfunktion und Überaktivität. Als Ausdruck von Rajas, dem aktiven Guna, verursacht sie Röte, Entzündung, Schwellung, Hitze und Fieber. Diese Symptome sind auch Attribute des Elements Feuer und einer Störung des Gleichgewichts, die akute Krankheiten hervorruft. Solche Krankheiten setzen Grenzen und gehören so zu den Methoden der Natur, die das Gleichmaß und Leben wiederherstellen – wie Fieber reinigend und heilsam ist, wenn man es verständnisvoll annimmt und nicht mit Medikamenten unterdrückt.

Bei Überalkalinität – zuviel OH^- – kommt es zu Kälte, Verengung, Niedergeschlagenheit und Austrocknung. Sie ist der Ursprung aller chronischen Krankheiten, ein Ausdruck des Tamas-Gunas. Es handelt sich wiederum um eine Störung des Polaritätsgleichgewichtes, die zu verengenden Krankheiten und einer Einschränkung der Zellfunktion führt.

Reines Wasser, H_2O, ist der neutrale Pol zwischen beiden Zuständen. H^+ und OH^- bilden zusammen das H_2O-Molekül; darauf werden wir in Kürze zurückkommen, wenn wir die Wirkungen von magnetischen Nord- und Südpolen auf lebendige Organismen besprechen.

Es ist immer der Strom vitaler, innerer Energie, der die Heilung vollbringt, auf jeder Ebene. Deshalb legt die chinesische Kräuterheilkunde soviel Wert auf die negativ-weiblichen Yin- und positiv-männlichen Yang-Eigenschaften der in ihre Arzneimittellehre aufgenommenen Kräuter. Manche Pflanzen und Heilkräuter sind also für manche Menschen besser geeignet als für andere; das hängt von den Yin- und Yang-Eigenschaften des Patienten ab. Auch Organe werden als Yin- und Yang-haltig verstanden, je nach ihrer Rolle im Gesamtorganismus. Der Darm beispielsweise ist aktiv, feurig und Yang, das Herz und die Lungen dagegen sind nährend, rezeptiv und Yin.

Stone studierte die konventionelle, die ayurvedische und die Naturmedizin, auch Chiropraktik, Akupunktur und vieles mehr. Er hat zweifellos auch gelesen, was Rudolf Steiner und Alice Bailey über die subtileren Aspekte des Heilens geschrieben haben, und sein Werk trägt das Kennzeichen eines großen syntheseschaffenden Neuerers. Seine Darstellungen von Energieströmungen und Polaritäten im Körper, aber auch sein Werk über die Art und Weise, wie Energie durch Zentren im Körper reflektiert wird, sind umfassend und häufig komplex – denn der Geist-Fühlen-Körper-Komplex ist schließlich ein Labyrinth voneinander abhängiger und miteinander verbundener Polaritäten und Energiemuster. Seine Behandlungsmethode war jedoch im Grunde genommen einfach und bezog die natürlichen Polaritäten von Händen und Körper ein. Atom und Zelle sind bipolar, sagt er; positive und negative Ladungen sind ausgeglichen, sie tanzen um einen Kern oder neutralen Pol, mit dem sie verbunden sind. Dieser Gedanke entspricht sehr deutlich der modernen Biochemie, die von der negativen Ladung der Zellmembran weiß, vom neutralen Zytoplasma und dem positiv geladenen Zellkern.

Die Polaritätstherapie sieht den Körper gewissermaßen als eine vergrößerte Zelle, eine Vergrößerung der ausgeglichenen, neutralen Lebenskraft, die ihren Sitz im Gehirn und in der Hirn-Rückenmarks-Flüssigkeit hat. Die zentrale Achse des menschlichen Körpers ist also neutral, während die rechte Seite des Körpers und Kopfes positiv ist; sie trägt ein positives, elektrisches Potential und strahlt positive Energieströmungen aus. Die linke Seite ist negativ, also der rechten entgegengesetzt.

Das Wissen von dieser natürlichen Polarität ermöglicht es jedem Menschen, seine eigenen Energien und die von anderen auszugleichen und so Schmerzen und Beschwerden zu lindern.

Ein Übermaß *positiver* Sonnenenergie führt zu Überaktivität, Entzündung und Schmerz – wie bereits geschildert. Legt man die kühlende Mondenergie der *linken Handfläche* über eine solche Stelle, erfolgt automatisch Linderung, Erfrischung und Heilung. Bei Zuständen von Verkrampfung, Stauung oder Trägheit ist die *rechte Handfläche* nötig, um dem apathischen Gewebe Leben zuzuführen.

Jede Polaritätsbehandlung findet von einer Seite zur anderen, von vorne nach hinten oder von oben nach unten statt, und die heilende Kraft liegt in den Händen jedes Menschen, wenngleich doch manche eine größere Heilungsgabe besitzen als andere. Außerdem ist es notwendig, daß der Behandler selbst sehr ausgeglichen ist, denn es erfolgt ein deutlicher Energieaustausch vom Behandler zum Patienten und umgekehrt.

Das bedeutet praktisch – um ein einfaches Beispiel zu geben –, daß Sie bei einem Schmerz an der Vorderseite des Körpers die linke Hand darüber legen sollten, dabei die rechte auf gleicher Höhe an den Rücken; so erzeugen Sie einen Energiefluß durch den Bereich der Störung. Bei Kopfschmerzen gilt Entsprechendes: Legen Sie die linke Hand über das schmerzhafte Gebiet, und die rechte gegenüber, auf die andere Seite des Kopfes.

Schmerzen der Wirbelsäule können mit der linken Handfläche behandelt werden, die man auch zur Faust schließen darf, um dadurch mit Druck und Reibung, also massierend auf die schmerzhafte Stelle einzuwirken. Sie können sich zum Beispiel mit der schmerzenden Stelle auf die linke Hand legen und die Rechte in der entsprechenden Höhe auf den Leib legen und auf diese Weise 10 bis 15 Minuten liegen bleiben (vorausgesetzt, dies erfordert keine unangenehmen Verrenkungen!); dann beginnt sich in vielen Fällen eine Erleichterung einzustellen, wenn die elektromagnetischen und subtilen Energieströme und -felder verstärkt und harmonisiert werden.

Dem seit alter Zeit überlieferten Gebrauch heißer und kalter Auflagen und Kompressen liegen ebenfalls die Polaritätsprinzipien zugrunde. Hitze zieht positive Energie und Aktivität in ein Gebiet; das Blut wird in die oberflächlichen Kapillaren gebracht, und die Gewebe erhalten Nährstoffe. Kühle Kompressen entspannen und beruhigen eine Region und drängen das Blut in tiefere Gewebeschichten zurück. Die Verwendung von thermischer Energie ist jedoch nicht so wesentlich wie der Gebrauch von linker und rechter Hand, wenngleich sie unter bestimmten Umständen – zum Beispiel bei verstauchtem Knöchel etc. – sehr hilfreich sein kann und bei Physiotherapeuten weit verbreitet ist.

Auch Handbewegungen und massierendes Streichen haben beruhigende (linke Hand) oder anregende (rechte Hand) Wirkung, wenn die Energie des Behandlers mit der des Patienten kooperiert. Abwärts gerichtetes, vom Kopf zu den Füßen verlaufendes Streichen wirkt lindernd und beruhigend – es entspricht der Richtung des Energieflusses –, während Streichen nach oben, gegen den Energiefluß, einen anregenden Effekt ausübt. Beide Hände können hierbei gebraucht werden, da nur die Bewegungsrichtung die Polarität bestimmt. Es ist zudem nicht notwendig, daß die streichenden Hände des Therapeuten den Patienten berühren, da das Energiefeld des Körpers dessen Oberfläche um einiges überragt.

Bewegungen der Hände und Streichen haben natürlich auch psychologisch aufbauende Aspekte, da sie Nahrung für das Gefühlsleben geben (Streicheleinheiten), und jüngere Untersuchungen mütterlicher Verhaltensweise haben gezeigt, daß die Kinder, die liebkost und gestreichelt wurden, aufblühen, an Gewicht zunehmen und allgemein lebensvoller und -froher sind als solche, die vernachlässigt wurden und nicht genügend Aufmerksamkeit erhielten. Generell sind Kinder, die gestillt und in einer warmherzi-

gen Atmosphäre aufgezogen wurden, in ihrem späteren Leben körperlich und emotional gesünder.
Stones Ansichten zu Diät und Ernährung beruhen ebenfalls auf den Polaritäten von Säure und Base, Wärmen und Kühlen, Yin und Yang, Anregen und Beruhigen. Saure und alkalische Speisen sollten nicht zugleich genossen werden, sagte er, weil sie im Körper miteinander reagieren und Gärung und Säuerung im Verdauungstrakt verursachen. Zitrusfrüchte und Kohlenhydrate, zum Beispiel Getreideprodukte, sollten ebenfalls nicht Teil derselben Mahlzeit sein, wohingegen süße Früchte – Rosinen, Datteln, Pflaumen, Feigen etc. – und Säfte sich gut miteinander und mit Getreide vertragen.
Eiweiße und azidische (säurehaltige) Speisen wiederum brauchen ein saures Verdauungsmilieu und können deshalb in Kombination genossen werden.
Diese einfache Beobachtung über die Kombinationen von saurer und alkalischer Kost läßt sich leicht in jeder Chemiestunde in der Schule nachvollziehen. Die Mischung von zwei Säuren wird normalerweise zu keiner starken Reaktion führen, während die Mischung von Säure und Base auf einen stabilen, ausgeglichenen Zustand zustrebt, wobei sich Wasser bildet; häufig wird dabei Wärme frei, die Moleküle werden aktiviert und ordnen sich neu zusammen.
Stone entdeckte auch die großen Vorzüge, die in der luftigen Qualität der Zitrusfrüchte liegen. Diese helfen nicht nur bei der Verdauung von Eiweißen, sondern ihr hoher Gehalt an Kalzium und Phosphor bringt eine alkalische Korrektur einer vorliegenden Übersäuerung, liefert weiterhin Nährstoffe für Nerven- und Kreislaufsystem sowie Aufbaustoffe für die Knochen- und Zahnstruktur.
In dieser knappen Übersicht habe ich nur einige wenige der einfacheren Aspekte von Stones Werk wiedergegeben, das aus über 50 Jahren Studium, Forschung, Praxis und

Experimentieren entstand. Seine Darstellungen der Energieströme berücksichtigen die unterschiedlichen Funktionen und Polaritäten aller Körperorgane und Systeme und umfassen darüber hinaus die Polaritätsprinzipien im Fluß der fünf Elemente oder Materiezustände im Körper und ihre Hauptfunktionsbereiche. Seine Schriften bergen eine Fülle wichtiger Einblicke in die Zusammenhänge und Funktionen unseres menschlichen Organismus und sind es wert, daß man sich mit ihnen beschäftigt.

Magnetismus, elektrische Polaritäten und das Werk von Davis und Rawls

Von allen der Naturwissenschaft bekannten Naturkräften sind Magnetismus und Elektrizität am umfassendsten mit Hilfe der Polaritätsprinzipien zu verstehen und zu definieren. Die Gesamtheit ihrer Aktivität ist deutlich als Kraft und Wirkung von positiver und negativer Ladung, von Nord- und Südpol zu identifizieren.

Dr. Burr – wir erwähnten es bereits – war vermutlich der erste Wissenschaftler, der die Aktivität elektrischer Potentiale im Körper mit dem allgemeinen Gesundheitszustand und der Befindlichkeit des Menschen in Zusammenhang brachte. Während Burr jedoch nicht nach höheren, inneren Realitäten suchte oder forschte und ihm deshalb die eigentliche Tragweite seines Werkes entging, entwickelte Stone seine Erkenntnisse aus seinem Verständnis universeller Prinzipien und seiner praktischen Erfahrung als Arzt. Er arbeitete von innen nach außen und von außen nach innen, um zu seinen Ergebnissen zu gelangen; Burr hingegen scheint allein von außen geforscht zu haben, nach der Manier eines zwar offenen, so doch konventionellen Wissenschaftlers.

Das Werk von Davis und Rawls stellt gewissermaßen einen Kompromiß zwischen beiden Ansätzen dar. Davis und Rawls waren Wissenschaftler mit einem eigenen, privaten Labor, in dem sie viele Tausend Experimente über die Wirkung des Magnetismus und der natürlichen, elektrischen Polaritäten durchführten, die den Körper umgeben. Beide waren auch Heiler, die ein Verständnis der Tatsache besaßen, daß es eine göttliche Kraft gibt, die den gewaltigen, kosmischen Tanz der Energien belebt und das höchste Lebensprinzip in uns allen darstellt. Ihre technischen Methoden bestanden zum Teil in der Verwendung von Magneten, aber auch im Einsatz des natürlichen elektrischen Potentials und der Polarität der eigenen Hände; sie sind in ihrem Buch *The Rainbow in Your Hands* beschrieben.

Die Geschichte begann bereits 1936 mit einem jener kosmisch-karmischen »Zufälle«, die einen wesentlichen Teil unseres Schicksals ausmachen und die Saat für ein ganzes Leben legen. Davis hatte schon damals ein privates Labor; er war gerade mit der Schule fertig und wartete auf seine Zulassung zur Universität von Florida. Seine bisherigen Experimente, mit denen er feststellen wollte, welche Wirkung elektromagnetische Energien auf lebende Organismen hatten, waren erst von wenig Erfolg begleitet. An jenem Tage nun bereitete er sich auf eine Angeltour vor und ließ versehentlich zwei Gefäße mit Regenwürmern vor den beiden Enden eines großen Hufeisenmagneten stehen; eine dritte Wurmdose stand in einiger Entfernung. Die Arbeit im Laboratorium nahm ihn so in Beschlag, daß er das Angeln aufschob, während die Würmer den Rest des Tages und die folgende Nacht in ihren Kartons blieben. Doch am nächsten Morgen stellte Davis fest, daß die Würmer in dem Karton, der am Südpol des Magneten stand, sich einen Weg aus ihrem Behältnis gefressen hatten, während die Würmer in den beiden anderen Schachteln ungestört schienen.

Dieses Erlebnis gab ihm zu denken, und er begann zu experimentieren. Nach unzähligen Versuchen – später auch mit Nage- und anderen Tieren – kam er zu dem Schluß, daß der Nordpol und der Südpol eines Magneten bestimmte, wenngleich unterschiedliche Wirkungen hatten.
Nach einem zwölftägigen Experiment vermerkte Davis, daß die Regenwürmer am Südpol äußerst aktiv waren und ungefähr ein Drittel größer. Das Vorhandensein junger Würmer in der Erde zeigte, daß inzwischen Nachwuchs entstanden war.
Die Regenwürmer am Nordpol dagegen waren arm dran. Viele von ihnen waren gestorben, und die übriggebliebenen waren dünn und zeigten kaum noch Aktivität.
Davis benutzte in seinem Experiment magnetische Feldstärken zwischen 100 und 4500 Gauß und ging recht bald zu langen Stabmagneten über, deren Pole klarer und weiter voneinander zu trennen sind. Das Erdmagnetfeld ist etwa ein halbes Gauß stark, das heißt, die experimentellen Feldstärken lagen beträchtlich über der normalen magnetischen Energie, auf die lebende Organismen eingestellt sind; dieser Umstand sollte bei einer Betrachtung der erreichten Resultate nicht aus dem Auge verloren werden.
Davis analysierte verschiedene biochemische Aspekte seiner Versuchsergebnisse und stellte beispielsweise fest, daß die Fähigkeit der »Südpolwürmer«, Aminosäuren in Eiweiße umzuwandeln, gesteigert wurde, während sie bei den Nordpolwürmern abnahm. Vergleichsexperimente wurden natürlich in jedem Falle durchgeführt, um dem wissenschaftlichen Anspruch gerecht zu werden.
Davis ging noch weiter und testete die Wirkungen bei Samen, die vor dem Säen den Energien von magnetischem Nord- oder Südpol ausgesetzt wurden. Die Samenkörner reagierten ähnlich den Regenwürmern: Die Pflan-

zen aus »Südpolsamen« keimten viel rascher und wurden größer und kräftiger als die unbeeinflußten Kontrollsamen, während die »Nordpolsamen« noch später keimten und kleinere, schwächere Pflänzchen hervorbrachten.
Biochemische Analysen der Pflanzen, deren Samen nur kurze Zeit der magnetischen Südpolenergie ausgesetzt waren, ergaben eine verstärkte Kohlendioxydaufnahme und Sauerstoffabgabe. Die Aufnahme von Nährstoffen war gesteigert, das Wurzelwachstum ebenfalls. »Zuckerrüben gaben mehr Zucker. Erdnüsse erbrachten außergewöhnliche Mengen von Öl«, notierte Davis.
Seine Experimente, die später in Zusammenarbeit mit Rawls durchgeführt wurden, erstreckten sich über gut 40 Jahre. Alle Resultate wurden wiederholt überprüft und bestätigt. Davis und Rawls legten Theorien und praktische Ergebnisse ihrer Versuche über das Wesen des Magnetismus vor; ihre Arbeit über den Elektronenspin und die Nord- und Südpolenergien wurde bereits kurz erwähnt.
Ihre Entdeckungen über die unterschiedlichen Wirkungen der beiden magnetischen Felder lassen sich folgendermaßen zusammenfassen:
Der Nordpol verlangsamt, bremst und entspannt die Lebensprozesse. Die praktische Anwendung seiner Energie wäre also nützlich zur Schmerzkontrolle durch Senkung der Empfindlichkeit der Nervenendigungen. Auch der Blutdruck wird gesenkt und das Wachstum von Krebszellen gebremst. Die Experimente mit Nagetieren ergaben eine Verlängerung der Lebenszeit bei Verzögerung der Reife und des Wachstums; zusätzlich stellte man fest: »Eine Steigerung aller Aspekte der Sensibilität, einschließlich der Intelligenz, der Reflexe und Reaktionen auf Umweltbedingungen, was auf eine erhöhte Fähigkeit des Gehirns schließen läßt, Informationen zu speichern und zu verarbeiten und sensibler auf die Umwelt zu rea-

gieren.« *(Magnetism and its Effects on the Living System.)* Wenn Nordpolenergie im Stirnbereich einwirkt, soll sie die Fähigkeit außersinnlicher Wahrnehmung steigern, aber auch das rationale Denken dämpfen – wobei wir allerdings davor warnen möchten, dies als ein Mittel zur mentalen Kontrolle oder ASW-Entfaltung auszuprobieren. Es gibt bessere Wege zu diesem Ziel als die Verwendung von starker oder auch nur geringer Magnetenergie.
Der Südpol dagegen fördert und stärkt das Wachstum. Nagetiere, die bereits vor den ersten Entwicklungsphasen seiner Energie ausgesetzt wurden, zeigten eine verlängerte Lebensdauer, größere Kraft, Robustheit und Vitalität. Sie waren auch sehr triebhaft und mußten voneinander ferngehalten werden. Sonst kam es zu einer Schwächung der Kraft im männlichen Tier, die sich im Bereich des Herzens und anderer Organe niederschlug und zu einer verringerten Lebenszeit führte. Südpolnager jedoch waren allgemein langsamer und schwerer von Begriff. Wenn Südpolenergie im Stirnbereich einwirkt, regt sie das Denken an und hinterläßt einen unruhigen Gemütszustand.
Diese verschiedenartigen Wirkungen haben zu Untersuchungen geführt, welches die optimale Schlafrichtung sei, und es überrascht nicht, daß der erquickendste und entspannendste Schlaf dann erfahren wird, wenn der Kopf nach Norden zeigt, die Füße aber in Richtung Süden.
Davis und Rawls experimentierten aber nicht nur mit Magnetfeldern. Sie waren von Natur aus sehr interessiert an den elektrischen Polaritäten im Körper, die sie messen und aufzuzeichnen vermochten. Zwei ihrer Darstellungen sind in diesem Buch wiedergegeben; es sei aber angemerkt, daß die individuellen Spannungswerte variieren können, obwohl die grundsätzlichen Polaritätsverhältnisse bei durchschnittlichen, gesunden Versuchspersonen gleich sind. Die auf den Zeichnungen angegebenen Werte sind also nur durchschnittliche Meßergebnisse.

Die Ähnlichkeiten der Polaritäten in den Entdeckungen von Davis und Rawls einerseits und bei Stone andererseits sind bemerkenswert. Die linke Körperseite ist im Vergleich zur rechten negativ, die Vorderseite des Körpers im Verhältnis zum Rücken positiv. Beachten Sie auch die Punkte des Nullpotentials im Körper, in denen die Elektrizitätsverhältnisse ausgeglichen sind und die Polarität wechselt.
Davis und Rawls fanden heraus, daß die negativen elektrischen Energien des Körpers in der Natur mit den Energien des magnetischen Nordpols korrespondieren, während die Südpolenergien der positiven elektrischen Energie entsprechen. Dies wird auch bei einer kurzen Betrachtung des Säure/Basen-Gleichgewichts im Organismus deutlich: Ein ausgeglichenes Verhältnis von Säuren und Basen im Körper ist überaus wichtig. Jede Störung dieses Gleichgewichts wird zu Funktionsstörungen und Krankheit führen. Alkalische Zustände bedeuten, daß OH^- gegenüber der Säure, dem H^+-Ion, überwiegt (O ist das Zeichen für das Element Sauerstoff, und H das Zeichen für Wasserstoff). Das Gleichgewicht, der neutrale Punkt der elektrischen Ionenaktivität, liegt in der Kombination beider Bestandteile: H^+OH^- oder H_2O, das Wasser-Molekül, das Universal-Lösungsmittel aller Lebensprozesse und der neutrale, ausgleichende Pol, der Satvas-Guna.
Eine Übersäuerung des Organismus fördert die Entwicklung zum nervösen, überaktiven Menschen; gleiches bewirkt auch die positive elektrische Energie oder die des magnetischen Südpols. Aber der überaktive Mensch verausgabt sich selbst und treibt seinen Blutdruck in die Höhe, entwickelt Magengeschwüre und ähnliche Leiden. Übersäuerung wird auch mit dem zentrifugalen, expandierenden Elektronenspin im Uhrzeigersinn assoziiert sowie mit dem Rajas-Guna der Aktivität.
Alkalisches Milieu hängt mit der negativen, bremsenden

elektrischen Energie zusammen und der des magnetischen Nordpols. Der entsprechende Elektronenspin bewegt sich hier im Gegenuhrzeigersinn, verhält sich zentripetal und zusammenhaltend, führt zur Stagnation, tendiert zum Stillstand. Hier assoziieren wir den Tamas-Guna der Trägheit. Die beruhigende, positive Wirkung der negativen Elektrizität begegnet uns hier auch in der Form negativer Luftionisation.
Davis und Rawls präsentieren noch ein weiteres, faszinierendes Stück dieses Energie-Puzzlebildes: Tomaten, normalerweise ein azidisches (saures) Nahrungsmittel, verlieren weitgehend ihre Azidität, wenn man die Samen vor dem Keimen mit der Energie des magnetischen Nordpols behandelt. Dadurch werden die Tomaten auch schmackhafter und sind für Menschen, die ohnehin einen sauren Organismus besitzen, verträglicher.
Wie kann solche Energie überhaupt durch den Samen auf Wachstum und Eigenschaften der Pflanze übertragen werden? Wie können Nagetiere und Regenwürmer durch das Einwirken magnetischer Polarität beeinflußt werden, lange nachdem sie dieser Energie ausgesetzt waren? Die Antwort liegt möglicherweise im Elektronen- und Partikelspin und in der Bewegung, die in diesem frühen Entwicklungsstadium in den prägenden Energiegrundmustern erzeugt wird, die die Energie- und Schwingungsmatrix bilden, nach der der werdende Organismus sich entwickelt und sein Dasein orientiert: in der zugrunde liegenden Energieschwingung in deren feinerstofflichem Urzustand. Denken Sie an die auf Strahleneinwirkung zurückzuführenden Krankheitsfälle, die sich erst 15 oder 20 Jahre nach der Bestrahlung entwickeln.
Davis und Rawls gehörten zusammen mit Stone zu den ersten, die darauf hinwiesen, daß die Behandlungstechniken, die beim Handauflegen zum Einsatz kommen und von Stone in eine hochwirksame Therapie eingebaut wur-

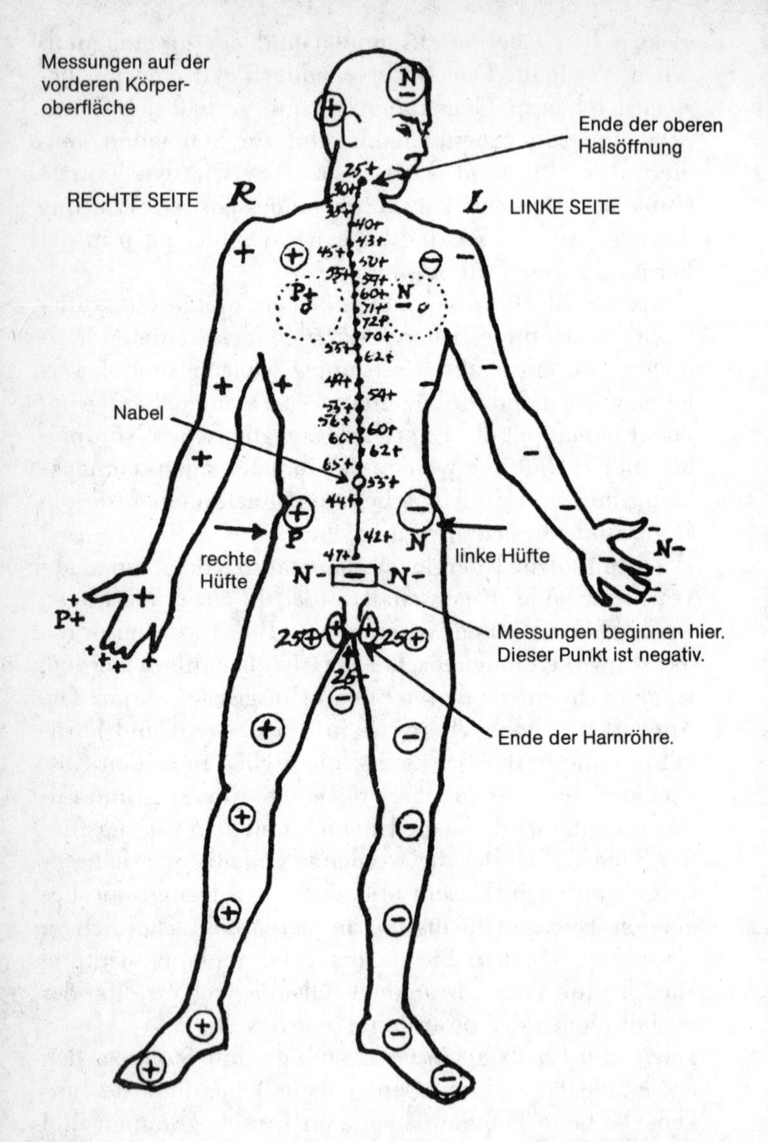

Elektrische Potentiale des Körpers (Vorderseite) nach Davis und Rawls

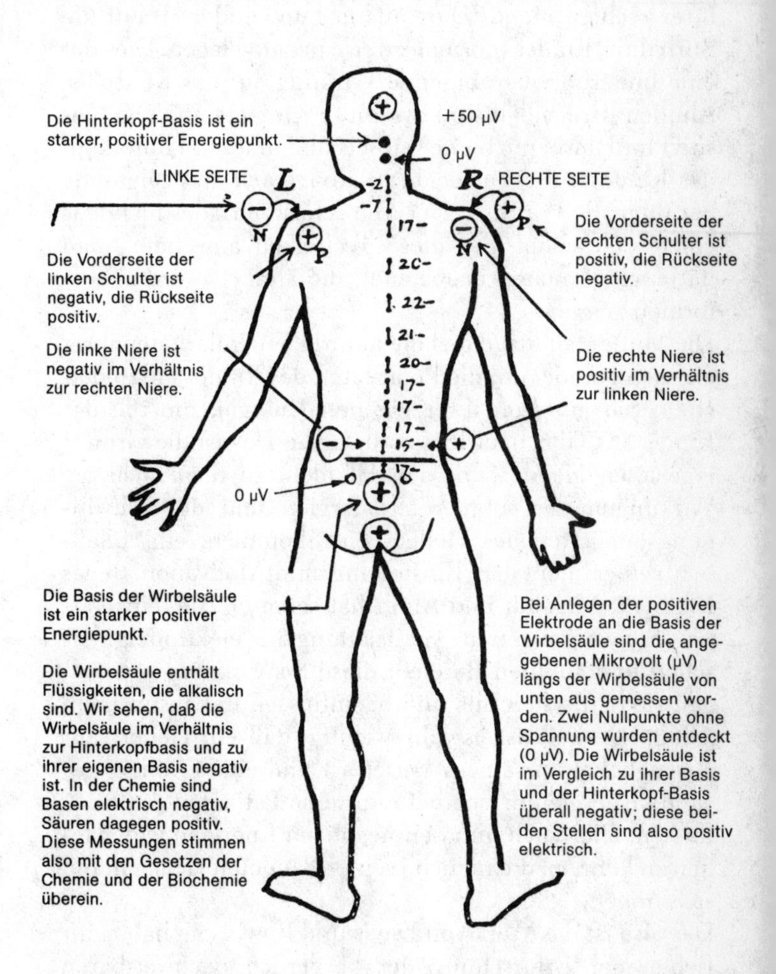

Elektrische Potentiale des Körpers (Rückseite) nach Davis und Rawls

den, einen direkten Zusammenhang mit den elektrischen Polaritäten der Hände und der Körperteile zeigen, auf die diese gelegt werden. Eine Mutter wird die Vorderseite ihrer linken Hand (negativ, lindernd) oder den Rücken ihrer rechten Hand (ebenfalls negativ, lindernd) auf die Stirn ihres Kindes (normalerweise negativ) legen. Dies übt eine lindernde, beruhigende Wirkung auf das Kind aus. Ähnlich wird sie »instinktiv« ihre rechte Handfläche (positiv) im Halsbereich der Wirbelsäule und am Hinterkopf des Kindes auflegen (beide positiv). Auch dies zeigt eine beruhigende Wirkung. Der Mensch ist übrigens nicht das einzige Geschöpf, das diese Techniken anwendet; man hat auch Primaten beobachtet, die ähnliche Verhaltensformen zeigten.
Die Mutter benutzt dabei die natürlichen Polaritäten ihrer eigenen Hände, um die Polaritäten des Kindes auszugleichen. Sie gibt von ihrer eigenen Energie, um die des Kindes ins Gleichgewicht zu bringen. Das ist die Grundlage allen Heilens mit den Händen, zu dem noch die Wirkungen der subtileren Energien und die Schwingungsqualitäten des Heilers hinzukommen, einschließlich seiner mentalen Einstellung und Motivation. Jedes Element, Molekül und Atom hat seine eigene, einzigartige Schwingung und Ausstrahlung im elektromagnetischen und subtilen Bereich; diese Schwingungen bewegen sich zwischen uns und beeinflussen uns in unserem Alltag. Deshalb ist es sehr wichtig, daß ein Heiler sehr ausgeglichen in seinem Wesen ist und eine kräftige, gesunde Energie um sich hat, um seine Patienten zu beeinflussen, aber auch, um den negativen Energien widerstehen zu können, die manche seiner Patienten vielleicht mit sich tragen.
Das also ist das Werk von Davis und Rawls. Sie haben ihr Leben der Erforschung der körperlich nachweisbaren Wirkungen von Magnetismus und elektrischen Potentia-

len gewidmet. Ihr Werk verdient es, fortgeführt und sehr sorgfältig in seiner Beziehung zu den Heilkünsten studiert zu werden, um zu bestimmen, auf welche Weise wir unsere auf Polaritäten beruhenden Geräte, aber auch unsere Hände gebrauchen können, um Heilung und Gesundheit herbeizuführen. George Yaos Pulsoren, die wir im nächsten Abschnitt vorstellen, sind ein Schritt in diese Richtung.

Es gibt außerdem eine ganze Reihe von Nutzanwendungen des Magnetismus in modernen Therapieformen; einige von ihnen sollen in Kapitel 7 besprochen werden.

Biokristall-Pulsoren und das Werk von George Yao

Um die Bedeutung des Werkes von Dr. George Yao besser verstehen zu können, ist es gut, einiges über die Einflüsse zu erfahren, die sein Denken geprägt haben.

George Yao wurde 1922 in einer der ersten katholischen Familien Chinas geboren. Während der Revolution floh seine Familie nach Hongkong, wo sie ein Teil der Welt der Bankiers wurde. George machte seinen Universitätsabschluß als Chemiker, und nachdem er einige Zeit in Hongkong an den Anwendungsmöglichkeiten des dehnbaren Nylons gearbeitet hatte, wechselte er als Flugzeugingenieur zur Firma Hughes Aircraft nach Kalifornien. Dort sammelte er viel Erfahrung und studierte weiter auf dem Gebiet der Molekularphysik; er beschäftigte sich auch mit speziellen Materialien und Kristallen, die in der Elektronik verwendet werden. Er arbeitete längere Zeit an Materialien zur Beschichtung der Kontrollkapseln für die ersten amerikanischen Satelliten, die wieder in die Erdatmosphäre zurückkehren sollten.

Später verließ er Hughes Aircraft, studierte Polaritäts-

therapie und Akupunktur und promovierte als Arzt für Naturheilkunde. Die Verbindung seiner östlichen Herkunft mit all diesen Talenten und Interessen führte ihn schließlich zur Entwicklung der Pulsoren.
Die ersten Pulsoren wurden um das Jahr 1970 hergestellt und wurden seit damals ständig weiterentwickelt und verfeinert. Yao sagte uns einmal, daß die Pulsoren ursprünglich als Weihnachtsgeschenke für Freunde gedacht waren, die sie auf ihre Fernsehgeräte stellen sollten. Aber sie wollten weitere Pulsoren und bestanden darauf, dafür zu bezahlen, und so wurde die Sache zu einem kleinen Geschäft. Seine Produktion erlebte seitdem ein exponentielles Wachstum, und ich kann das gut verstehen, denn die Pulsoren funktionieren wirklich, und die Welt braucht dringend ein solches Gegenmittel gegen die elektromagnetische Verstrahlung und die allgemeinen Auswirkungen von Streß und ungesundem Leben. Vielleicht wären die Pulsoren vor hundert Jahren ein unverständlicher Luxus gewesen, dessen Wirkung man nicht zu schätzen gewußt hätte. Heute aber sind wir uns der inzwischen entstandenen Situation etwas bewußter geworden und stehen vor einem Umweltproblem ungeheuren Ausmaßes.
Auch wenn die Arbeit von Davis und Rawls mit dem Einsatz von Magneten zweifellos von großer Bedeutung war, hatte ich doch immer gewisse Vorbehalte wegen der extrem hohen Feldstärken, die sie dabei benutzten. Sie sind für Forschungszwecke wohl zu rechtfertigen; ihr therapeutischer Einsatz – besonders bei Menschen, die keine sehr ernste Krankheit haben – wäre dagegen vermutlich unnötig riskant. Immer, wenn man mit Energien von außen auf den Körper einwirkt, verursacht man mit einiger Wahrscheinlichkeit auch Nebenwirkungen. Es ist viel besser, mit den körpereigenen Energien zu arbeiten und die gewünschten Wirkungen durch naturgemäße Verstär-

kung dieser Energien zu erreichen. Davis und Rawls selbst warnten vor der Stärke ihrer Magneten und vor einer zu langen Anwendung. Nur um einen Vergleichsmaßstab zu geben: Die Miniaturmagnete, die man verwendet, um Akupunkturpunkte und -meridiane zu stimulieren, haben eine Feldstärke von ungefähr einem Viertel bis einem halben Gauß, was in der Größenordnung ungefähr dem Erdmagnetfeld entspricht; Davis und Rawls jedoch benutzten Magneten zwischen 100 und 4500 Gauß. Hätten sie die Energiemeridiane und -bahnen studiert, wären sie vielleicht in der Lage gewesen, die gleichen Resultate durch spezifischere und feiner abgestimmte Dosen magnetischer Energie wesentlich geringerer Stärke zu erreichen. Wie aber findet man die Energiebahnen und -meridiane von Samen, Regenwürmern und Nagetieren? Yao dagegen arbeitet auf feineren, mehr inneren Energie-Ebenen und nach dem Resonanzprinzip, anstatt Kräfte von außen einzusetzen, um die gewünschten Ergebnisse zu erzielen. Das Resultat ist sein subtiles Behandlungssystem mit Geräten – den Pulsoren® –, die sich automatisch auf die Körperenergien einstellen, sie verstärken und auf eine Weise »klären«, wie es keinem Magneten möglich ist; dabei übertreffen sie noch die Wirkung heilender Hände. Wenn die subtilen Energien des Patienten so verstärkt und aufgefrischt werden, beginnt der Heilungsvorgang von selbst.

Es besteht kein Zweifel darüber, daß der Austausch von Energien zwischen Behandler und Patient auch bei einer Pulsor-Anwendung noch von großer Bedeutung ist, aber während des größten Teils einer Behandlung mit Pulsoren bleiben beide normalerweise doch passiv. Die Pulsoren werden in die richtige Position gebracht, der Behandler führt gewisse Prozeduren und Handbewegungen mit den Pulsoren durch und läßt dann den Patienten mit ihnen allein; er kann die Pulsoren aber auch nach einiger

Zeit anders anordnen, um bestimmte Wirkungen zu erzielen.
Was aber sind nun diese Pulsoren? Yao erklärt, daß ein Pulsor aus Millionen von Mikrokristallen bestehe, die so konzipiert und entwickelt worden seien, daß sie als »Energie-Resonatoren« wirken können – das heißt, als Empfänger und Sender von Energie bestimmter Frequenzen. Innerhalb des körperlichen Energiefeldes ordnen sich diese Kristalle zu geometrischen Mustern an. Dabei nehmen sie die Körperenergien auf, verstärken sie und strahlen sie wieder mit einem eigenen, geordneten Puls ab. Deshalb werden sie als Pulsoren bezeichnet. So werden die Körperenergien verstärkt – Yao sagt, bis zum Doppelten oder Dreifachen, soweit es sich schätzen läßt –, und Energiestaus und Disharmonien werden aufgelöst. Das führt zu einem Gefühl tiefer körperlicher, emotionaler und mentaler Entspannung. Die Pulsoren beseitigen auch die Müdigkeit und Verwirrung, die man manchmal nach der Arbeit mit elektronischen Geräten, an Computer-Arbeitsplätzen usw. spürt.
Yao weist auch darauf hin, daß Pulsoren imstande zu sein scheinen, die Vielzahl freier Elektronen zu absorbieren, die sich in unserem Körper befinden – besonders bei jenen unter uns, die mit elektronischen Geräten arbeiten, aber auch bei denen, die fernsehen oder nur den elektrischen Strom ein- oder ausschalten. Freie Elektronen oder freie Radikale (Molekülfragmente) – vor allem jene, die eine elektrische Ladung tragen – schädigen bekanntlich die Biochemie des Körpers und tragen beträchtlich zum Alterungsprozeß bei. Deshalb nehmen Menschen Anti-Oxidantien ein (Vitamine beispielsweise, besonders Vitamin C), die die freien Radikale beseitigen können. Verschiedene Toxine, Schadstoffe und ionisierende Strahlung sind ebenfalls für die Bildung freier Elektronen und Radikale verantwortlich.

Auf welche Weise diese Absorption der freien Elektronen im Pulsor vor sich geht, ist nicht klar; ein Forscher meint, daß die Pulsoren einfach die Ladung von den freien Elektronen abziehen und sie in Neutrinos verwandeln, was natürlich eine interessante Erklärung wäre. Die Pulsoren laden sich jedoch nicht selbst auf, die Energie muß also irgendwie – vielleicht in subtilerer Form – zerstreut werden. Mit Sicherheit aber schalten die Pulsoren die disharmonisierende Wirkung des Arbeitens mit elektrischen Geräten aus, und sie scheinen auch die Funktion der Geräte selbst zu verbessern, wenn man sie auf Verteilungspunkte von (elektrischer oder anderer) Energie stellt. Man kann annehmen, daß diese Wirkungsart auf eine ordnende Ausrichtung der Energie zurückzuführen ist – vielleicht auf subatomarer Ebene –, die Reibung und Störungen des Gleichgewichts vermindert. Yao vermutet, daß die Pulsoren den Elektronenspin harmonisierend ausrichten.

Mikrokristalle im Pulsor – Yao nennt sie auch »quasi-« oder »halb-intelligente« Kristalle – sind in kleinen Scheiben unterschiedlicher Dicke und Stärke enthalten; der Durchmesser der Scheiben ist knapp 4 cm. Sie werden auch in Anhänger mit natürlicher Steinoberfläche gepackt, und es gibt weiterhin eine spitze Pendelform, den Acu-Pulsor, der mit Kristallen gefüllt ist und sich zur Anregung der Akupunkturpunkte eignet oder zur Arbeit an den Reflexzonen von Händen und Füßen.

Yao war nicht nur vertraut mit den Forschungen Stones, der Akupunktur, der Naturheilkunde, der Radionik und anderer Wissenschaften, sondern auch sehr begabt im Umgang mit Pendel und Rute. So gelang es ihm, die Polaritäten und Strömungsmuster im subtilen Energiefeld, das er das »Vortex-Energiefeld« nennt, aufzuzeichnen. Hier begegnen uns viele alte Bekannte wieder: Es gibt mentale, emotionale und feinstoffliche (oder ätheri-

sche) Energiekreise. Die Polaritäten, die die Energie in ihren Kreisläufen antreiben, entsprechen den elektrischen Polaritäten, die bereits erwähnt wurden, sind diesen aber entgegengesetzt. Die rechte Vorderseite des Körpers ist hier also negativ, die linke Vorderseite dagegen positiv. Ein Umschaltpunkt befindet sich im Bereich der Milz- und Leber-Zentren, ein Gegensatzpunkt, der die mentalen Energiekreise über die an dieser Stelle wirkende emotionale Energie mit dem Ätherischen verbindet. Die Körperrückseite ist der Vorderseite entgegengesetzt, und die Chakras wechseln sich in ihrer Polarität ab; die Chakras von Mann und Frau besitzen darüber hinaus entgegengesetzte Polarität. Das Reproduktions- oder Kreuzbeinchakra der Frau ist also – in feinstofflichen Begriffen – negativ und rezeptiv, das des Mannes dagegen positiv, nach außen gewandt. Die weiteren Chakrapolaritäten wechseln sich ab; die Frau hat also ein positives, der Mann ein negatives Herzchakra; die Frau ein negatives, der Mann ein positives Kehlchakra.
Es ist nicht zu übersehen, daß diese Polaritäten sich von den elektrischen Polaritäten, die Davis und Rawls beschrieben haben, aber auch von den »elektromagnetischen Lichtwellen« und funktionalen Polaritäten Stones unterscheiden. Und dafür gibt es Gründe: Zunächst sind die Vortexenergie-Polaritätszentren Teil der subtilen »Baupläne« oder Matrizen, aus denen die elektrischen Energien abgeleitet werden; wie bei unserem Spiegelbild die Seiten vertauscht erscheinen, so verkehrt sich auch die Energie, wenn sie sich im Äußeren widerspiegelt oder materialisiert. Zweitens – und damit in Verbindung stehend – sind die Begriffe negativ und positiv relative Werte. Wir sagen zum Beispiel, die Seele sei – im Verhältnis zum menschlichen Denken – die positive Kraft. Im Körper aber ist ebendieses Denken die positive Kraft im Vergleich zu den physisch-körperlichen Energien, die ne-

gativ sind. Und innerhalb der physischen Energien haben wir wiederum positive und negative Polaritäten.
Polarität – es sei daran erinnert – ist die Differenz innerhalb eines Energieverhältnisses; sie ist die wesenhafte Dualität, die zu Bewegung, Schwingung oder Fluß führt.
Nach Yao sind die Pulsoren einpolige Geräte oder »Mono-Pole«: Sie sind – aus subtiler Perspektive – völlig positiv, wenn sie nicht speziell anders hergestellt wurden. Aufgrund von Frequenzunterschieden innerhalb der Pulsoren, die den mentalen, emotionalen und feinstofflichen Schwingungen entsprechen, ist es trotzdem möglich, Energieströmungen zu erhalten. Auch zwischen einer Ladung von +5 Volt und +3 Volt besteht ein Gefälle, ein Unterschied; verbindet man beide Ladungen miteinander, fließt Strom, um ein Gleichgewicht herbeizuführen. Obwohl beide Ladungen positiv sind, wirkt die 3-V-Ladung doch als negativ im Vergleich zu der 5-V-Ladung.
Was genau Yao sich in wissenschaftlichen Begriffen unter einem »Mono-Pol« vorstellt, hat er nicht ausreichend erklärt; eine Münze mit einer einzigen Seite wäre gewiß ein Unikum. Aus eigener Erfahrung würde ich sagen, daß er mit seinem Begriff wohl ausdrücken möchte, daß die Wirkung immer harmonisierend ist, immer (vom bewertenden Gesichtspunkt aus, nicht im Sinne von Polaritäten!) positiv. Wir haben ja bereits festgestellt, daß es bei der Verwendung der Begriffe positiv und negativ, zum Beispiel im Sinne von Yang und Yin, zu Mißverständnissen (als Werturteil) kommen kann. Wenn also etwas eine negative Polarität besitzen soll, dann ist es ein positiver Schritt, diese herbeizuführen, zu erleichtern oder aufrechtzuerhalten!
Das subjektive Erlebnis einer Pulsor-Behandlung ist fast ausnahmslos das einer sehr tiefen neuromuskulären Entspannung, und ihre heilende Wirkung hält noch an, nachdem die Pulsoren entfernt worden sind. Die Men-

schen fühlen sich nach einer solchen Behandlung in jeder Beziehung belebt und durchwärmt. Wir haben auch schon viele Fälle erlebt, in denen Patienten innere Lichter wahrgenommen haben, die in wunderschönen Farben dahinflossen. Ein Herr erlebte, wie ein Regenbogen von Farben seinen Rücken emporfloß und von seinen Schultern ausging; er sah auch eine Reihe weiterer Energieströme, die er in Farben wahrnahm. Er konnte offensichtlich einen Teil des Flusses subtiler Energien in seinem Körper sehen und die von seinem Akupunkteur ausgelösten Energieströme beschreiben.

Weil sie für ihre Wirkung von den bereits existierenden Energien der Natur abhängig sind, können Pulsoren ebenso in der weiteren Umgebung eingesetzt werden, um positive Energien zu verstärken und eine negative Atmosphäre auszugleichen. Sie werden auch verwendet, um Energiestörungen aufgrund elektromagnetischer Strahlung zu korrigieren. Wir haben Pulsoren um unser Haus, an den Eintrittsstellen der elektrischen Hauptleitung und des Telefonkabels und tragen auch Pulsoren mit uns. Andere Menschen stellen sie auch auf den Hauptanschluß der Wasserleitung oder an ihren Arbeitsplatz. Behandler verwenden sie nicht nur, um die Wirkung ihrer Behandlungen zu steigern, sondern auch, um sich vor negativer Energie zu schützen, die sie von ihren Patienten aufnehmen. Viele Therapeuten – besonders jene, die irgendeine Art von Körperarbeit praktizieren – fühlen sich am Ende ihres Arbeitstages entkräftet, weil negative Energien übertragen wurden. Pulsoren helfen, dies zu vermeiden, indem sie die Energien des Behandlers verstärken, so daß Negativität gar keine Müdigkeitsnische findet, um sich einzunisten. Der Therapeut fühlt sich dadurch besser, ist offener und kann seinem Patienten mehr Verständnis entgegenbringen – und hat mehr Erfolg.

Wir haben Freunde, die Pulsoren um ihren Swimming-

pool arrangiert haben. Wasser hat eine starke Verbindung zu subtiler Energie und wirkt als Kondensator oder Speichermedium; die Atmosphäre in der Schwimmhalle hat sich seither wesentlich gebessert. Wenn Wasser als Teich oder Bach im Garten ist, strahlt es eine friedliche Schwingung in die Umgebung aus. Wasser ist das ausgleichende Medium von Säure und Base, von positiv und negativ, und es breitet seinen subtilen Einfluß aus. Wenn sich unter einem Haus aber Wasseradern befinden, entziehen sie dem Gebäude positive Energie und können gesundheitliche Probleme und eine schlechte Atmosphäre verursachen. In ähnlicher Weise assoziiert man auch Orte negativer Erdenergien mit Krankheit und Unglück für die Bewohner eines solchen Platzes. In allen diesen Fällen wurden Pulsoren bereits mit beträchtlichem Erfolg eingesetzt; sie harmonisierten die störenden Schwingungen und negativen Energien.
Es gibt natürlich viele Menschen, die Kristalle und Steine auf mannigfache Weisen zu Heilzwecken verwenden. Ein großer Teil ihres Wirkens beruht jedoch weitgehend auf ihrer eigenen, naturgegebenen Heilkraft und Energie. Das gilt mehr oder minder für alle Heilungsbemühungen, sei es mit Hilfe von Kräutern, Homöopathie oder Kristallen. Pulsoren sind aber die einfachste und wirksamste Art der Verwendung von Kristallen, der ich bisher begegnet bin. Eine einfache Technik und Methode wurde dazu erarbeitet, die einem den Anfang erleichtert. Danach werden dann die eigene Intuition und Erfahrung zur unschätzbaren Anleitung.
Aus der Sicht der subtilen Energien ist der einpolige Aspekt des Pulsors etwas Einzigartiges, das ihn von anderen Geräten auf Kristallbasis unterscheidet. Die Möglichkeit zur Bestimmung der subtil-energetischen Polarität ist wesentlich für den Durchbruch, der Yao gelungen ist. Wenn Sie ein exakt arbeitendes Pendel wie den Acu-

Pulsor über einen natürlichen mineralischen Kristall bewegen, finden Sie normalerweise eine Vielzahl von Polaritätswechseln auf seiner Oberfläche; die Oberfläche eines Pulsors hingegen ist überall und ganz positiv. Pulsoren unterscheiden sich auch von normalen, mineralischen Kristallen darin, daß sie sich nicht auf eine bestimmte Schwingung »programmieren« oder einstellen lassen – wie es viele Kristallheiler mit ihrem kristallinen Werkzeug tun. Pulsoren empfangen, harmonisieren und verstärken subtile Energie, aber sie bleiben ihr eigener Herr! Es wäre vermutlich recht problematisch, einen Pulsor mittels Psychometrie zu analysieren, wenn er von allen äußerlichen Kennzeichen wie Fingerabdrücken etc. gereinigt wurde. Psychometrie ist die Fähigkeit, die Vorgeschichte eines Gegenstandes aus dessen subtilen Schwingungen oder den Eindrücken in seinem Energiefeld festzustellen. Eine medial begabte Bekannte, die zum ersten Mal einen Pulsor in der Hand hielt, sagte, sie spüre eine starke Wärme und Energie von ihm ausgehen. Als ich bemerkte, daß Psychometrie bei einem Pulsor ein fruchtloses Unterfangen sei, antwortete sie, daß sie gewohnheitsmäßig Gegenstände psychometrisch untersuchte, die sie in Händen hielt; beim Pulsor könne sie jedoch nichts über seine Vergangenheit sagen, nur daß er sich warm anfühle.

Zusammenfassung

Randolph Stone, Davis und Rawls, George Yao – vier Pioniere auf dem Gebiet der Erforschung und Nutzung von Dualität in der Natur zur Förderung des Heilwesens. Weil es eines philosophischen oder gar kosmischen Verständnisses bedarf, um die umfassende Tragweite und Tiefe zu erkennen, die sich in der Einfachheit ihrer Entdeckungen ausdrückt, wird ihr Werk von vielen konventionellen Wissenschaftlern oft übersehen. Aber auf unserem Wege in das 21. Jahrhundert, auf dem die Wissenschaft von einem wachsenden Verständnis für die kosmischen Grundmuster des Energieaustausches neu belebt wird, wird die Forschungsarbeit dieser Pioniere, so glaube ich, als von epochemachendem Einfluß erkannt und anerkannt werden.

Pulsor® ist ein eingetragenes Warenzeichen der Fa. Yao International.

KAPITEL 6

Kristalle, Resonanz und moderne Physik

Im Kapitel über Polarität und Harmonie sprachen wir auch die Beziehung zwischen subtilen Energien und subatomarer Struktur und Bewegung an. Hier nun wollen wir etwas näher darauf eingehen und zeigen, daß kristalline Materie eine einzigartige Anordnung subatomarer Energie besitzt und sehr wohl einen lenkenden und harmonisierenden Einfluß auf Materie im subatomaren, aber auch im vor-subatomaren oder subtilen Zustand auszuüben vermag.

Subatomare Struktur

Wenn wir von außen nach innen vorgehen, beobachten wir zunächst Materie in dreidimensionaler Form, Struktur, Dichte, Farbe und Tonschwingung. Ihre Dichte bestimmt, ob die Materie fest, flüssig oder gasförmig ist, und die Bewegung ihrer Atome bedingt, ob wir sie als warm oder kalt empfinden. Ihre Wechselwirkung mit dem Bereich des elektromagnetischen Schwingungsspektrums, der uns als Licht bekannt ist, gibt ihr Farbe, die wir mit den Augen wahrnehmen können. Ihre Fähigkeit zu Schwingung und Resonanz läßt in der Luft Schallwellen entstehen, die wir mit Hilfe unserer Ohren als Töne und Geräusche interpretieren. Darüber hinaus vermögen wir gewisse Molekülverbindungen und -anordnungen mit unseren Geschmacks- und Geruchsorganen zu unterscheiden. Es gibt Mottenarten, die in dieser Beziehung so feinfühlig sind, daß sie ein einziges Molekül eines Pheromons (Sexualduftstoffes) eines weiblichen Tieres über 50 Kilometer hinweg wahrnehmen können. Von allen Zuständen, Verhältnissen und Beziehungen in der Materie filtern unsere Sinne nur einen kleinen Bruchteil der verfügbaren Informationen heraus, den wir wahrnehmen können und als unsere »objektive Wirklichkeit« präsentiert bekommen.

Gehen wir einen Schritt weiter nach innen, so stellen wir fest, daß Materie aus Molekülen zusammengesetzt ist; manche davon sind groß, andere klein. Jedes Molekül wiederum besteht aus Atomen. Jedes Atom – so sah man es bis zum Aufkommen der modernen Physik – besteht aus einem Kern positiv geladener Protonen und elektrisch nicht geladener Neutronen, der von einer Reihe von »Schalen« ihn umrundender Elektronen umgeben ist.

Somit ist unsere feste Materie hauptsächlich leerer Raum, in dem die Teilchen sich so rasch bewegen, daß sie – wie das rotierende Propellerblatt – den Eindruck erwecken, massiv und unbewegt zu sein. Ja, wenn ein Propeller flach ist und schnell genug kreist, erscheint er uns als glatt und fest wie eine metallene Scheibe. Wenn er gar oszillierte, statt nur zu rotieren, käme es uns vor, als bewegte er sich gar nicht. Sogar ein Ball würde von ihm abprallen. Es ist ganz interessant, daß sehr hohe Oszillations- und Vibrationsgeschwindigkeiten den Anschein und die Eigenschaften zeigen, die dem ruhenden, bewegungslosen Zustand entsprechen.

Doch die moderne Physik bleibt bei der klassischen Theorie der atomaren Struktur nicht stehen. Wenn wir weiter und tiefer forschen, stellen wir fest, daß die makroskopischen Parallelen und Beobachtungen unserer Sinneswahrnehmungen zur Beschreibung der Struktur subatomarer Materie nicht mehr ausreichen. Unsere Grundbau-

steine, die Atome, werden, je weiter wir sie untersuchen, immer weniger fest. Sie werden als Wellenbündel betrachtet, als elektromagnetische Kraftfelder, als Energieverhältnisse. Die Teilchen besitzen Eigenschaften, die zum Teil keine Parallelen in der makroskopischen Welt unserer Sinne haben. Sie haben einen »Spin«, das heißt, sie rotieren um eine bestimmte Achse. Sie »oszillieren« wie ein ultraschnelles Pendel. Während sie rotieren und oszillieren, bewegen sie sich auch umeinander im dreidimensionalen Raum. Sie tragen eine »elektrische Ladung« und zeigen »magnetische Bewegung« und besitzen deshalb ein »elektromagnetisches Feld«. Sie haben Eigenschaften, die von den Physikern mit Begriffen wie »Fremdheit«, »Farbe« und »Charme« bezeichnet worden sind.
Manche ihrer Bewegungen sind bereits quantifizierbar. Der Kern eines Atoms schwingt mit ca. 10^{22} Hz, das bedeutet 10 000 000 000 000 000 000 000 Schwingungen pro Sekunde. Ein Atom schwingt im Bereich von ca. 10^{15} Hz, ein Molekül bei rund 10^{9} Hz, die lebende Zelle mit ca. 10^{3} Hz.
Keine zwei Atome, Moleküle oder subatomare Partikel sind identisch oder besitzen die gleiche Schwingungszahl, denn ihre Bewegung und Eigenschaften, die sich verändern und unterscheiden, sind fester Bestandteil ihrer Existenz. Ja, schon die Tatsache, daß sie räumlich voneinander getrennt sind, bedeutet, daß sie verschieden sind, so wie zwei gleiche Gegenstände in unserer makroskopischen Welt nicht identisch sein können, denn jedes hat seine eigene separate Existenz.
Die extrem hohen Geschwindigkeiten der subatomaren Energie, die sich der Lichtgeschwindigkeit nähern, machen es notwendig, daß Physiker sich bei der Suche nach zutreffenden mathematischen Modellen der Relativitätstheorie Einsteins sowie der Quantentheorie bedienen.

Grundsätzlich betrachtet die Relativitätstheorie das physische Universum als ein vierdimensionales Raum-Zeit-Kontinuum, in dem Bewegung (räumliche Verhältnisse) und Zeit (Veränderung der Position im Verhältnis zu einem spezifischen Bezugsrahmen) untrennbar miteinander verbunden sind. Bei geringen relativen Geschwindigkeiten kann man den zeitlichen Aspekt als etwas Festes und vom Objekt im dreidimensionalen Raum Unabhängiges betrachten. Das entspricht den Grundzügen der klassischen Physik Newtons.
Man sollte jedoch nicht versäumen, darauf hinzuweisen, daß alle Theorien im Bereich der subatomaren Physik tatsächlich nur *Theorien* sind. Keine der bestehenden Theorien oder mathematischen Modellvorstellungen allein vermag alle bekannten oder beobachtbaren Phänomene zu erklären. Ja, es gibt eine Reihe von konkurrierenden Theorien, die um Anerkennung in der wissenschaftlichen Welt wetteifern. Darunter befinden sich zum Beispiel Theorien, die die »fundamentalen« Partikel nicht als Punkte betrachten, sondern als ausgedehnte Objekte (»Superstrings«) oder als rotierende Energiewirbel. Solche Theorien sind mathematisch noch komplexer, erscheinen aber vom Schwingungsstandpunkt aus ansprechender, obgleich selbst die »konventionellen« Theorien ihre Partikel als schwingend, als in ständiger Bewegung betrachten.

Resonanz

Wir wollen diesen Gedankengang einmal verlassen und uns mit einem anderen Aspekt der Materie beschäftigen: den resonanten oder harmonischen Frequenzen. Wenn wir einen Draht zwischen zwei festen Punkten spannen und in der Mitte zupfen, schwingt er mit einer Wellenlänge, die der doppelten Entfernung der beiden Endpunkte entspricht, also der doppelten Saitenlänge.

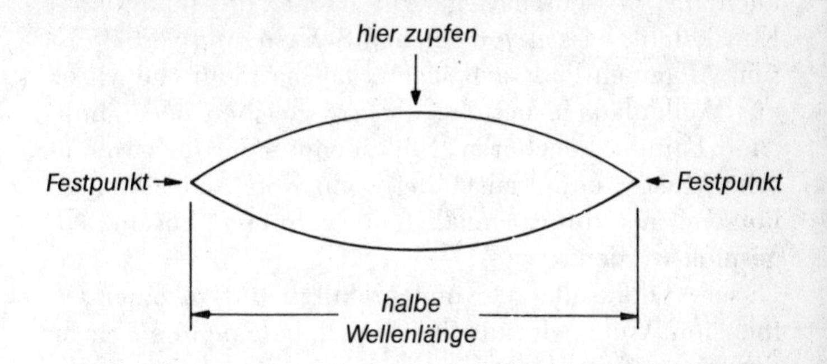

Wenn wir die Saite an einem Punkt zupfen, der ein Viertel ihrer Länge von einem Ende entfernt ist, schwingt sie mit der Hälfte der ursprünglichen Wellenlänge.

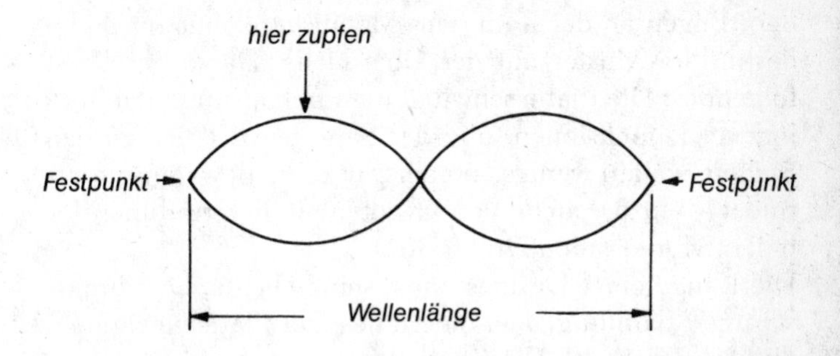

Ähnliches gilt auch für andere Punkte im Verlauf der Saite, die ganzzahlige Teiler ihrer Länge darstellen.
Die so erzeugten Wellen erschaffen entsprechende Muster in den Molekülen unserer Luft; wir nennen sie Schallwellen und können sie mit Hilfe unserer Ohren wahrnehmen und deuten. Deshalb kennen wir sie als Töne.
Die Basiswellenlänge der Saite wird als Resonanzwellen-

länge bezeichnet, die weiteren möglichen Wellen sind höhere Oktaven, Harmonien, Obertöne. Alle Musiker, die auch die Wissenschaft gelernt haben, die hinter ihrer Kunst steht, wissen von solchen Schwingungsverhältnissen. Allgemein läßt sich sagen, daß harmonische Musik aus Wellenlängen besteht, die der gleichen oder ähnlichen Familie angehören. Mißtönende oder disharmonische Musik kommt zustande, wenn Noten oder Wellenlängen aus unterschiedlichen Familien zusammengespielt werden.

Unsere Drahtsaite schwingt praktisch nur in einer Dimension. Wenn wir nun eine Metallplatte nehmen, sie an der einen Seite fixieren und über eine ihrer anderen, freien Kanten mit einem Geigenbogen streichen, gibt sie – wie die Saite – einen Ton von sich. Wenn wir etwas trockenen, feinen Sand auf die Platte streuen, können wir beobachten, daß der Sand sich bewegt, während wir mit dem Bogen an der Kante des Metalls streichen; er bildet bestimmte Muster auf der Oberfläche. Dabei geschieht folgendes: Die Platte schwingt (dadurch entsteht der Ton) in zwei Dimensionen, und der Sand bewegt sich zu den Stellen, wo am wenigsten oder gar keine Bewegung stattfindet – entsprechend den »Knoten« in der eindimensionalen, vibrierenden Drahtsaite.

Die Länge eines Drahtes (auch seine Dichte, Durchmesser und Spannung) oder die Maße einer Platte bestimmen die Art der Welle, die wir damit erzeugen. Mit anderen Worten: Jeder Draht, jede Platte hat eine eigene, ganz bestimmte Frequenz.

Wenn Sie mit den Knöcheln auf verschiedene feste Gegenstände in Ihrer Umgebung pochen, werden Sie bemerken, daß jeder einen anderen Ton von sich gibt, der sich aber nicht verändert, solange Sie nicht die Eigenschaften des Gegenstandes verändern – indem Sie ihn beispielsweise auf eine andere Unterlage stellen. So erfahren Sie

die natürliche Eigen- oder Resonanzschwingung eines Objektes.
Bei hohen relativen Geschwindigkeiten jedoch kann man die kinetische Energie der sich bewegenden Teile nicht mehr als getrennt vom Sein des Gegenstandes selbst betrachten. Es gibt beispielsweise nicht so etwas wie *bewegungsloses* Licht. Licht oder elektromagnetische Energie bewegt sich; das ist Teil ihres Wesens, Teil dessen, was sie ist. Ähnlich kann man auch sagen, daß es so etwas wie ein *bewegungsloses* Elektron nicht gibt. Bewegung ist ein Wesensaspekt des Elektrons.
Alles – sei es groß, klein, molekular oder subatomar – besitzt eine natürliche Resonanz, eine einfache, ihm entsprechende Wesensart. Und alles – groß oder klein, molekular oder subatomar – kann zum Schwingen gebracht werden, in dissonanten oder unnatürlichen Frequenzen ebenso wie in Frequenzen, die mit seiner natürlichen Resonanzfrequenz harmonieren.
Wir fassen also zusammen:

1. Alle Materie besteht aus Energiemustern, aus Anordnungen subatomarer Wechselbeziehungen und Verbindungen, die sich mit ungeheurer Geschwindigkeit bewegen; diese Geschwindigkeit ist ein untrennbarer Wesensaspekt der Materie selbst.

2. Alle Gegenstände besitzen eigene, natürliche, harmonische Schwingungsfrequenzen und können auch dazu gebracht werden, mit dissonanten Frequenzen disharmonisch zu schwingen.

Wie wir in Kapitel 4 besprachen, ist es die Bewegung der Energie auf subatomarer Ebene, die zu harmonischen oder disharmonischen, zu positiven oder negativen Aspekten von Gesundheit und Umwelt führt. Genau dies bedeutet es, wenn Krankheit als Disharmonie bezeichnet wird.

Wir haben bereits angedeutet, daß sich die positive oder negative Polarität in den subtilen Energiefeldern auf die Rotationsrichtung subatomarer Teilchen bezieht (im Uhrzeigersinn oder Gegenuhrzeigersinn), und darauf hingewiesen, daß die Bewegungsrichtung (und damit die Polarität) auch ohne ein Anhalten der Bewegung – das das Ende der Existenz des Teilchens in unserer physischen Welt bedeuten würde – gewechselt werden kann.

Es ist also das Verhältnis von Bewegung im Uhrzeigersinn zu Bewegung im Gegenuhrzeigersinn, von positiv zu negativ, was bestimmt, ob ein harmonisches oder ein disharmonisches Energiemuster vorliegt. Voraussetzung für Harmonie ist ein ausgeglichenes Verhältnis. Da aber kein Teilchen allein existieren kann, sondern nur in einem komplexen, kosmischen Geflecht von Energiewechselbeziehungen, das auch andere Aspekte der Polarität umfaßt (z. B. die elektrische Ladung), muß man die Harmonie oder Disharmonie innerhalb eines ganzen Systems subatomarer Energie betrachten. Das bedeutet, daß die Harmonie an einem beliebigen Punkt eine Auswirkung auf die Gegebenheiten an einem anderen haben wird. Praktisch bedeutet dies: *Harmonie oder Disharmonie können sich ausbreiten.*

Und genau dieses Phänomen können wir in unserer makroskopischen Welt beobachten. Wenn wir einen Ton summen, der die gleiche Frequenz hat wie der Eigenton unserer gezupften Saite, wird diese anfangen zu resonieren. Das heißt, die Saite beginnt zu schwingen, sie übernimmt ihren Bewegungsrhythmus von den Schallwellen, die die sie umgebende Luft zum Schwingen bringen. Wenn wir eine Anzahl von Pendeln gleicher Länge an die Wand hängen und sie so anstoßen, daß sie phasenverschoben schwingen, werden sie nach einiger Zeit die feinen Schwingungen in der Wand, vielleicht auch in der Luft, aufnehmen und sich in eine gleichphasige, resonante Bewegung »einpendeln«. Dies ist für Pendel der leichteste, natürlichste und harmonischste Seinszustand. Wenn wir nun mit einem Hammer gegen die Wand schlagen, erzeugen wir Wellen mit Frequenzen, die sich zu der unserer Pendel dissonant verhalten; deshalb wird deren harmonisches Schwingen sich in Dissonanzen auflösen.

Solche Tendenzen zu Harmonie und Disharmonie können wir in vielen Bereichen des Lebens feststellen. Man sagt, daß eine Gruppe von Frauen, die in Frieden und Harmonie zusammenleben, zur gleichen Zeit ihre Menstruation erleben. Wir alle haben wohl schon erfahren, wie die Anwesenheit eines liebenden, harmonischen Menschen Harmonie in eine Gruppe bringen kann – häufig, ohne daß er etwas sagt oder tut. Entsprechend sind manche Menschen eben aus ihrem Wesen heraus disharmonisch, und diese Eigenschaft überträgt sich auf die Atmosphäre ihrer Umgebung.

Man kann also davon ausgehen, daß der harmonische oder disharmonische Bewegungszustand subatomarer Energiemuster Teil der Erschaffung von Dualität und Gegensatzpaaren ist, die wir in unserer makroskopischen Welt beobachten können.

Es gibt noch ein weiteres, eigenartiges Naturphänomen, dem der Volksmund Ausdruck gibt mit dem Sprichwort: »Ein Unglück kommt selten allein.« Während ich dieses Kapitel schrieb, schaute ein Bekannter vorbei und bemerkte, daß entgegen aller Wahrscheinlichkeit beide elektrischen Toaster in seinem Haushalt zur gleichen Zeit aufgehört hatten zu funktionieren. Solche Häufungen oder wellenartigen Koinzidenzen im Verhalten gleicher Gegenstände oder im Auftreten ähnlicher Ereignisse sind ein echtes Naturphänomen. Lyall Watson schilderte in seinem Buch *Geheimes Wissen*, wie der Biologe Kammerer »tagelang auf öffentlichen Plätzen saß und die

Zahl der Passanten aufzeichnete, wie sie gekleidet waren, was sie trugen usw. Als er diese Notizen dann analysierte, stellte er fest, daß es typische Häufungen von Dingen und Umständen gab, die gleichzeitig auftraten und dann auch wieder zur gleichen Zeit von der Bildfläche verschwanden«. – »Diese Art von Wellenmustern«, kommentiert Watson, »ist allen Börsenmaklern und Spielern bekannt, und jede Versicherungsgesellschaft stützt ihr ganzes Geschäft auf ähnliche Wahrscheinlichkeitstabellen.«

Kammerer war nur einer von vielen Menschen, die einen Teil ihres Lebenswerks der Sammlung und Auswertung von »Zufällen« und Übereinstimmungen solcher Art gewidmet haben. Er war so gefesselt von seinen Beobachtungen, daß er sie unter dem Titel »Das Gesetz der Serie« (1919) veröffentlichte.

Das alles stimmt überein mit unseren Erkenntnissen über Rhythmen, Resonanz, Harmonie und Dualität. Gleiches zieht Gleiches an – denn gemeinsam schwingen sie zusammen, sind sie in Harmonie. Gleiches kann auch Gleiches erschaffen, indem es eine »sympathische Resonanz« bewirkt. Gleiches wird fernerhin Ungleiches abstoßen. Manche kosmischen Rhythmen akzeptieren wir als selbstverständlich: die Bewegung der Planeten, Tag und Nacht, Temperatur und Wetter, ebenso auch künstlerische und musikalische Harmonien. Aber im Leben ist nicht alles »gleich«: Gewisse Dinge gehören zusammen, andere nicht. Menschen, die in ihrem Wesen verwandt sind, suchen die Gesellschaft voneinander. Alles hat Rhythmus und Bewegung. Das ist alles Teil des Gesetzes vom Karma – Ursache und Wirkung im kosmischen Tanz der Energien.

Kristalline Materie

Was Kristalle einzigartig erscheinen läßt, ist die Tatsache, daß sie feste Materie sind, in der alle Atome und Moleküle in einer bestimmten Struktur angeordnet sind. Dadurch unterscheidet sich ein Kristall von jedem anderen Brocken fester Materie. Ein Kristall reinen Tafelsalzes (NaCl, Natriumchlorid) hat beispielsweise die Form eines vollendeten Würfels. Sie spiegelt genau die Grundanordnung der Natrium- und Chloratome wider, aus denen das NaCl-Molekül besteht. Sie bilden die acht Ecken eines Würfels:

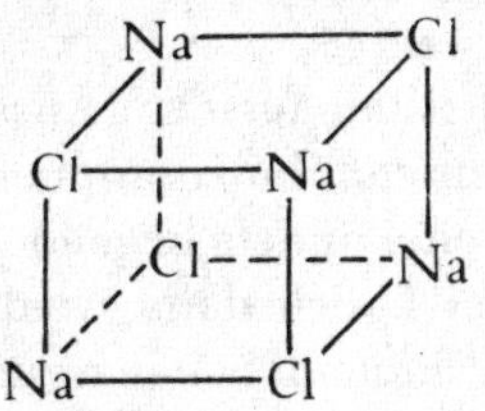

Wenn in einer Salzlösung ein Salzkristall entsteht, fügen sich die Moleküle in vollkommener Harmonie zusammen und werden schließlich als fester Würfel sichtbar.
Entsprechend haben andere Moleküle ebenfalls ihre jeweiligen Grundformen, die sich in der Gestalt des Kristalls widerspiegeln, der aus ihnen entstehen kann.
Diese geordnete und harmonische Struktur von Energiemustern im Kristall macht sich die moderne Wissenschaft auf vielfältige Weise zunutze; am bekanntesten ist in diesem Zusammenhang wohl der piezoelektrische Effekt. Um diesen zu verstehen, müssen wir uns daran erinnern, daß Elektronen sich in Bahnen oder »Schalen« um den Atomkern bewegen, dabei können sie sich in weiter innen oder weiter außen liegenden Schalen befinden. Je näher die Schale eines Elektrons am Atomkern liegt, desto höher ist die Energie des Elektrons. Wenn wir die Elektro-

nen in eine weiter innen liegende Schale drängen und ihnen dann wieder erlauben, auf eine äußere Schale zurückzuspringen, wird Energie in Form von elektromagnetischer Strahlung frei, die zum Teil auch als Licht sichtbar wird. Die Energie kann auch in Form von elektrischer Spannung auftreten.

Die moderne Elektronik wirkt mit einer elektrischen Spannung auf speziell dafür geeignete Kristalle ein und erreicht so, daß die Spannung mit sehr genauer, stabiler Frequenz vom Kristall aus pulsartig abgegeben wird; auf diesem Effekt bauen die quarz-stabilisierten Frequenzgeneratoren, Radioempfänger, Armbanduhren usw. auf.

Man kann einen Kristall auch zur Aussendung von Licht veranlassen, indem man ihn zusammenpreßt – wobei die Elektronen auf weiter innen liegende Hüllen gezwängt werden – und den Druck dann wieder löst. Wenn die Elektronen auf die äußeren Schalen zurückspringen, wird Energie als elektromagnetische Strahlung frei, die zum Teil auch als Licht sichtbar wird.

Die modernen Feuerzeuge nutzen die Kristall-Kompression, um Energie freizusetzen, die einen elektrischen Funken bildet, der über die Gasaustrittsöffnung springt und die Flamme entzündet. Solche piezoelektrischen Feuerzeuge brauchen keinen Feuerstein mehr, statt dessen arbeiten sie mit einem sehr dünnen Kristallsplitter.

Diese Erwähnung des piezoelektrischen Effekts soll eine Vorstellung von der Einzigartigkeit der Kristalle vermitteln, die auf der höchst geordneten Struktur ihrer subatomaren und molekularen Materie beruht.

Ein Korundkristall zum Beispiel – er besteht aus reinem Aluminiumoxid, d. h. Aluminium- und Sauerstoffatomen, die in einer bestimmten Weise geordnet sind – ist farblos. Wenn aber anstelle einiger der Aluminiumatome Chromatome vorhanden sind, nimmt der Kristall eine rote

Farbe an und wird zu dem, was uns als Rubin bekannt ist. Mit den Chromanteilen ist auch eine gewisse Instabilität verbunden, ein Faktor, der negativ auf das Kristallwachstum wirkt; deshalb sind fast alle bekannten Rubine verhältnismäßig kleine Steine. Zwei der angeblich größten Rubine der Welt, der Black-Prince's-Rubin und der Timur-Rubin aus den britischen Kronjuwelen, sind überhaupt keine Rubine, sondern rote Abarten des Spinells. – Auch der rein blaue Saphir ist eine Form von Korund; in dieser Abart befinden sich Titan- anstelle von Aluminiumatomen. Wenn noch andere Elemente in der Kristallstruktur vertreten sind, kann der Saphir auch purpurne, rosa, gelbe oder grüne Farbe annehmen.

Wenn wir nun zu unseren Beobachtungen auf dem Gebiet der Resonanz zurückkehren, können wir leicht verstehen, wie die natürliche Harmonie und Ordnung im Reich der Kristalle Resonanzen in subatomaren Energieschwingungen ihrer Umgebung erzeugen können und die Wirkungen auslösen, die wir beim Einsatz der Pulsoren kennenlernten. Pulsoren sind im Grunde genommen eine systematische Anordnung von Billionen von Mikrokristallen, die im Laufe eines sehr speziellen Herstellungsprozesses übereinandergeschichtet wurden, um Harmonie und Resonanz zu erzeugen, wo auch immer sie sich gerade befinden.

Pulsoren sind vielleicht so etwas wie ein Feldwebel. Wenn man einen Feldwebel in einen heterogenen, ungeordneten Haufen junger Rekruten stellt, wird es nicht allzulange dauern, bis er Ordnung in die lose Gruppe junger Leute gebracht hat. Er stellt ein diszipliniertes, kräftiges Energiefeld dar und wird erreichen, daß die Gruppe im Sinne einer Resonanz auf seine natürliche Seinsart anspricht.

So können wir jetzt verstehen, wie elektromagnetische Strahlungen uns auf subatomarer Ebene zu unserem Vor-

oder Nachteil zu beeinflussen vermögen. Materie ist nichts anderes als Energiemuster, die den Anschein fester Stofflichkeit vermitteln; ihre subatomare Struktur entspricht weitgehend jener der elektromagnetischen Schwingungen. Sie wird in atomaren und molekularen Einheiten zusammengehalten von Kräften, die der elektromagnetischen Strahlung verwandt sind. Wir können also damit rechnen, daß Materie von allen Arten elektromagnetischer Strahlung (auch von Gravitation und Magnetismus) beeinflußt wird. Vielleicht verändert sie dabei nicht ihre äußere Gestalt oder Erscheinung, aber die Bewegungen im Innern sind fast mit Gewißheit einem Wandel unterworfen.
Wir wissen bereits, daß kosmische Strahlen hoher Frequenzen atomare Strukturen so stark beeinflussen können, daß sogar neue Elemente entstehen. Sollten wir dann nicht erwarten können, daß auch Strahlungen anderer Frequenzbereiche die Situation der Schwingungen und Energien im Innern der Materie verändern? Elemente unterscheiden sich auf subatomarer Ebene nur durch ihre Anzahl von Elektronen, Protonen und Neutronen. Wasserstoff beispielsweise hat das kleinste und leichteste Atom; es besteht aus einem Proton, das von einem Elektron »umkreist« wird. Das Heliumatom ist bereits ein wenig schwerer, hier kommt noch ein Neutron hinzu. Dadurch wird es als Atom auch etwas stabiler und zeigt weniger Neigung, sich mit anderen Atomen zu verbinden, als Wasserstoff, der zuweilen recht explosionsfreudig ist. Die übrigen Elemente setzen sich alle aus mehr Elektronen, Protonen und Neutronen zusammen.
Noch zwei weitere, alltägliche Phänomene werden auch von der subatomaren Ebene her verständlich. Erstens: Gegenstände haben unterschiedliche Farben – warum? Die Energie, aus der ein Gegenstand besteht, wird von elektromagnetischer Strahlung »getroffen«; dabei absor-

biert sie manche Wellenlängen, andere werden reflektiert. Warum wohl? Denken Sie darüber nach! Es ist wirklich eine dynamische subatomare Welt, in der wir leben!
Zweitens: Aufgrund ihrer geordneten Energiestruktur können zahlreiche Kristalle elektromagnetische Strahlungen im Wellenlängenbereich des sichtbaren Lichtes *leiten*. Kristalle sind transparent! Je vollkommener die kristalline Struktur, desto vollendeter ihre Transparenz. Sprünge und Risse erzeugen Störungen in der Weiterleitung des Lichts, das an solchen Stellen und von den Grenzen, Schwellen und Veränderungen der Materialdichte zum Teil reflektiert und zum Teil geleitet oder abgelenkt wird. Wenn Sie einen Kristall matt schleifen oder zu Pulver zermahlen, verliert er seine Transparenz und wird opak; Licht wird nicht mehr hindurchgeleitet. Kristalle absorbieren gewisse Wellenlängen und leiten andere weiter, so geben sie uns den Eindruck von Farbe. Die Färbung eines Kristalls kann aber auch und zusätzlich von Einschlüssen oder Unreinheit in seiner Struktur verursacht sein. Das ist ein sehr interessantes Gebiet.
Es heißt, die Atlanter hätten Kristalle als Kraftquellen eingesetzt. Wir können allmählich eine Ahnung davon entwickeln, wie das möglich gewesen sein mag. Die in der Materie eingeschlossene Energie ist gewaltig. Einsteins Formel $E = m c^2$ bedeutet, daß die zur Verfügung stehende Energie gleich der Masse, multipliziert mit dem Quadrat der Lichtgeschwindigkeit (der Geschwindigkeit elektromagnetischer Strahlung) ist. Man kann Kristalle bereits dazu bringen, Licht und Elektrizität von sich zu geben, aber man braucht dazu noch eine äußere Energiequelle. Pulsoren werden eingesetzt, um Energie zu harmonisieren, dabei wird aber kein äußerlich sichtbares Licht oder kinetische Energie frei.
Wenn wir eine instabile, kristalline Struktur erschaffen

könnten, die von sich aus elektromagnetische Strahlung im Frequenzbereich des sichtbaren Lichtes aussendet, während sie sich in Richtung Stabilität verwandelt, so wäre das eine bedeutende Errungenschaft: der wesentliche Bestandteil einer spontanen Lichtquelle! Eine andere Möglichkeit wäre vielleicht, einen Kristall irgendwie »aufzuladen«, damit er dann seine Ladung in Form von sichtbarem Licht langsam wieder abgibt.

Wenn diese subatomare, kinetische Energie auch als kinetische Energie freigesetzt werden könnte, hätten wir einen Motor mit Kristallantrieb! Sogenannte Kernkraftwerke und Atomexplosionen sind nichts weiter als Anwendungen einer Methode, massiv und auf höchst gefährliche Weise »feste« Materie in andere Formen von Energie (Hitze, Elektrizität usw.) umzuwandeln. Die Nebenwirkungen jedoch sind verheerend, und die langfristigen Auswirkungen auf unsere Gesundheit – selbst aus angeblich »sicheren« Atomkraftwerken – sind nicht abzusehen.

Wir Menschen sind so verwickelt in die Weltenergiewirtschaft, daß Veränderungen schwer zu bewerkstelligen sind und die subtileren Auswirkungen auf unser Wohlbefinden allzuleicht von den kurzfristigen wirtschaftlichen Interessen der Regierungen und internationalen Industriegiganten in den Hintergrund gedrängt werden. Es ist gewiß kein Zufall, daß Sicherheitsanforderungen und Grenzwerte in der Regel aufgrund des Drängens von umweltbewußten Bürgern neu festgelegt werden und nur selten aufgrund von Impulsen, die aus Regierungen und Industrie kommen. Geld, Macht und Eigendünkel tragen sehr viel zur Kurzsichtigkeit des Menschen bei. Die grundlegende Ignoranz der Menschheit macht uns geneigt, unsere Realität zu verschleiern und das Gefühl zu haben, wir wüßten eine Menge. Tatsache ist aber, daß wir trotz aller wissenschaftlichen Darstellungen immer noch nicht einmal wissen, warum die Sonne jeden Morgen aufgeht! Solche Dinge zu verstehen setzt vielleicht ein mystisches, inneres Wissen voraus.

Heilen mit Edelsteinen und Farben

Aus dieser Sicht läßt sich auch die Heilwirkung von Edelsteinen und Farben verstehen. Die innere Schwingung des Kristalls besitzt ebenso wie Licht oder Farbe einer bestimmten Wellenlänge gewisse Eigenschaften. Diese Schwingung wird dann heilende Eigenschaften haben, wenn ihre Energie vom Behandelten benötigt wird. Die Schwingung von Edelsteinen läßt sich leicht auf reines, destilliertes Wasser übertragen, das chemisch und elektrisch ein neutrales Medium ist – und so erhalten wir ein Heilmittel, das nur aus Schwingung besteht. Bei der Heilung mit Farben werden Schwingungen mit Hilfe von Farbfiltern, die nur bestimmte Lichtfrequenzen durchlassen, angewendet. Nach einem ähnlichen Prinzip wirken auch die homöopathischen Arzneimittel. Analysiert man sie chemisch, findet man kaum oder gar keine Wirkstoffe; dies gilt vor allem für Homöopathika höherer Potenzierung und radionisch zubereitete Arzneien, die schlicht und einfach aus Schwingungen bestehen, die auf Trägersubstanzen »geprägt« werden. Es sind also die Eigenschaften der subtilen Bewegungs- und Schwingungsmuster, die das Heilmittel ausmachen, und nicht seine chemische Konfiguration. Solange Laboratorien solche Bewegungen nicht analysieren können, sind ihre Untersuchungsmethoden im Bereich dieser Arzneien nicht anwendbar, und ihre »Ergebnisse« deshalb unbrauchbar. Mangelndes Verständnis für die richtige Vorgehensweise darf kein Grund für Kritik oder Verurteilung sein. Galilei, Kepler und viele andere können dafür Zeugnis ablegen!

Die Anwendung spezifischer Energien an wichtigen Teilen des Körpers – zum Beispiel den Fuß- oder Handreflexpunkten, auf den Akupunktur-Meridianen etc. – mit Hilfe von Kristallen, Pulsoren, kleinen Magneten, Nadeln, Druck, Elektro-Akupunktur, Farbe oder anderen Techniken wird ebenfalls deutlich zur Steigerung der Eingangswirkung von Schwingungen beitragen.
So können wir nachvollziehen, warum manche Ärzte empfehlen, bei bestimmten Problemen oder zur allgemeinen Anregung einzelner Systeme des Organismus Ringe mit besonderen Steinen oder aus speziellem Material an bestimmten Fingern zu tragen. In manchen Zweigen der östlichen Heilkunde werden Edelsteine sogar gemahlen und mit der Nahrung aufgenommen, damit sie die Bereiche der körperlichen, emotionalen und mentalen Energien ganz mit ihren Schwingungen durchdringen können. Wir haben auch erfahren, daß Rubine und andere kostbare Steine zermahlen wurden, um das Glas zu tönen, das beim Bau von Behandlungsräumen für Farbtherapie verwendet wurde.

Der subatomare Fingerabdruck

Wir wollen vor dem Ende dieses Kapitels eine weitere Hypothese einführen, die sehr viel für sich hat und gewiß im Bereich des Möglichen anzusiedeln ist. Wohl die meisten von uns haben schon erlebt, daß manche Menschen eine besondere Geschicklichkeit mit mechanischen Gegenständen zeigen. Maschinen, Autos, elektronische Apparate usw. funktionieren bei ihnen immer gut – wir haben das schon im vorausgegangenen Kapitel erwähnt. Andere Menschen dagegen scheinen nur Pech mit der Technik zu haben; in ihren Händen gehen die Geräte kaputt und geben ihren Geist auf.

Wir wissen ferner, daß es Energiebahnen zwischen physischen Gegenständen – einschließlich unserem Körper – und unseren Emotionen und Gedanken gibt.
Könnte es nicht sein, daß die Schwingungs- oder Bewegungsmuster der subatomaren Materie automatisch von unserem Denken, Befinden und Sein beeinflußt werden? Ein harmonischer Mensch wird Harmonie in den subatomaren Tanz der Energien bringen, während eine disharmonische Person automatisch ihre Disharmonie auf die Umgebung übertragen wird.
Dies zeigt sich auch in der Funktion von Apparaten und technischen Gerätschaften und erklärt, warum ein harmonischer Mensch wie George Yao seinen Sportwagen 160 000 Kilometer fahren konnte, ohne einen Kundendienst in Anspruch zu nehmen, wobei seine natürliche Resonanz und die des Fahrzeugs mit Hilfe von Pulsoren verstärkt und unterstützt wurden.
Ich habe selbst beobachtet, wie im Umkreis eines zornigen, gereizten Menschen Apparate falsch oder gar nicht funktionieren, während es kaum Störungen gibt, wo eine ruhige, ausgeglichene Atmosphäre herrscht. In manchen Fällen genügt bereits das behutsame und liebevolle Zerlegen und Zusammensetzen eines fehlerhaften Gerätes, um dieses wieder in Gang zu setzen – ohne daß man je erfährt, wo eigentlich die Störung lag!
Unsere Hypothese erklärt jedoch noch eine Reihe weiterer Phänomene. Psychokinese ist die Fähigkeit, allein mit Gedankenkraft Gegenstände zu bewegen. Natürlich ist eine Beeinflussung der subatomaren Energiemuster notwendig, um einen solchen Ortswechsel größerer Gegenstände zu erreichen. Manche Experimentatoren fragten sich deshalb, ob es nicht einfacher für ihre Versuchspersonen wäre, die subatomaren Teilchen selbst zu bewegen; dies konnte man im Rahmen einer Versuchsanordnung mit radioaktiver Strahlung prüfen, die mit Hilfe eines

Geigerzählers meßbar ist. Tatsächlich erwies sich, daß Menschen mit psychokinetischen Fähigkeiten höhere Erfolgsraten bei der Bewegung oder Manipulation von subatomaren Partikelströmen zeigten als bei der Bewegung größerer Gegenstände.

Da wir in unserer mystischen Sicht des Kosmos ein vertikales Energiekontinuum kennen, das an seinem unteren Ende die Energien von Denken und Fühlen mit den fein- und grobstofflichen Energiemustern verbindet, scheint das Ergebnis dieser Experimente ganz einleuchtend. Subatomare Teilchen lassen sich eben einfach mit weniger Mühe oder mentaler Energie bewegen als große Gegenstände.

Es ist sowohl eine vorhersagbare Konsequenz als auch beobachtbare Tatsache, daß Versuchspersonen, die unter Testlabor-Bedingungen Telepathie und Psychokinese praktizieren, eine – manchmal extreme – mentale Erschöpfung nach den Experimenten zeigen. Sie haben tatsächlich mentale und vermutlich auch emotionale Energie verloren.

Doch es gibt noch einen weiteren Aspekt dieser Hypothese. Menschen, die empfänglich für Stimmungen und Atmosphären sind, können häufig auch die Schwingungen von Gegenständen wahrnehmen. Objekte in der Umgebung eines Menschen, ja dessen ganzes Umfeld, nehmen die Schwingungen auf, die zu der betreffenden Person gehören und die ein bestimmtes »Gefühl« beim Wahrnehmenden verursachen. Zum Teil wird dieses Gefühl sicherlich erklärt durch den Gehalt an subtiler Energie in solchen Schwingungen. Da aber alle Energien miteinander verbunden sind – könnte nicht die physische Manifestation dieser subtilen Energien in den subatomaren Energiebewegungsmustern aufzufinden sein?

Das würde die mediale Fähigkeit mancher Menschen erklären, die einiges aus der Vorgeschichte eines beliebi-

gen Gegenstandes erfahren können, den sie einfach in der Hand halten, wobei sie sich innerlich auf seine »Schwingungen« einstimmen. Dies ist die bereits erwähnte Fähigkeit der Psychometrie.
So gesehen, lassen wir also gewissermaßen unseren eigenen, ganz individuellen Fingerabdruck auf den subatomaren Energiemustern zurück, mit denen wir im Laufe unseres Lebens in Berührung kommen. Dieser Abdruck wiederum wirkt auf mannigfache, direkt mechanische oder subtilere, stimmungsbeeinflussende Weise auf uns zurück. Wir alle leben in einem psychischen, mystischen Ozean, und nur mit der Nasenspitze reichen wir in die klare Luft des Bewußtseins hinaus, in der wir verstehen, was vor sich geht!

Eine Technologie der Kristalle

Viele Kristallforscher haben von ähnlichen Phänomenen berichtet. Telepathische Fähigkeiten werden gesteigert, wenn die Versuchspersonen gewisse Kristalle in Händen halten oder wenn ihnen Kristalle aufgelegt werden. Man kann Kristalle dahingehend programmieren, daß sie ein Gedankenbild, sogar eine Stimmungslage speichern, die von anderen Menschen psychometrisch abrufbar ist. Manche Experimentatoren »programmieren« einen Kristall sogar so, daß er eine bestimmte meditative Stimmung ausstrahlt, die ihnen bei ihrer Meditation hilft. Andere haben bewiesen, daß die Fähigkeit der Telekinese verbessert wird, wenn man Kristalle in die Versuche einbezieht.
In dem Werk *Crystal Book* von Dale Walker finden wir zahlreiche, interessante Gedanken. Wir zitieren daraus:
»Wir können einen Kristall mit Energie aufladen, und der Kristall wird diese Energie zur späteren Verwendung

speichern. Unsere Erfahrung hat gezeigt, daß wir auch Information im Kristall speichern können. Wir haben noch keine geeignete Versuchsanordnung, um dies zu beweisen. Aber erinnern Sie sich noch an die Superman-Filme, in denen der allwissende Kristall erst das kleine Kind und später den erwachsenen Mann unterrichtete? Wir arbeiten an den Techniken, in Kristallen gespeicherte Gedankenformen aufzuzeichnen und wiederzugeben. Denken Sie zum Beispiel an die in Mittelamerika gefundenen bergkristallenen Schädel, die von vielen Forschern für solche Informationsspeicher gehalten werden. Diese Wissenschaftler haben Visionen aller Zeiten der Geschichte erlebt und neues Wissen erfahren, nachdem sie mit den Kristallköpfen gearbeitet hatten.«
Über den Einsatz von Kristallen in der wissenschaftlichen Welt von Atlantis und Lemurien schreibt er weiter:
»Mit Hilfe unseres ›Channeling‹-Mediums erfuhren wir von einer ganzen Zivilisation von gewaltiger Macht und Pracht, die durch die Wissenschaft von den Kristallen ermöglicht wurde. Maschinen arbeiteten mit der Kraft des Denkens, des menschlichen Geistes, zusammen. Kristalle wurden verwendet, um unbegrenzte, freie Energie zur Verfügung zu stellen, und zwar wurde mit ihrer Hilfe die Energie der Sonne in eine Form von Elektrizität umgewandelt. Wir sahen Bilder von einer Reihe abwechselnd konkaver und konvexer Linsen, die die Sonnenstrahlen einfingen und umwandelten; die transformierte Energie wurde in einem flüssigen Medium gespeichert. Später identifizierten wir dieses als eine Lösung flüssigen Kristalls.
Riesige Gitternetze wurden entworfen, um das Energiefeld der Erde aufzuspüren und zu nutzen. Alles wurde angetrieben und ermöglicht von Kristallen.
Kraft gezielten Denkens zur Steuerung chemischer Veränderungen der Materie wurden gewaltige Kristalle in

gewünschter Form gezüchtet. Selbst ihre molekulare Struktur wurde verändert, um Energie in der gewünschten Weise zu bilden und auszurichten. Die Welten von Licht und Ton wurden nach ihren physikalischen und mentalen Frequenzen genau aufgezeichnet und bestimmt, und bestimmte Frequenzen wurden über die speziell geschaffenen Kristalle ausgestrahlt, um Luft-, Wasser- und Unterwasserfahrzeuge anzutreiben. Die Entdekkung der Nutzbarkeit von Kristallen zur Steuerung der mächtigen Energiereaktion zwischen Materie und Antimaterie führte zur Entwicklung des Raumfluges. Als man diese Antriebsart und Energiequelle mit den Eigenschaften des Kristalls verknüpfte, die es dem menschlichen Geist ermöglichten, sich über die äußeren Dimensionen hinweg fortzubewegen, konnte man interstellare Raumfahrzeuge konstruieren und zu den Sternen fliegen.

Auch für Bauarbeiten wurden Kristalle eingesetzt. Wir sahen das Bild eines Kreises von Menschen, die sich um einen Kristall geschart hatten. Alle hatten schon von Kindheit an gelernt, sich perfekt zu konzentrieren. Wir konnten einen Energiestrahl sehen, der eine Entfernung von Meilen überbrückte, bis er zu einem Arbeiter gelangte, der ein Kästchen mit einem Hebel hielt, mit einer Art Steuerhebel an der Oberseite. Er richtete das Gerät auf einen mächtigen Steinblock, bewegte den Hebel, und der Felsen erhob sich und schwebte in der Luft. Mit einer weiteren leichten Bewegung des Energiestrahls ging der Arbeiter weiter und dirigierte den Steinblock vor sich her.

Hohe Türme – wie Leuchttürme – wurden am Meer errichtet. Dort lebten Menschen, die mit den Delphinen, Tümmlern und Walen Kommunikation pflegten. Mit ihrer Hilfe lenkte man große Fischschwärme in die vorbereiteten Netze der Fischer.

Große, wunderschöne Heilungstempel fand man überall im Lande. Hier wurden Kombinationen von Licht-,

Farb-, Klang- und magnetischen Energien durch Kristalle konzentriert und ausgerichtet, um Heilungswunder zu wirken.
Die Bewohner von Atlantis waren Meister auf dem Gebiet der Eigenschaften aller Strahlen und Nebenstrahlen von Farbe und Ton. Sie hatten die Nervenbahnen des menschlichen Körpers und Gehirns genau aufgezeichnet. Sie kannten alle Energiebahnen der Energiekörper. Die ätherische Chirurgie am Energiekörper zog man der materiellen Operationskunst am physischen Körper vor. Wenn es notwendig war, nahmen die Heiler-Priester mentalen Kontakt mit dem Denken des Patienten auf, um dessen Körperzellen die Anweisung zu geben, sich an einer gewünschten Stelle zu trennen und so das jeweilige Organ freizulegen. Blutgefäßen im Operationsbereich wurde mental der Befehl gegeben, sich zu schließen. Die Zellen und Gewebe, die das kranke Organ umgaben, ließen dieses los und so an die Oberfläche treten, wo der Heiler es mit der Hand herausnehmen und in eine Verjüngungskammer legen konnte. Wenn es völlig wiederhergestellt war, wurde das Organ in den Körper zurückgelegt. Die Zellen und Gewebe nahmen die frühere Verbindung wieder auf, die Gefäße ließen wieder Blut in das Organ, und die Wunde schloß sich von selbst. Dies alles geschah ohne Schmerzen, ohne Blutung, ohne Infektion und ohne Schock.
Manche verkehrten und mißbrauchten die großen Errungenschaften, die man den Kristallen verdankte, und setzten die Kraft des Kristalls ein, um zu zerstören und zu versklaven. Gewaltige Energien wurden dabei frei, die eine Störung im Gleichgewicht der Erde verursachten. Ein katastrophales Erdbeben löste die völlige Vernichtung von Atlantis aus.
Einige Überlebende nahmen die Kristalle mit in andere Länder. In Ägypten errichteten sie eine mächtige Pyra-

mide; mit Hilfe der Kristalle bewegten und türmten sie die massiven Steinblöcke.
Die Laserstrahl-ähnliche Energie der Kristalle gebrauchten sie, um Felsblöcke so genau zu schneiden und zu behauen, daß man nicht einmal ein Blatt Papier in die Ritzen der viele Tonnen schweren Quader schieben konnte. Die Basis bauten sie aus Granit in dem Wissen, daß das Gewicht der darüberliegenden Steine den Quarz im Granit unter Druck setzen würde, wodurch ein Energiefeld erzeugt wurde, das man zum Heilen, Verjüngen und für religiöse Zeremonien nutzte. Die Pyramide wurde ummantelt mit Sandstein und Chalzedon, die einen Resonanzraum bildeten; die Spitze der Pyramide krönte ursprünglich ein reiner Quarz. Mit dieser gewaltigen Sendeanlage war es ihnen möglich, eine begrenzte Kommunikation mit ihren Freunden in den Plejaden und anderen Sternsystemen aufrechtzuerhalten.
Überall, wohin die Überlebenden von Atlantis zogen, hinterließen sie Aufzeichnungen. Sie verbargen solche Aufzeichnungen unter der Cheopspyramide in Ägypten, in Höhlen der Berge Tibets und in Pyramiden in China, Südamerika und Nordamerika. Auf Berggipfeln überall in der Welt sind ebenfalls solche Aufbewahrungsstätten. Tafeln aus von Menschenhand geschaffenem Stein, hart wie Diamant, und Bücher aus Gold und Tausende von Kristallen wurden der Nachwelt hinterlassen.
Die eigentlichen Informationen bergen die Kristalle, in denen 200 000 Jahre des Wissens einer der mächtigsten Zivilisationen auf unserer Erde in Form dreidimensionaler Gedanken-Hologramme gespeichert sind. Diese Kristalle werden noch vor Ende dieses Jahrhunderts gefunden und dechiffriert werden.«
Solange man keine unmittelbare Erfahrung mit solchen Dingen hat, bleibt immer ein Element des Zweifels an ihrer Echtheit oder an Motivation und Zuverlässigkeit

jener, die ihre Erfahrungen wiedergeben, ganz gleich, wie aufrichtig sie sein mögen. Täuschung und Verblendung sind ein fester Bestandteil astraler Vision, aber Tatsache ist doch, daß wir hier sind, wo wir sind. Wir haben noch soviel zu lernen – und so viele Vorurteile und vorgefaßte Meinungen abzulegen. Jeder einzelne von uns befindet sich auf seiner persönlichen Odyssee, und so wollen wir unsere Herzen öffnen, um alles das zu verstehen, was wir verstehen können. Wir alle sind sehr menschlich – und wir brauchen nur unserem Stern zu folgen, wohin auch immer er uns führt.

Was den Einsatz höherer Kräfte zur Manipulation physischer Materie angeht, so glaube ich persönlich, daß man weder mentale noch gar spirituelle Energien mit dem bewußten Versuch verschwenden sollte, das zu vollbringen, was im Grunde genommen Wunder sind. Alle diese Energien sind etwas Kostbares. Sollten wir sie nicht einsetzen, um innerlich auf unserem spirituellen und mystischen Weg weiterzugelangen? Spontane Telepathie und ähnliche Phänomene sind natürliche Ergebnisse eines spirituellen Wachstums und sollten ein natürlicher Teil unseres Wesens werden, ohne daß man viel Energie darauf verwendet, sie bewußt und gezielt zu entfalten. Schließlich sind unser eigenes Leben und Sein der einzige Besitz, den wir wirklich haben, und unser inneres spirituelles und mystisches Wachstum sollte unser höchstes Ziel sein. Hieraus erhalten wir die Kraft und Energie zur Vergeistigung von Denken und Materie.

KAPITEL 7

Schaltstelle der subtilen Energien – Der bioelektronisch-biomagnetische Körper

Allgemeine Einführung

Keine Abhandlung über subtile Energien wäre vollständig ohne eine Erwähnung der Aura. Alle subtilen Energien lebender Wesen kann man im Grunde als Teil ihrer Aura betrachten, wenngleich diese genaugenommen als die Energie verstanden wird, die von den Lebewesen ausgeht oder sie umgibt. Ja, selbst nachdem die Lebenskraft gewichen ist, haben Stoffe, die aus natürlichen, lebenden Pflanzen angefertigt wurden, noch eine angenehmere und harmonischere Schwingung als künstliche Substanzen. Vergleichen Sie zum Beispiel, wie sich Holz, Baumwolle und Leinen im Vergleich zu Nylon, Polyester, Vinyl und anderen Plastikmaterialien anfühlen.
Unser Bewußtsein, unsere Seele ist in einen Ozean von Energieverbindungen eingehüllt, die wir mit unseren fünf Sinnen beobachten. Das ganze Universum ist ein Tanz schwingender, vibrierender Energie. Alle physisch wahrnehmbare Materie hat ihre feinere, subtilere Entsprechung. Aufgrund der inneren Verbundenheit lebender Wesen mit der großen Quelle sind diese subtilen Energien ein fester Bestandteil ihrer Ausdrucksformen in den Energiefeldern der Schöpfung.
Diese Energien werden von Sinnesorganen aufgenommen, die schwingungsmäßig ebenso beschaffen sind wie die Energie, die sie registrieren. Unsere fünf grobstofflichen Sinne nehmen also grobstoffliche Materie wahr.

Und ebenso, wie subtile Energien die Baupläne für weniger subtile Energien sind, so bilden auch unsere Sinne nur einen Abschnitt eines vertikalen Spektrums von Sinnen, die Energiebewegungen und -differenzen im ganzen Bereich dieses Spektrums registrieren. Liest man Beschreibungen der Aura, so stützen sich diese scheinbar auf Wahrnehmungen, die mit den Augen gemacht wurden – in etlichen Fällen aber waren die körperlichen Augen dabei geschlossen. Auf ähnliche Weise sind alle Sinne – Sehen, Hören, Tasten, Schmecken und Riechen – auch bei allen psychischen, astralen und mystischen Erlebnissen beteiligt, jedoch in ihren subtileren Entsprechungen. Die Aura wahrzunehmen ist also nichts weiter als ein Gewahren von Energie auf der Ebene oder Schwingung, die dem jeweiligen Aspekt der Aura entspricht, für den die Sinne geweckt wurden. Das läßt uns wiederum verstehen, warum verschiedene Menschen die Aura auf unterschiedliche und zuweilen auch widersprüchliche Weise schildern. Das hängt davon ab, auf welches Energie- oder Schwingungsfeld die Aufmerksamkeit des Betrachters gerichtet ist, und vielleicht auch von diesem selbst und der Art, wie er sein Erleben schildert. Weiterhin ist im Bereich des Subtilen *der Einfluß des Beobachters* auf sein Erleben noch unmittelbarer als auf der grobstofflicheren Ebene.

Es besteht also eine wechselseitige Beeinflussung von Betrachter und Betrachtetem, und diese subtilen Verbindungen und Wechselwirkungen werden mehr oder weniger ausgeprägt immer im Spiele sein. Persönlichkeit und Karma des Betrachters werden zum Beispiel seine Wahrnehmung beeinflussen. Ein Mensch, der wirklich innerlich glücklich ist, wird andere allein durch seine Gegenwart glücklich machen; ein Mensch in schlechter, unglücklicher Verfassung wird sein Elend ebenfalls verbreiten und sich vermutlich noch darüber beschweren, daß

auch alle anderen so negativ seien, wohin er auch komme! Diese gegenseitige Beeinflussung in zwischenmenschlichen Beziehungen findet ununterbrochen statt und ist Teil der Anpassung, die wir alle in jeder unserer Beziehungen vornehmen, ob bewußt oder unbewußt.
Es trifft auch zu, daß die stärkere Persönlichkeit die schwächere beeinflußt. Die eine wird in Resonanz mit der anderen schwingen. Charakterstärke und vor allem geistige Kraft spiegeln sich immer auch in der Aura wider, in ihrer Größe, Qualität und Harmonie. Viele Leute haben schon die Atmosphäre oder »Ausstrahlung« von Menschen und Orten erlebt, auch wenn die Energie-Aspekte dieses Phänomens im allgemeinen nicht ernst genommen werden. Neben einem friedlichen und liebevollen Menschen zu sitzen wird einen erheben; die Nähe eines erzürnten, disharmonischen oder ärgerlichen Menschen dagegen herabziehen. Auf ähnliche Weise fühlen wir uns an einem strahlend warmen, sonnigen Frühlingstag, an dem die Blumen ihre Farbenpracht entfalten und ihr Duft die Luft erfüllt, im Herzen erhoben von dem neuen Leben, das überall in der Natur nun hervorbricht. In solchen Situationen wird die subtile Energie fast sicht- und greifbar. Wenn man die Augen halb schließt und sich auf die Natur einstellt, kann man die Lebenskraft des Neuen, Hervorsprießenden fast sinnlich wahrnehmen, das dem Licht entgegendrängt.
Im Tierreich scheint dieses Gewahrsein der Schwingungen fast etwas Selbstverständliches zu sein. Es ist wie ein sechster Sinn – wir nennen es Instinkt –, was die Tiere vor Gefahren warnt oder sie zu Nahrungsquellen und gutem Weideland führt. Zweifellos besitzen manche Tiere auch andere grobstoffliche Sinne als wir zur Wahrnehmung von Unterschieden in der materiellen Umgebung, aber darüber hinaus scheinen gerade die subtilen Fähigkeiten sehr stark ausgebildet zu sein, was jedem auffällt, der das Verhalten der Tiere beobachtet.

In den sogenannten primitiven Kulturen, die auf unserem Planeten inzwischen fast ganz ausgerottet sind, waren Telepathie und die angeborene Fähigkeit, sich auf die Schwingungen des anderen und der Natur und ihrer Kräfte einzustellen, ein wesentlicher Bestandteil des täglichen Lebens. Die Ureinwohner Australiens sprachen davon, »sich auf den Wind zu stützen«; die Buschmänner Afrikas kommunizierten telepathisch über große Entfernungen miteinander (vergleiche *Die verlorene Welt der Kalahari* von Laurens van der Post). Die Kahunas auf den hawaiischen Inseln und bestimmte »Priester« anderer Kulturen des südpazifischen Raumes besaßen eine natürliche psychisch-mediale Fähigkeit und Wahrnehmung.
In den Hochkulturen der Vergangenheit – bei Chinesen, Indern und Tibetern zum Beispiel – stoßen wir überall auf verschiedene Formen des Yoga und der Meditation und auf spezifische Übungen zur Eröffnung des mystischen oder vielleicht einfach des etwas subtileren Bewußtseins. Besonders die Tibeter sind berühmt für ihre geistigen »Siebenmeilenstiefel«; sie konnten sich dank ihrer Möglichkeiten, die Naturkräfte zu manipulieren, mit großer Geschwindigkeit über weite Entfernungen fortbewegen. Manche ihrer Klöster an den steilen Felswänden können nur mit Hilfe von Kräften in der Natur erbaut worden sein, die die moderne Physik erst noch entdecken und zu nutzen lernen muß. Es existieren authentische Berichte moderner Augenzeugen gewisser Zeremonien, bei denen riesige Felsblöcke durch die Luft bewegt und zu Bauzwecken auch ohne äußere mechanische Mittel auf steile Felsen hinaufbefördert wurden. Selbst hier in Europa finden sich noch viele Überreste großer Steinkreise uralter Kulturen. Die gewaltigen Steine wurden zum Teil über sehr weite Entfernungen herbeigeschafft; wie dies bewerkstelligt wurde, weiß heute niemand. Wenn man aber von seinem Wissen über die subtilen Energien Gebrauch

macht, ergeben sich zahlreiche neue Möglichkeiten und Erklärungen. Man zögert natürlich, in diesem Zusammenhang die ägyptischen Pyramiden zu erwähnen, die zweifellos schon mit jeder denkbaren Theorie unter der Sonne in Verbindung gebracht und für jedes Lehrgebäude okkulter und esoterischer Philosophie als Zeuge beansprucht wurden – was nur allzu deutlich zeigt, daß man noch kaum klare Vorstellungen über den Zweck und die Konstruktionsmethode dieser Bauwerke hat.
Aber schließlich ist es nur die Schwerkraft, die die Bewegung eines großen, schweren Gegenstandes oder auch nur des eigenen Körpers so schwierig macht. Und was ist diese Schwerkraft? Die Anziehungskraft von Materie zu Materie, von Energie zu Energie, eine der grundlegenden Kräfte in der Natur. Was aber ist diese Kraft wesensmäßig, was ist sie eigentlich? Was *ist* Schwerkraft? Darauf kann keiner in wissenschaftlichen Begriffen eine Antwort geben, die es einem erlaubte, eine Methode zur Beherrschung dieser Kraft zu erarbeiten ... noch nicht.
Ähnliches gilt zum Beispiel für die moderne Erforschung der Telepathie. Es gibt in unserer neuen Zeit viele, viele Menschen, die das Reich der feineren Schwingungen wahrnehmen und ein Verständnis für seine Gegebenheiten haben. Sie sind vielleicht nicht ganz telepathisch oder hellsichtig, aber auf jeden Fall teilweise oder zeitweise. Solche Fähigkeiten sind Nebenprodukte der Meditation und anderer Praktiken, die das Gewahrsein und die Kontrolle über subtile Energien steigern – Hatha-Yoga, T'ai Ch'i, Pulsoren, Reiki, um nur einige zu nennen. Leute, die sich mit solchen Methoden beschäftigen, sind aber meistens überhaupt nicht daran interessiert, den Wissenschaftlern in der Forschung zu helfen, die Existenz subtiler Energien zu beweisen oder zu widerlegen. Das wäre auch so, als wenn man von Sehenden in einer Gemeinschaft Blinder erwartete, diesen bei der Erforschung der

Frage zu helfen, ob es tatsächlich ein Sehvermögen gebe oder nicht! Den Blinden würde die Antwort auf ihre Frage nichts nützen, selbst wenn es ihnen gelänge, an die Möglichkeit des Sehens zu glauben – was ohnehin die meisten nicht täten. Sie würden vielleicht die Sehenden empfindlich verletzen. Ohne Zweifel kämen im Reiche der Blinden bald Magier auf, die zeigen würden, daß sie mit einiger List ebenfalls das tun können, was den Sehenden möglich ist. Aber auch das bewiese nicht viel – außer eben, daß einige Blinde vorgeben können zu sehen, und damit einige ihrer nicht sehenden Zeitgenossen zum Narren halten. Es wäre weitaus besser, wenn die Sehenden sich ruhig verhielten und unter sich blieben.

Und genau das ist es auch, was geschieht. Menschen, die sich so weit entwickelt haben, sind kaum geneigt, Stunden um Stunden ihrer kostbaren Zeit in einem Versuchslabor zu verbringen, um Zahlen oder Karten zu raten. Die Wissenschaftler, die sich solchen Forschungen widmen, suchen oft selbst – bewußt oder unbewußt – nach einer höheren Realität. Ihre Arbeit und Studien sind einfach ein äußerer Ausdruck ihrer inneren Bedürfnisse.

Dies gilt selbst für jene, die gegenteilig eingestellt sind – vielleicht sogar in besonderem Maße für sie. Liebe und Haß sind schließlich nur die beiden Seiten derselben Medaille. Wenn ein Fisch erst einmal am Angelhaken hängt, kann er sich widerstandslos aus dem Wasser ziehen lassen oder kämpfen; letztlich ändert sich dadurch nichts für ihn.

Molekular- und Wärme-Auren

Wir haben es also mit einem Spektrum von physischen, emotionalen, mentalen und höheren Energien zu tun, die alle in der menschlichen Aura vertreten sind, die alle prinzipiell wahrgenommen und häufig auch miteinander verwechselt werden können. Auf der grobstofflichen, körperlichen Ebene gibt es eine molekulare »Aura«, die den materiellen Körper um 5 bis 8 cm überragt; sie besteht aus Keratin-(Haut-)Teilchen, winzigen Salzkristallen, Ammoniak und anderen organischen Stoffen und Gasen. Dann gibt es eine elektromagnetische Aura in Form von infraroter (Wärme-)Strahlung. Moderne Thermographie-Diagnosegeräte können Krankheiten in Körperorganen aufgrund der Auswertung bestimmter Abweichungen im infraroten Spektralbereich aufspüren. Innerhalb dieser Wärmehülle des Körpers hält sich eine Unzahl von Bakterien und Mikroorganismen auf, die sich hier vermutlich auch vermehren. Warme Luftströmungen steigen zu Mund und Nase auf, und was sie mit sich tragen, wird wieder in den Körper aufgenommen – ein Hinweis mehr auf die Wichtigkeit regelmäßigen Badens und allgemeiner Reinlichkeit für die Gesundheit des Körpers.

Das elektrische Feld des Körpers

Auch ein elektrisches Feld umgibt den Körper, es überragt dessen Oberfläche etwa um zehn oder mehr Zentimeter. Professor Burr von der Yale-Universität entdeckte das Feld als erster – bereits in den dreißiger Jahren – und schrieb darüber in seinem Buch *Blaupause für die Unsterblichkeit.* Jedes Lebewesen ist schon von einem frühen Stadium seiner Entwicklung an vom elektrischen Feld umgeben, vermutlich schon ab seiner Zeugung. Das Feld spiegelt Veränderungen seiner körperlichen und seelischen Verfassung wider, die schon erkennbar sind oder sich mit einiger Wahrscheinlichkeit in der Zukunft zeigen werden – also auch schon Tendenzen zu solchen Zuständen.

Burr wies Zusammenhänge zwischen dem Zustand des elektrischen Feldes und den elektromagnetischen Veränderungen auf der Sonne (Sonnenflecken) nach; die Auswirkungen der wechselnden Sonnenfleckenaktivität waren zum Beispiel auch an den Bäumen auf dem Universitätsgelände über lange Zeit hinweg zurückzuverfolgen.
Burr entdeckte auch, daß bei Frauen Veränderungen der elektrischen Spannung zur Zeit des Eisprungs auftraten, und er stellte fest, daß Samenkörner, die genetisch für kräftiges oder zurückhaltendes Wachstum bestimmt waren, unterschiedliche Spannungswerte in ihrem elektrischen Feld zeigten. Burr führte über viele Jahre hinweg zahlreiche solcher Experimente durch, die ergaben, daß die elektrischen Felder sehr genau die unterschiedlichsten Verfassungen im Körperlichen und Seelischen widerspiegeln – bis hin zur Krebskrankheit. Er schloß daraus, daß diese Anordnungen elektrischer Potentiale von *primärem* Range sind und ihrem Wesen nach ein *steuerndes* Feld darstellen. Das bedeutet: Veränderungen in diesem Felde *bedingen und bestimmen* Veränderungen im Körper. Das Feld ist also keine Folge des körperlichen Zustandes und seiner Veränderungen, sondern deren Ursache. Weiterhin stellte Burr fest, daß die elektrischen Potentiale im Feld auf elektromagnetische Reize aus der Umgebung reagierten – auf magnetische Stürme, Sonnenflecken, Sonnenstellung, Mondphasen etc.
Es mag von Interesse sein, an dieser Stelle darauf hinzuweisen, welche Bedeutung Sonnenflecken überhaupt haben: Es handelt sich um gewaltige, nukleare Explosionen und Eruptionen von rund 200 000 Kilometern Durchmesser – das entspricht mehr als dem Fünfzehnfachen des Erddurchmessers –; dabei werden gewaltige Mengen von Partikeln und elektromagnetischen Schwingungen frei, die uns hier auf der Erde binnen weniger Minuten erreichen. Solche Phänomene sind verantwortlich für Störun-

gen im Rundfunk und elektromagnetische Ereignisse in der Erdatmosphäre – zum Beispiel Gewitter. Die dauernde Emission von Solarpartikeln – der sogenannte Sonnenwind – spielt überhaupt eine wesentliche Rolle beim Zustandekommen von Wetter und atmosphärischen Erscheinungen auf der Erde; sie ist auch die Ursache des Nordlichts, der Aurora borealis. Die Sonnenfleckenaktivität wird weiterhin in Verbindung mit Störungen auf unserer Erde gesehen, die in einem 11-Jahres-Zyklus auftreten. Dazu gehören sowohl gesellschaftliche Störungen – Kriege, Unruhen etc. – als auch geologische und meteorologische Veränderungen.
Burrs Werk wurde in jüngerer Zeit von einer Reihe amerikanischer Wissenschaftler weitergeführt, insbesondere von Dr. Robert Becker, der 1978 für seine Pionierarbeit auf dem Gebiet der Auswirkung von Elektrizität und elektromagnetischer Strahlung auf lebende Organismen für den Nobelpreis vorgeschlagen wurde. Die ganze Geschichte ist sehr komplex, und ein klares, umfassendes Bild zeichnet sich noch nicht ab; wichtig aber sind die Arbeiten von Burr und die des ungarisch-amerikanischen Biologen Szent-Györgyi, der bereits 1937 einen Nobelpreis für seine Erforschung des Stoffwechsels erhielt. Szent-Györgyi kam zu dem Ergebnis, daß zelluläre und andere lebende Gewebe Halbleitereigenschaften wie elektrische und elektronische Bauteile besitzen könnten. Die Theorie einer elektronischen Aktivität in Lebewesen wird von vielen Seiten der Forschung unterstützt – unter anderem auch von den Erkenntnissen aus dem Taubenflug. Tauben nämlich scheinen eine Reihe von Navigationssystemen zu besitzen; sie können nicht nur meilenweit sehen, sondern auch die Sonne, Sterne und das Erdmagnetfeld zur Orientierung nutzen. So sind sie zum Beispiel in der Lage, winzigste Veränderungen und Störungen des Magnetfeldes zu spüren. Es wurden Versuche mit

Tauben in künstlichen Tunnels unternommen, in denen nur magnetische Markierungen zur Verfügung standen, die den Vögeln den Weg zum Futter wiesen. Sie ergaben, daß die Tiere sich auch hier orientieren konnten, jedoch nur, wenn sie die Freiheit hatten, mit den Flügeln zu schlagen und zu flattern. Ihr geomagnetischer Navigationsmechanismus scheint von dem in den Vogelfedern enthaltenen Keratin abhängig zu sein, das vermutlich piezoelektrische Eigenschaften besitzt; die Flügelbewegung wäre also notwendig, um einen elektrischen Impuls zu erzeugen, der der Art des magnetischen Umfelds entspricht und es den Tauben ermöglicht, dessen Feldstärke und -richtung wahrzunehmen.

Keratin findet sich auch im Fell von Tieren, in Hörnern, Hufen, Haut und Nägeln sowie in den Schnurrhaaren – jenen hochempfindlichen Organen von Katzen und anderen Tieren; man denke an die Fühler vieler Insektenarten. Wir wissen, daß der piezoelektrische Effekt auch in Knochen und anderen Geweben besteht, was nichts mit dem ionischen Mineralgehalt zu tun hat, sondern mit elektronischen Phänomenen in gewissen Eiweißmolekülen und vermutlich auch mit der Zellstruktur an sich. Auch die DNS, das genetische Chromosomen-Material, besitzt piezoelektrische Eigenschaften.

Wir können also mit großer Wahrscheinlichkeit annehmen, daß das Nervensystem des Menschen weit mehr ist als ein ausgedehntes Leitungsnetz: nämlich ein superbioelektronisches, biomagnetisches System elektromagnetischer Felder und Kräfte, Strömungen und Ladungen mit Informationssammlungs-, -speicherungs- und -abruffunktionen, die millionenmal höher entwickelt sind als alle unsere modernen Computer. Teil der Forschungsarbeit von Robert Becker war etwa die Wiederherstellung, d.h. die Neuerschaffung von Körperteilen bei Ratten – von Knochen, Muskeln und allen anderen Geweben –,

und zwar einfach durch korrekte Anwendung von elektrischen Impulsen, Spannungen und Polaritäten.
Dorothy Hall erzählte uns einmal die Geschichte einer jungen Dame, die unter epileptischen Anfällen litt. Das Mädchen hatte lange, sehr lange Haare; ihr Freund nannte es eine Mähne. Dorothy Hall versuchte alles Denkbare, schickte die Patientin zu allen Arten von Behandlern, von denen sie sich Hilfe erhoffte, aber es brachte nichts. Schließlich ging ihr ein Licht auf, als die Patientin beiläufig erwähnte, daß es ihr nur einmal besser gegangen sei: Nachdem sie sich die Haare hatte schneiden lassen, gab es eine Zeitlang keine epileptischen Anfälle. Nun, die Mähne wurde wieder geschnitten; der Freund tobte, aber die Epilepsie war kuriert. Ich hätte gerne erfahren, ob die Anfallshäufigkeit zunahm, wenn die Patientin sich in der Nähe elektrischer Geräte befand oder ob irgendwelche Kabel oder Leitungen hinter dem Kopfende ihres Bettes verliefen.
Etwas Ähnliches gab es wohl bei einer unserer Töchter; sie hatte sich einige Male die Haare kräuseln lassen und jedesmal eine Phase emotionaler Unausgeglichenheit danach erfahren. Wenn Sie jemals Haare in der Vergrößerung durch ein Elektronenmikroskop gesehen haben, die dauergewellt oder der Behandlung mit gewissen kosmetischen Haarpräparaten unterzogen worden sind, hat sich Ihnen ein Bild des Schreckens geboten. Die Haare sehen aus wie Unkraut, das man mit Unkrautvernichtungsmitteln behandelt hat – sie sind verzerrt und verdreht und nicht mehr imstande, einen Energieaustausch zu ermöglichen oder die ausgleichenden Funktionen zu leisten, die man einst von ihnen erwartet hatte.
Wenn die Funktion des Haares – wie wir behaupten – also mehr ist als nur die einer gewissen Temperaturisolation und Verschönerung des Trägers, dann kann man nachvollziehen, wie seine elektrischen Eigenschaften – in

Verbindung mit der Kopfhaut Energie-Einflüsse in das Gehirn zu vermitteln – die Gehirnfunktion modulieren können. Das Haar am Körper kann als Vermittler eines allgemeinen Energieaustausches mit der Umgebung dienen, sowohl zum nährenden Aufbau als auch zur Informationssammlung.

Es gibt tatsächlich viele Phänomene, die uns von Forschern im Zusammenhang mit subtilen wie grobstofflichen Reaktionen von Lebewesen auf elektrische und magnetische Reize – häufig nur sehr geringer Intensität – berichtet werden. A. S. Presman äußert in seinem Werk *Electromagnetic Fields and Life* die Ansicht, daß solche Reaktionen auf Veränderungen in den *informationsverarbeitenden* Funktionen unserer Körperelektronik beruhen, da die auslösenden Reize zu gering sind, um deutliche Veränderungen in der Physiologie und Biochemie der Gewebe zu bewirken. Diese These stimmt völlig mit den Forschungen von Burr, Becker und anderen überein, die postulieren, daß der subtile »elektronische Körper« eine grundlegende Steuerfunktion habe. Wenn diese Funktion modifiziert wird, können Regeneration oder Degeneration von Geweben erfolgen, je nach Art der eingetretenen Veränderung.

Eine Reihe verschiedener magnetischer und elektromagnetischer Therapiegeräte befindet sich bereits auf dem Markt, die einer großen Zahl von Patienten Hilfe leisten. Geräte zur Negativ-Ionisierung der Luft sind recht bekannt und tragen nicht nur zur Bereinigung stikkiger Luft aufgrund zentraler Heizungsanlagen oder nicht zu öffnender Fenster bei, sondern werden auch in Spezialkliniken zur Behandlung von Verbrennungen verwendet, um die Wundheilung zu beschleunigen. Die meisten Menschen, die Luftionisatoren in ihrem Arbeits-, Wohn- oder Schlafzimmer haben, spüren eine deutliche Verbesserung ihrer Denk- und Konzentrationsfähigkeit –

was durch eingehende Untersuchungen in Büros mit ionisierter Luft bestätigt wurde; Patienten mit Problemen wie Asthma, Bronchitis, Heuschnupfen und anderen Atemwegsbeschwerden erleben oft eine Besserung. Auch die emotionale Stabilität ist von Verhältnissen zwischen positiv und negativ ionisierter Luft abhängig; und Ionisatoren können in vielen Fällen zur Linderung der Symptome von Depression und Migräne beitragen.
Einer der ersten Biologen, der auch die Schwingungs- oder Oszillationsaspekte zellulärer Materie in seine Forschungen einbezog, war George Lakhovsky, dessen Buch *Das Geheimnis des Lebens* auch in deutscher Übersetzung vorliegt. Er vertrat die These, daß der Kern einer jeden Zelle die wesentlichen Charakteristika besitzt, die einen schwingenden, elektrischen Schaltkreis aufrechterhalten. Auch Szent-Györgyi bemerkte in den fünfziger Jahren, daß sich die Molekülstruktur vieler Teile lebender Zellen wie Halbleiter verhalten könne, wodurch sie Eigenschaften der Kristalle zeige. Die Halbleiterfähigkeit ist ein Phänomen in Materialien, deren hochstrukturierter molekularer und atomarer Aufbau es Elektronen erlaubt, sich von einem Molekül zum anderen zu bewegen – wenn ein gewisser Schwellenwert elektrischer Spannung erreicht ist, um den Elektronen die nötige Energie zum Überspringen zu geben. Szent-Györgyi meinte, Eiweiße besäßen diese Fähigkeit, und Forschungen mit Keratin (wir erwähnten es schon) und Kollagen (ebenfalls ein Bestandteil vieler Körpergewebe) ergaben, daß seine Vermutung zutrifft. Darüber hinaus zeigten elektronenmikroskopische Untersuchungen der letzten beiden Jahrzehnte, daß Zellen in der Tat eine sehr komplexe, geordnete Struktur besitzen. Szent-Györgyis Vorstellung, daß Eiweiße im ganzen Körper zu langen Ketten miteinander verbunden sind, was elektronisch verschlüsselter Information das Weiterfließen gestattet, hat damit gewisse Unterstützung von experimenteller Seite erfahren.

Die Vorstellung von Information, die in schwingenden, elektromagnetischen Wellen verschlüsselt ist, entstand um die Zeit der ersten Rundfunkübertragungen. Lakhovsky, Szent-Györgyi und andere wandten dabei einfach Prinzipien, die gerade von Physikern entdeckt waren, im Bereich des menschlichen Körpers an. Heutzutage, da die Computer- und Informationstechnik sich entfaltet und überall die kristallinen, halbleitenden oder chemisch-elektronischen Eigenschaften von Substanzen wie Quarz, Silizium, Gallium-Arsen und anderen genutzt werden, können wir uns leichter vorstellen, daß der Körper über ähnliche Informationsspeicher- und -bearbeitungssysteme verfügt. Viele Biologen wissen gut, daß sich Phänomene, die von Physikern und Chemikern »entdeckt« werden, später als längst von der Natur genutzt herausstellen – wenn nicht universell, so doch artenspezifisch. Man denke an dieser Stelle nur an die Fledermaus und ihr Radarsystem, an die Taube und ihren eingebauten Kompaß, den Torpedofisch, der seine Beute mit einem elektrischen Schlag lähmt, und viele andere Beispiele. Ähnliches gilt auch für unsere Erforschung des menschlichen Körpers. Häufig »entdecken« wir Dinge im Körper erst dann, wenn uns eine äußere Parallele bekannt wird. Ja, es gibt im Grunde nichts äußerlich, künstlich Geschaffenes, das keine Entsprechung in unserem Organismus besitzt. Die fundamentalen Mechanismen zur Strukturierung und Umordnung von Energiemustern finden sich alle bereits in lebenden Zellen und Organismen. Bewußt oder unbewußt ahmen unsere künstlichen Errungenschaften nur spezifische Aspekte der Natur nach.
Unternehmen Sie nun einmal den Gedankensprung zu der gewaltigen Vielzahl von Unbekannten, die sich noch in den verschiedenen Prozessen des Lebens verbergen. Keine wissenschaftliche »Entdeckung« erreicht mehr, als nur eine etwas detailliertere Beschreibung von Ereignis-

sen abzugeben, in Übereinstimmung mit gewissen Theorien oder Vorstellungen. Solche Art von Wissen kratzt aber nur an der Oberfläche der Phänomene, die der Beobachtung zur Verfügung stehen. Die Wissenschaft hat – selbst wenn man gar nicht den Anspruch an sie stellt, daß sie ein Mittel zum Verstehen größerer Fragen sein könnte – erst an die Oberfläche eines Ozeans von Möglichkeiten gerührt. Und doch sind die Verwunderung, Trägheit, Voreingenommenheit und sogar Ablehnung, die jeder neuen »Entdeckung« entgegenschlagen, seit Menschengedenken ein typischer Zug unserer Grundhaltung. Die Geschichte berichtet uns von unseren Irrtümern, aber wir wiederholen sie in ständig wechselndem Gewande und erkennen nicht einmal, was wir tun!

So wollen wir unsere Vorstellung von dem, was unser Körper ist und was wir wesensmäßig sind, überdenken und in neuem Licht betrachten: Geben wir doch zu, daß kein Mensch (außer einem Mystiker) weiß, wie wir auch nur einen Finger beugen können. Welch ungeheuer komplexe Mechanismen und Energien mentaler und physischer Art sind doch an einer scheinbar so simplen Bewegung beteiligt!

Lakhovsky mit seinem Multiwellen-Oszillator, aber auch der modernere Becker und Forscher auf dem Gebiet des Magnetismus haben alle von ihrer Fähigkeit berichtet, Stoffwechselprozesse und Stimmungen zum Vor- oder Nachteil zu beeinflussen. Lakhovskys schwingende elektrische Schaltkreise konnten das Wachstum von Pflanzen anregen und seine Geranien von eingepflanzten Krebsgeschwülsten befreien. Burr konnte physiologische und anatomische Veränderungen durch Überwachung und Messung seines L-Feld-(Lebens-Feld-)Potentials kontrollieren und steuern. Becker konnte die Gewebsregeneration in amputierten Körpergliedern steigern und das Zusammenwachsen von gebrochenen Knochen herbeiführen, das sich ansonsten als problematisch erwiesen hätte. Wissenschaftler in Schweden behandeln Krebs mit schwachen elektrischen Strömen. Die Anwendung magnetischer Folien oder kleiner Magnete bei Sportverletzungen, aber auch auf arthritisch-rheumatischen Gelenken hat den Leidenden schon viel Linderung gebracht und den Heilungsprozeß beschleunigt. Elektroakupunktur, der Gebrauch von akustischen Resonanzen (zymatische Therapie), Pulsoren, Luftionisatoren und Magneten sowie viele weitere technische Möglichkeiten dieser Art weisen unmißverständlich in eine Richtung, ob wir das verstehen mögen oder nicht.

Natürlich liegt auf der Hand, daß alles seine positiven und negativen Seiten hat. Elektrizität und elektromagnetische Strahlung können auch sehr starke, negative Auswirkungen zeigen, die wir schon in einem früheren Kapitel besprochen haben.

In dem Wissen, daß elektrische Phänomene sehr eng mit Wirkungen im Bereich der subtilen Energien verwandt sind, können wir ein gewisses Muster und einen bestimmten Mechanismus hervortreten sehen. Das komplexe Energiemuster des bioelektronischen, biomagnetischen Körpers ist eine Herabstufung, eine niedrigere Manifestation der weiter innen wirksamen subtileren Energien. Das geht aus unserer Arbeit mit den Pulsoren deutlich hervor, die subtile Energie ausgleichen können, wenn diese von elektromagnetischen oder anderen disharmonischen Einflüssen gestört wurde. Es ist auch aus der Sicht mancher neuer Akupunkturtechniken nachvollziehbar, die inzwischen entwickelt wurden. Wir definierten bereits weiter oben, daß Akupunktur die Harmonisierung der subtilen Energie ist, die die Chinesen als Ch'i bezeichnen. Die subtilen Energiefelder, die durch Akupunktur behandelt werden, erstrecken sich längs sogenannter Meridiane oder Gefäße, in deren Verlauf sich in gewissen Abständen bestimmte Punkte befinden, an denen behandelt wird – sei es durch Nadeln unterschiedlichen Materials oder die Hitze, die durch Verbrennen von Kräutern entsteht (Moxa). Die Punkte und Meridiane stehen in reflektorischer Verbindung mit inneren Organen, Organsystemen und dem allgemeinen Energiehaushalt des Körpers.

Die Akupunkturpunkte sind bekanntlich von dem umgebenden Gewebe aufgrund ihres deutlich verringerten Hautwiderstandes zu unterscheiden (rund 2000 Ohm im Vergleich zu 1 Mio. Ohm). Es gibt eine Reihe von Elektroakupunktur-Geräten, mit deren Hilfe man die Punkte aufspüren und sie elektrisch stimulieren kann, anstatt mit einer Nadel, Hitze oder Fingerdruck (im Falle von Shiatsu oder Akupressur). Bei einer anderen Methode, die sehr wirksam sein soll, werden kleine Magnete auf die Akupunkturpunkte gelegt; diese Technik soll an einer späteren Stelle behandelt werden. Dr. Hiroshi Motoyama in Japan ist noch einen Schritt weiter gegangen und entwickelte ein computerisiertes, elektronisches Akupunktur-Analysesystem. Durch Anbringen einer Elektrode an dem Endpunkt eines jeden der 28 Meridiane kann man den Energiefluß längs des Meridians messen und bis ins kleinste analysieren. Der Computer druckt dann einen Befund des elektrischen Energiesystems des Körpers aus und gibt dabei an, welche Punkte zu behandeln sind, um das natürliche Gleichgewicht wiederherzustellen.

Die Messung des Hautwiderstandes als Anzeichen der Verfassung des Ch'i wurde auch von Dr. Pat Flanagan bei seinen Forschungen mit Pyramidenenergie verwendet, durch die er sehr deutlich zeigte, daß Pyramiden eine ausgleichende Wirkung auf diese subtilen Energien haben.

Elektromagnetische Lebensenergien

Schon lange weiß man, daß das Nervensystem elektrisch aktiv ist und elektromagnetische Strahlung aussendet, überwiegend mit niederer Frequenz, die in engem Zusammenhang mit den Gehirnwellen und dem Puls des Herzens steht. Diese Schwingungen werden in Elektroenzephalogrammen und Elektrokardiogrammen aufgezeichnet. Die moderne Forschung hat jedoch ergeben, daß solche Schwingungen nicht nur ein Nebenprodukt der elektrischen Nervenaktivität sind, sondern vermutlich auch eine wesentliche Rolle als informationsübertragendes, ordnendes Energiefeld spielen.

Dr. Morell, ein Arzt aus dem Ort Ottfingen in Deutschland, hat nach ausgiebiger Forschungsarbeit auf dem Gebiet der Biophysik eine Theorie der molekularen Schwingung als Grundmuster der Körperfunktionen entwickelt und zusammen mit einem hervorragenden Elektronikingenieur, Edwin Rasche, im Jahre 1975 die ersten Mora-Therapiegeräte hergestellt, die inzwischen ständig weiterentwickelt wurden. Der Begriff »Mora« wurde aus den Anfangsbuchstaben der Namen beider Wissenschaftler – MOrell und RAsche – gebildet.

Diese beiden Forscher haben ein breites Spektrum elektromagnetischer Ausstrahlungen entdeckt, die, wie sie behaupten, in direkter Verbindung mit den molekularen Schwingungen des Individuums stehen. Diese Schwingungsmuster nun werden von bestimmten, durch Hautwiderstandsmessung ermittelten Akupunkturpunkten »abgenommen« und in ein hochkompliziertes, elektronisches Analysegerät eingespeist. Dort werden sie »bereinigt« – d. h., Disharmonien werden ausgemerzt usw. – und dann wieder in den Patienten zurückgeleitet. Die Ergebnisse sind recht bemerkenswert und erfolgreich.

In Verbindung mit den Mora-Geräten gibt es auch einen

Apparat zur Farbentherapie. Seit unvordenklichen Zeiten wurden Farben auch zum Heilen verwendet, und häufig ordnete man den Chakras bestimmte Farbtöne zu. Auch die moderne Psychologie weiß um die mentalen und emotionalen Wirkungen von Farben; gewisse Farben werden eingesetzt, um gewisse Stimmungen auszulösen etc. Bei der Mora-Technik wird eine interessante Variante dieser Methode verwendet, die sich direkt auf die elektromagnetischen Eigenschaften der Farben bezieht. Reines, weißes Licht wird erzeugt, das dann in seine drei Komponenten Rot, Gelb und Blau aufgespalten wird; deren Mischung untereinander wiederum ergibt die Sekundärfarben Grün, Violett und Orange. Die für den Patienten gewählte Farbe wird dann auf elektronischem Wege in eine tiefere elektromagnetische Frequenz umgewandelt, die in harmonischem Verhältnis zur ursprünglichen Farbfrequenz steht, und zu Behandlungszwecken eingesetzt.
Der Mora-Methode in gewisser Hinsicht ähnlich ist die Indumed-Magnetfeld-Technik, die der Tübinger Dr. Ludwig seit 1963 erforscht und entwickelt hat. Die ersten klinisch verwendbaren Modelle waren ab 1974 im Handel, nach Forschungen an der Freiburger Universität. Der Begriff »Indumed« wurde aus den Wörtern Induktion und Medizin gebildet.
Wie schon an mehreren Stellen bemerkt, leben wir in einer Welt, in der natürliche elektrische und magnetische Phänomene eine ganz beträchtliche Rolle spielen. Zwischen der Ionosphäre und der Erdoberfläche besteht ein Spannungsunterschied von rund 200 000 Volt an statischer Elektrizität, das entspricht einem Spannungsunterschied von rund 400 Volt zwischen Ihrem Scheitel und Ihren Füßen, wenn Sie im Freien stehen. Dieses elektrostatische Feld ist nicht konstant, sondern es verändert sich. Es trägt in sich vertikal schwingende Wellen einer Basisfrequenz, die mit zahlreichen Oberschwingungen modu-

liert ist; das ganze Schwingungsmuster wiederholt sich einigemal pro Sekunde. Die Oberschwingungen reichen bis an die Megahertz-Region und üben einen steuernden und stabilisierenden Einfluß auf physiologische Vorgänge aus.

Diese Schumann-Wellen, wie sie auch genannt werden, sind ein natürlicher Teil unserer Umwelt, der durch zahlreiche moderne Baumaterialien und die Verstädterung blockiert oder abgeschwächt wird. Zur Entstehung der Schumann-Wellen ist ferner ein gewisses Maß an Leitfähigkeit der Erdoberfläche notwendig. Diese Leitfähigkeit hängt mit dem Grundwasserspiegel zusammen und wurde in neuerer Zeit durch die Nutzung des Grundwassers zu industriellen Zwecken reduziert. Damit wurden die Innenstädte zu Gebieten sehr geringer, wenn nicht gänzlich fehlender Aktivität der Schumann-Wellen.

Bei gesunden Menschen bedeutet die Abwesenheit der Schumann-Wellen nicht viel, Kranke jedoch bedürfen ihrer stabilisierenden Wirkung sehr. Das Fehlen der Schumann-Wellen wird also zuerst auch von jenen gespürt werden, die unter Belastung und Streß leben; die NASA hat Schumann-Wellen mit Generatoren künstlich erzeugt, um ihre Astronauten in guter psychischer Verfassung zu erhalten.

Unsere natürliche Umwelt wird auch von der Lithosphäre gebildet, dem Erdmagnetfeld, das von Elektronenplasmawellen und von ultrafeinen Energien moduliert wird, die die verschiedenen Spurenelemente ausstrahlen. Teil der Indumed-Apparate sind Magnetfeldgeneratoren mit Eisenteilchen, die mit solchen Spurenelementen angereichert sind. Diese Geräte, mit denen man auch die Elektronenplasma- und Schumann-Wellen künstlich erzeugen kann, zeitigen beträchtliche Erfolge bei der Therapie einer großen Zahl von Gesundheitsproblemen. Untersuchungen haben ergeben, daß unterschiedliche Zustände im Körper verschiedene Schwingungswerte oder harmonische Frequenzen haben, und so kann man das Indumed-Gerät auf die jeweiligen Befunde einstellen. All dies deckt sich weitgehend mit den Entdeckungen im Bereich der Radionik, da auch hier bestimmte Schwingungswerte mit bestimmten Körperorganen, Krankheiten und Zuständen assoziiert werden. Auch zahlreiche medial begabte Menschen sind sich des Faktums bewußt, daß die verschiedenen Organe sowie die physiologischen und anatomischen Systeme und Zustände ihre bestimmten Farben »tragen«, die sie mit ihrem subtilen Sehvermögen wahrnehmen können.

Die Behandlungszeit bei der Indumed-Therapie beträgt ungefähr 15 bis 30 Minuten je Sitzung. Wenn man jedoch das Indumed- mit dem Mora-Gerät kombiniert, kann man nicht nur den Therapie-Erfolg steigern, sondern auch die Anwendungszeit auf drei bis vier Minuten reduzieren, ohne daß dabei die Wirkung geschwächt wird. Mit anderen Worten: *Je umfassender uns die Harmonisierung der natürlichen Energieschwingungen im Menschen gelingt, desto weniger Energie brauchen wir, um eine tiefere, ausgeprägtere Wirkung zu erzielen.*

Das ist etwas, das die konventionelle Medizin, bei all ihren Vor- und Nachteilen, wohl überlegen sollte. Das gleiche gilt für alle Bereiche des Lebens: Eine große Wirkung ist nicht direkt gleichzusetzen mit der Menge an Energie und Material, die dabei aufgewendet wird. Erforderlich ist die richtige Menge Energie zur rechten Zeit und am rechten Ort. Wenn man eine Schaukel im richtigen Augenblick anstößt, gelangt man mit kleinstem Aufwand am weitesten. Stößt man im falschen Moment an die Schaukel, kann man sie zum Stillstand bringen oder sich die Hand brechen. Ähnliches gilt auch im materiellen Leben: Wohlstand ergibt sich nicht aus der Anzahl der Arbeitsstunden, sondern aus dem richtigen Einsatz von

Energie. Um im Bereich des Heilens eine maximale Wirkung zu erhalten, muß man sich auf die höchstmögliche Energie-Ebene begeben, die man erreichen kann, ohne die eigenen mentalen oder spirituellen Energien einzusetzen, und dann die harmonisierende Anwendung durchführen. Oder, um es etwas salopp auszudrücken: Wenn Sie es als Heiler bequem haben wollen – arbeiten Sie mit subtilen Energien!

Es gibt auch eine kleine Version des Indumed-Gerätes für den Hausgebrauch in Form einer einfachen Platte von 50 × 50 × 12 mm, die unter dem Namen »Mecos« angeboten wird. Mecos ist ein Generator für ein elektrostatisches Feld, das dem natürlichen elektrostatischen Feld der Erde gleicht; er kann mit Hilfe eines Schalters auf Modulationen zwischen 3 und 30 Hz eingestellt werden – was mehr oder weniger dem Bereich der wichtigsten Gehirnwellen-Frequenzen entspricht. Sowohl ich als auch eine Reihe meiner Freunde und Bekannten haben mit diesem Gerät experimentiert und festgestellt, daß es – auf 3 Hz eingestellt – sehr entspannend, fast einschläfernd wirkt, während die Frequenz von 30 Hz sehr anregend ist. Obwohl unsere privaten Versuche alles andere als gründliche wissenschaftliche Studien sind, führten wir auch Doppelblindversuche miteinander durch, um die naheliegende psychologische Beeinflussung auszuschalten. Fallbeispiele aus Deutschland haben gezeigt, daß Mecos geeignet ist, Schmerzen zu lindern, darunter auch Rheuma, Arthritis, Migräne und sogar Phantomschmerzen.

Die sogenannten Phantomschmerzen – d. h. spürbare Empfindungen und Beschwerden »in« einem Körperteil, der amputiert ist – sind hierbei besonders interessant. Es gibt natürlich neurologische Erklärungen dieses Phänomens, aber darüber hinaus berichten mit medialer Wahrnehmung begabte Menschen, daß auch nach der Amputation eines Körperteils einiges von dessen subtilen Eigenschaften an Ort und Stelle zurückbleibt. Der »Bauplan« aus subtiler Energie ist also noch vorhanden. Das könnte die Wissenschaft auf eine Regeneration von Körperteilen hoffen lassen, denn wenn der Bauplan, das subtile Energiemuster, noch intakt ist, geht es nur noch darum, die Gewebe dazu zu bringen, dem Muster entsprechend nachzuwachsen.

Kehren wir nun zu unserem Thema der Körperausstrahlungen zurück. Auch die Zellteilung erzeugt geringe Mengen ultravioletter Strahlung, die Informationen übertragen könnte, verschlüsselt in ihrem modulierten Wellenmuster. Die Mora-Therapeuten würden dieser Möglichkeit gewiß zustimmen und darauf hinweisen, daß nicht nur die ultraviolette Strahlung, sondern ein weitaus größeres Spektrum elektromagnetischer Emissionen Schwingungsmuster im Sinne von Gesundheit oder Krankheit bergen kann. Forschungen einer russischen Wissenschaftlergruppe in Nowosibirsk unter der Leitung von Dr. V. P. Kaznachajew brachten die Möglichkeit einer zellulären Kommunikation über ultraviolette Strahlen ans Licht der Öffentlichkeit. Etliche Wissenschaftler hatten schon früher behauptet, daß die Ausstrahlung von ultraviolettem Licht auf zellulärer Ebene benachbarte Zellen zur Teilung anrege. Kaznachajew und seine Kollegen gingen jedoch noch einen Schritt weiter. Sie bereiteten zwei identische Gewebekulturen in zwei getrennten, versiegelten, transparenten Behältern vor, zwischen denen eine Quarzplatte aufgestellt wurde. Die Besonderheit am Quarz ist, daß er – im Gegensatz zum Glas – ultraviolettes Licht leitet. Dann wurde eine der beiden Kulturen mit einem todbringenden Virus infiziert, und die Wissenschaftler konnten beobachten, wie auch in der anderen Kultur ähnliche Erkrankungszeichen auftraten. Als sie jedoch die Quarzplatte durch eine Scheibe gewöhnlichen Glases ersetzten, kam es in der nicht infizierten Kultur

nicht mehr zu Veränderungen. Man zog daraus den Schluß, daß die Modulation oder Information, die in der variablen Schwingung der elektromagnetischen, ultravioletten Strahlung verschlüsselt war, die gesunde Funktion der Zellen in der nicht infizierten Kultur störte.
Hill und Playfair schreiben in ihrem Buch *Die Zyklen des Himmels*, wenn diese Informationsverschlüsselung eine allgemeine Eigenschaft lebender Organismen sei, könne es möglich sein, die elektromagnetische Code-Entsprechung einer Krankheit auszusenden, um deren Symptome auch über eine Entfernung hinweg herbeizuführen. Ein schrecklicher Gedanke! Mit der gleichen Methode ließen sich jedoch auch Schwingungsmuster verbreiten, die Gesundheit, Glück und Wohlbefinden erzeugen. In diesem Zusammenhang erinnere man sich an das russische »Spechtsignal«, von dem in einem früheren Kapitel die Rede war, und stelle die Frage, welchem Zweck es wohl diente.
Dieses bioelektronische, biomagnetische Energiesystem, dessen Bild wir hier entwerfen – und es handelt sich dabei um ein hochentwickeltes Informationsspeicher- und Kommunikationssystem mit Energieverbindungen sowohl zu den grobstofflichen als auch zu den subtileren Energiebereichen –, kann auch leicht eine Erklärung dafür bieten, wie Farben (d. h. elektromagnetische Strahlung) uns im Körperlichen, Emotionalen und Mentalen beeinflussen können. Der Einsatz von Farben zu Heilzwecken ist eine uralte Kunst, die bereits in der antiken ägyptischen Kultur gepflegt wurde. Wir verstehen nun auch, warum Menschen sich bei einer natürlichen Beleuchtung aus dem ganzen Spektrum des Lichts wohler fühlen, besser arbeiten können und eine höhere Immunität gegen Krankheit haben; diese Fakten sind gründlich erwiesen und bezeugt von Verbrauchern, Forschern und Herstellern von Vollspektrum-Lichtquellen.

Eine Theorie, die John Evans von der Universität Cambridge in seinem Buch *Mind, Body and Electromagnetism* darlegt, kann zum Verständnis des bioelektronischen, biomagnetischen Bauplanes und der Schaltstellen subtiler Energie beitragen. Dieses *morphogenetische* oder *morphogene Feld*, wie er und andere Wissenschaftler es genannt haben, wird von interessanten Forschungsergebnissen bestätigt. Evans postulierte die Existenz gewisser grundlegender elektromagnetischer Frequenzen längs der Wirbelsäule und zeichnete dann mit Hilfe moderner Computergraphikmethoden die Umrisse der Äquipotentiale – das heißt der Punkte gleicher elektrischer Spannung –, die den Körper unter Zugrundelegung dieser Frequenzen umgeben würden. Die Ergebnisse sind faszinierend. Schon der erste Blick offenbart, daß die aufgezeichneten Konturen sich recht deutlich auf die anatomische Struktur des menschlichen Körpers, aber auch auf die Hauptchakras längs der Wirbelsäule als Brennpunkte oder Verteilerstellen subtiler Energien beziehen (siehe Abbildung). Evans weist auch darauf hin, daß wohl manche Aspekte der Biochemie erforscht und verstanden seien, aber doch keine wissenschaftlich formulierte Theorie existiert, die erklärte, wie Vorgänge des Lebens *organisiert* sind und sich folgerichtig zueinander verhalten und beziehen. Es liegt auf der Hand, daß eine Theorie, die den Körper allein als eine Anhäufung kausal zusammenhängender Effekte (wie die Bälle eines Billard-Spiels) sieht, ungenügend sein muß. Ohne einen zugrunde liegenden Hauptplan könnte kein solches System dem resultierenden Chaos entrinnen. Das gilt freilich für die Welt als ganze ebenso, obgleich hier das Muster, das hinter dem scheinbaren Chaos steht, vielleicht schwerer zu bestimmen ist; es ist jedenfalls Teil des Karmagesetzes. Daß Energiesysteme Organisation und Ordnung aus einer höheren Ebene in ihrem Inneren brauchen ist ein Faktor, der die ganze Schöpfung durchzieht und als solche charakterisiert.

Auf biologischer Ebene liegt die nächsthöhere Schwingung im Bereich des biochemisch-physiologischen Elektromagnetismus. Es gibt keine größere Notwendigkeit für die Existenz eines solchen Ordnungsfeldes als bei der Entwicklung des Embryos zum vollausgebildeten Erwachsenen seiner jeweiligen Spezies. Ich zitiere Evans: »Um eine kausale Embryologie zu entwickeln, müssen wir ein Energiefeld postulieren, das die richtige Art von Gesamtgestalt birgt, das ausreichend komplex und variabel auf der zellulären Detailebene ist und natürlich auch noch einen Bezug zu den experimentellen Erkenntnissen besitzt. Ein solches Feld ist nur aufgrund einer oszillatorischen Organisation zahlreicher verschiedener Frequenzen denkbar, die sich ständig phasengleich oder phasenverschoben zueinander bewegen. Selbst eine einzelne Anregungsfrequenz könnte ein recht komplexes Muster erzeugen, wie Chladni es mit seinen Klangmustern aus Sandkörnern, die er auf eine schwingende Platte streute, gezeigt hat. In neuerer Zeit hat Hans Jenny mit Hilfe elektromagnetischer Wellen und Tonschwingungen herrlich detaillierte, dreidimensionale Gestalten aus einer Vielfalt von Materialien erzeugt.«

Die moderne Einstellung zur therapeutischen Nutzung von Magnetfeldern

Magneteisenstein oder natürlich vorkommendes magnetisches Eisenerz wurde schon seit uralten Zeiten auch zu therapeutischen Zwecken verwendet. Die antiken Kulturen Griechenlands und Ägyptens sind Zeugen für den Einsatz magnetischen Materials zum Heilen. Hippokrates und Galen sprachen sich dafür aus, und der große Arzt und Mystiker des Mittelalters, Paracelsus, schreibt ebenfalls über die Wirksamkeit magnetischen Eisens.

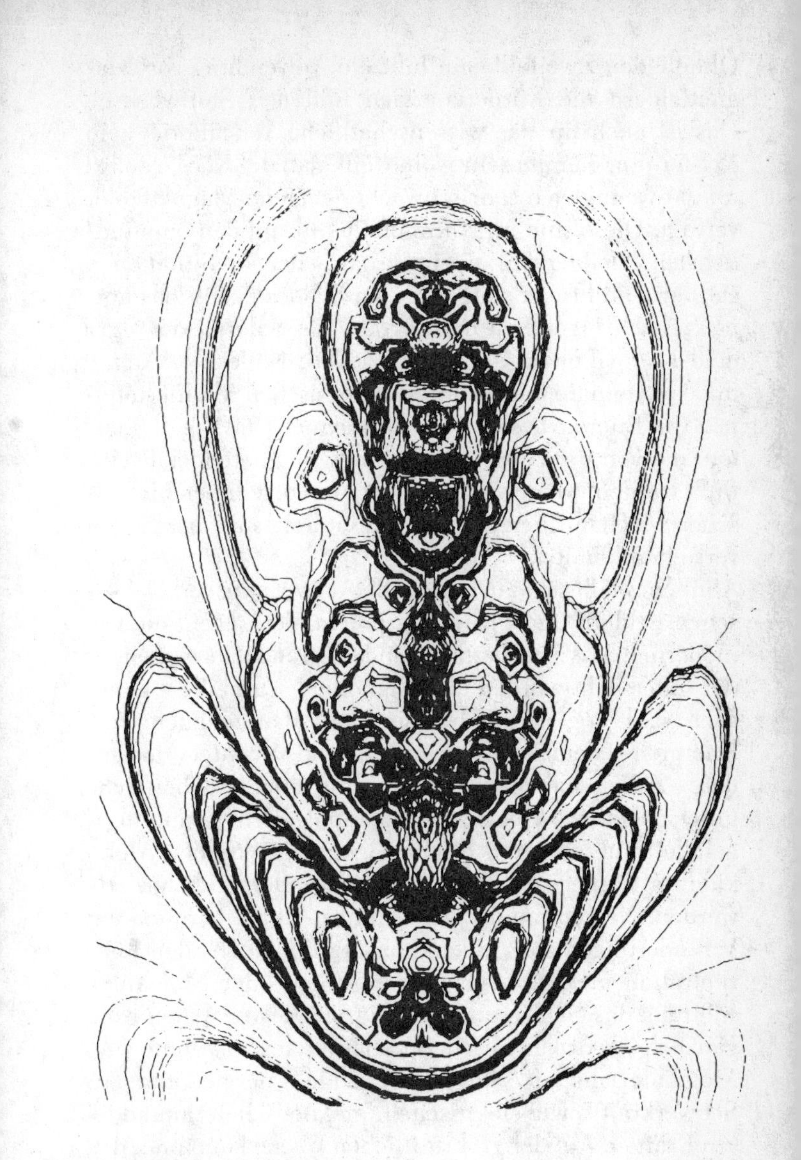

Aufzeichnung hypothetischer Äquipotentiallinien (nach Evans)

Ohne jeden Zweifel beeinflußt die Anwendung von Magnetfeldern die Körperenergien und den Stoffwechsel. Das ist auch für das wissenschaftliche Verständnis kein Mysterium, da man sehr wohl weiß, daß der Körper selbst über – wenngleich sehr schwache – eigene Magnetfelder verfügt. Diese sind im Normalfalle nur mit den empfindlichsten Meßgeräten nachweisbar, aber in Situationen starker Gefühlserregung oder bei Schocks kann das körpereigene Magnetfeld in der Nähe des Solarplexus sogar eine Kompaßnadel ablenken. Zellen, Moleküle, Atome und subatomare Partikel, ja alle physischen Manifestationen von Energie besitzen elektromagnetische Eigenschaften, die von der Anwesenheit eines Magnetfeldes beeinflußt werden, wenn wir auch die daran beteiligten biologischen Mechanismen in ihrem Zusammenspiel noch nicht verstehen können.
Ähnliches läßt sich auch über die Auswirkung von elektrischen Feldern und Spannungspotentialen sagen, die von modernen Wissenschaftlern und Therapeuten eingehender untersucht wurden als Magnetfelder und die energetisch sehr eng verbunden sind mit den magnetischen Energien – denn eines beeinflußt und »erzeugt« das andere. Zellen haben im Innern und an der Oberfläche unterschiedliche elektrische Potentiale, d. h. Spannungsgefälle, und aufgrund dieser Eigenschaft können Moleküle im Körper von einem Ort zum anderen »befördert« werden. Nervenimpulse, so nimmt man an, beruhen auf Veränderungen der Ionenkonzentration (d. h. der Konzentration elektrisch geladener Atome oder Moleküle), während das Gehirn und das zentrale Nervensystem wohl gänzlich elektrochemisch funktionieren. Ja, Atome und Moleküle sind an sich schwingende Energiefelder aus Schwerkraft sowie elektrischen, magnetischen und anderen Kräften. Auf der grobstofflichen Ebene kann man den Körper als einen vibrierenden Tanz elektrochemischer

und magnetischer Energien betrachten, die von den Pranas oder subtilen Lebensenergien zu einem zusammenhängenden, funktionierenden Ganzen geordnet werden. Ohne die Lebensenergien im Innern, die ihre Schwingungsexistenz aus dem Geist oder den Antashkarans beziehen, die wiederum von der Seele oder dem Bewußtsein über die ganze Hierarchie vermittelnder Energien geordnet werden, hört die Existenz der physischen Manifestation unseres Körpers auf. Wenn das Leben weicht, beginnt die komplexe, umfassende Ordnung der Körpermoleküle sofort auseinanderzufallen.

Die Anwendung von Energie, Kraft oder materieller Substanz wird also sicherlich – allein aufgrund ihrer wesensmäßigen Verwandtschaft mit dem Körper – das Funktionieren des Körpers beeinflussen. So etwas wie *passive* Beziehungen gibt es im Bereich der Energien überhaupt nicht. Alle Begegnungen sind hier *interaktiv*. Selbst wenn man einen festen Gegenstand auf einen anderen stellt, erhält man keine passive Koexistenz. Die *Interaktion* ihrer Schwingungsenergien führt dazu, daß der eine Gegenstand seine Form behält und auf dem anderen liegen bleibt. Wenn er aber sehr energiegeladen ist, kann er sogar sichtbar mit dem anderen Gegenstand reagieren. Sein Gewicht (eine Auswirkung der Schwerkraft) kann den unteren Gegenstand zusammendrücken oder anders in seiner Form verändern. Es kann zu einer Kombination von Energien kommen, die sich auf atomarer und molekularer Ebene als chemische Interaktion bezeichnen ließe. Es könnte auch zu einer magnetischen oder radioaktiven Interaktion kommen. Die Möglichkeiten sind grenzenlos, und wenn sie uns passiv *erscheinen*, dann kann man das auf molekularer oder atomarer Ebene so verstehen, daß ihre Moleküle in der Verbindung nicht allzu reaktionsfreudig sind. Man kann sein halbes Leben lang einen großen Klumpen Zucker auf dem Tisch liegen

haben, ohne daß er sich verändert (vorausgesetzt, die Fliegen bekommen nicht Wind davon) – sobald aber jemand daherkommt, der ihn in Wasser legt, reagiert seine feste Molekülstruktur mit der des Wassers und löst sich vor unseren Augen auf. Die Dauerhaftigkeit der festen Struktur war also recht illusorisch und allein von den äußeren Umständen abhängig.
So existiert *alle* Materie – ob grob- oder feinstofflich, ob auf mentaler oder höherer Ebene –, weil sie voller Schwingung und Energie ist, und so können wir verstehen, daß Magnetfelder und Polaritäten eine Wirkung auf den Körper ausüben.
Therapeutische Magnete, die bereits auf dem Markt angeboten werden, zeigen beträchtliche Unterschiede in ihrer Stärke. Das Erdmagnetfeld, das man auf den Eisengehalt der Erdkruste zurückführt, hat eine Stärke von etwa einem halben Gauß, das körpereigene Magnetfeld ist noch wesentlich schwächer. In diesem Zusammenhang ist es vielleicht interessant anzumerken, daß die magnetische Polarität der Erde sich bekanntlich aufgrund innerer, natürlicher Ursachen von Zeit zu Zeit umkehrt. Solche Zeiten fallen wohl aus geologischer Sicht mit jenen Phasen zusammen, in denen weitreichende Umwälzungen unter der Artenvielfalt der Lebewesen stattfinden, die die Erde bevölkern. Auch gibt es im Erdmagnetfeld Veränderungen, Schwingungen oder Schwankungen, die von großer Bedeutung sind, und je feiner und genauer ein Magnet und die mit ihm durchgeführten therapeutischen Maßnahmen abgestimmt sind, desto weniger magnetische Energie von außen wird benötigt, um eine Heilung, einen Ausgleich der Körperenergien, herbeizuführen. Und je näher man der kausalen Energie-Ebene kommt, desto geringer werden auch die Nebenwirkungen sein.
Manche Magnete werden mit sehr wenig oder gänzlich ohne Wissen von den unterschiedlichen Wirkungen der

Polarität benutzt. Sie sind im allgemeinen von höherer Feldstärke (manchmal bis 500 Gauß, d. h. das Tausendfache der natürlichen Stärke des Erdmagnetfeldes, auf die wir eingestellt sind) und bewirken eine Anregung des Körpers – vergleichbar mit der Wirkung des Koffeins –, die einen vorübergehenden Energieschub freisetzt. Man trägt diese Magnete an einem Kettchen um den Hals oder lose in der Tasche. Ich würde ihre Verwendung nur als Notfallmaßnahme bei einem akuten Zustand empfehlen, wenn kaum Alternativen zur Verfügung stehen.

Besser jedoch ist eine Magnetfolie, die eine Mischung aus Mineralien und Mineralsalzen enthält, darunter Eisen, Kalium, Magnesium, Natrium, Lithium und Mangan in Form von Phosphat, Chlorid, Sulphat und Bikarbonat; weiterhin können sich auch Silizium, Kupfer und Zink darin befinden. Eine solche Folie besitzt eine magnetische Feldstärke von nur 10 Gauß; ihre Wirkung ist der von wesentlich stärkeren herkömmlichen Magneten vergleichbar, ist aber, wie man annimmt, mit weniger Nebenwirkungen verbunden.

Die Arbeiten des deutschen Wissenschaftlers Dr. Wolfgang Ludwig und seines kanadischen Kollegen Bigu del Balnco haben uns umfassende Kenntnisse über den Zusammenhang der sogenannten Elektronenplasmaschwingungen (das sind Energieschwingungen oder -wellen auf subatomarer Ebene) mit dem magnetischen und elektrostatischen Feld der Erde vermittelt. Diese fast subtil zu nennenden Schwingungen hängen von der atomaren Struktur der spezifischen chemischen Elemente und Minerale ab. Sie nehmen etwas von der Energie-Charakteristika ihres Ursprungselements mit sich und breiten sich aus, wozu sie magnetische und elektrostatische Felder als *Trägermedium* gebrauchen. Mit anderen Worten: Die Wirkung eines Elements oder Minerals kann in Form von *Schwingungen* auf den Körper übertragen werden. Dies erinnert an die Methoden der Homöopathie, aber auch an die Therapien mit Blütenessenzen, Edelsteinschwingungen usw.

Solche Schwingungen sind von Natur aus im Magnet- und elektrostatischen Feld der Erde vorhanden, sind aber – ebenso wie die Felder selbst – innerhalb vieler Gebäude und städtischer Ansiedlungen bis zur Hälfte reduziert aufgrund der abschirmenden Wirkung des Betons und anderer moderner Baustoffe. Man kann sogar davon ausgehen, daß sie wahrscheinlich von den Baumaterialien sowie durch die elektromagnetische Strahlung aus Elektrogeräten und -leitungen zu *unnatürlichen* Schwingungsmustern modifiziert werden. Das führt zu dem, was zahlreiche Therapeuten als eine auf Energie-Ebene erzeugte Desorientierung empfinden, als eine Trennung von unserer Quelle an nährender, aufbauender und stabilisierender Erdenergie.

Die Beschichtung schwacher Magnete mit Mineralen ermöglicht uns also, die Schwingungsqualität der Minerale in den Körper zu übertragen. Da die Energie somit feiner auf die Bedürfnisse des Organismus abgestimmt ist, wird weniger davon benötigt, und man kann einen harmonischeren Ausgleich der Energien im Körper erreichen.

Der Körper selbst hat wiederum seine bestimmten Bahnen – die Meridiane und Nadis –, auf denen Energie als subtile Schwingung fließt. Aufbauend auf den acht Sondermeridianen der Akupunktur hat Dr. Itoh aus Japan eine Technik entwickelt, bei der Minimagnete gebraucht werden – Durchmesser ca. 6 mm, Feldstärke ca. 0,5 Gauß –, um das Energiesystem des Körpers auszugleichen. Die Magnete werden bewußt unter Berücksichtigung ihrer Polaritätswirkungen eingesetzt. Die traditionelle chinesische Medizin lehrt die Grundprinzipien von Yin und Yang als wesentlichen Aspekt ihrer Heilkunst, und sogar manche medizinischen Wissenschaftler unserer Zeit wissen in-

zwischen, daß bakterielle und virale Infektionen häufig dann Fuß fassen, wenn das Säure/Basen-Gleichgewicht (der pH-Wert) des Organismus sich in den befallenen Zellen verändert. Der Umkehrung der Situation durch Wiederherstellung des Gleichgewichts von Yin und Yang (wodurch automatisch auch jede Abweichung vom normalen pH-Wert korrigiert wird) mit Hilfe von Akupunkturnadeln oder Moxibustion (d.h. Hitze-Anwendungen an bestimmten Punkten) ist eine uralte chinesische Heilmethode. Itoh fand heraus, daß die gleiche Wirkung mit seinen Minimagneten zu erzielen ist.
Die Frage, ob die Energiewege bei diesem Ausgleichen auf jeden Fall identisch sind – ob man nun Nadeln, Magnete, Hitze oder leichte Elektro-Stimulation anwendet –, bleibt Gegenstand von Spekulationen. Ich persönlich möchte es bezweifeln. Ich könnte mir vorstellen, daß jede Quelle äußerlich angewandter Energie das Spektrum der Energien an einem leicht unterschiedlichen Punkt erreicht, was auch leichte Variationen in der erzielten Harmonisierung des Energiegleichgewichts zur Folge hätte. Akupunkteure, die alle hier genannten technischen Möglichkeiten beherrschen, wenden sie auch je nach Situation und Bedürfnis des Patienten individuell unterschiedlich an.

Der biochemische Zusammenhang

Zwischen der Biochemie unseres Körpers und seinem bioelektronisch-biomagnetischen Energiesystem besteht eine interessante Verbindung. Hier zeigt sich erneut, daß wir es im Grunde nach wie vor mit einem einzigen, komplex verwobenen Energiesystem zu tun haben – nicht mit separat funktionierenden Organen und Einheiten, sondern mit einem einzigartigen, wunderbaren Ganzen.

Wie in einem früheren Kapitel dargestellt wurde, zeigt ein Gerät zum Aufspüren von elektrischen Induktionsfeldern an 50-Hz-Wechselstromleitungen die gleichen Meßwerte an einem menschlichen Körper an, wenn man ein isoliertes, aber unter Strom stehendes elektrisches Kabel anfaßt. Wir erinnern uns, daß dieses Feld von Person zu Person »weitergereicht« wird, wenn man einander an den Händen hält. Bei unseren Experimenten mit diesem Gerät konnten wir erkennen, daß die elektrische *Leitfähigkeit* und die *Kapazität* (d. h. die Fähigkeit eines Materials, elektrische Energie zu speichern) von Mensch zu Mensch und darüber hinaus von Tag zu Tag verschieden ist. Wir müssen noch weitere, gezielte Versuche unternehmen, aber bereits jetzt zeichnet sich eines deutlich ab: *Dieser »dielektrische Faktor« wechselt sowohl mit unserem Gefühls- als auch mit dem Gesundheitszustand.*

Pat Flanagan berichtet, daß er einmal 30 Gramm reiner Aminosäuren aß (was wir Ihnen auf keinen Fall zur Nachahmung empfehlen!) und feststellte, daß seine Körper-Kapazität sich dabei binnen drei Minuten von 100 pF auf 0,1 μF, das heißt auf das Tausendfache, steigerte. Mit anderen Worten: Es besteht eine direkte Verbindung zwischen der Biochemie des Körpers und seinem bioelektronischen Energiesystem. Angesichts der Tatsache, daß eine der wichtigsten Energien für die Manifestation von Materie ihrem Wesen nach – auf intramolekularer und subatomarer Ebene – elektromagnetisch ist, müssen wir uns auf unsere Kenntnisse auf dem Gebiet der Schwingungen besinnen, um diese Entdeckungen zu deuten.

Molekulare und atomare Strukturen sind an sich schwingende, sich bewegende Energiemuster, die elektrische, magnetische, Schwer- oder andere Kräfte enthalten. Nur die Vereinfachungen im Rahmen unserer chemischen und biochemischen Terminologie und Beschreibung sowie unsere statischen Bilder und Modelle von Molekülen und

Atomen als im Raum fixierte Kugeln »träger Materie« erschweren es uns, sie als schwingende Energiestrukturen zu sehen.
Schließlich sollten wir in diesem Zusammenhang auch an die spezifischen Wirkungen gewisser halluzinogener Substanzen wie LSD und Meskalin denken. Der Effekt dieser Drogen auf den Verwender ist abhängig von dessen Persönlichkeit und innerer Verfassung sowie von der Stimmung, in der er sich beim Gebrauch der Droge befindet. Bedingt dadurch fallen die individuellen Erlebnisse unter dem Einfluß der Drogen fast so verschiedenartig aus wie die Persönlichkeiten ihrer Konsumenten. Trotzdem gibt es gewisse, immer wieder berichtete Übereinstimmungen. Dazu gehört eine Steigerung des physischen Gewahrseins, d. h., die durch die Sinne aufgenommenen Eindrücke werden wesentlich deutlicher wahrgenommen. Die Menschen haben das Gefühl, als hätten sie nie zuvor Farben so klar *gesehen* oder Musik so intensiv *gehört*. Die Schwingungskraft von Farbe und Klang wird in einem solchen Maße verstärkt, daß man in echter, ekstatischer Glückseligkeit die Schönheit eines Sonnenuntergangs oder des herannahenden Morgens betrachten kann, die Bewegung der über den Himmel ziehenden Wolken oder vielleicht einfach nur ein Detail in der Zeichnung eines Blattes. Selbst die als Lieblingsmusik wohlbekannten Stücke hört man gleichsam mit neuen Ohren. Drogenkonsumenten berichten, daß sie das Gefühl hätten, den Komponisten oder Musiker nie zuvor richtig verstanden zu haben. Auch Geschmacks- und Geruchssinn sind auf ähnliche Weise verfeinert, und der Duft der Geißblattblüte zum Beispiel kann einen ekstatisch erschauern lassen.
Auch die Zeitwahrnehmung verzerrt sich. Drogenkonsumenten berichten, daß ein Blick auf die Uhr genüge, um zu lächeln und ungläubig die Augen aufzureißen. Die

Zeit erscheine so langsam und auf seltsame Weise fast unglaublich. Häufig wird auch über mediale Erlebnisse und telepathische Kontakte zu anderen Menschen berichtet, die sich ebenfalls gerade »auf dem Trip« befinden. Die visuelle Wahrnehmung von elektrischen und magnetischen Feldern, über die Hellsichtige berichtet haben, wurde auch in ähnlicher Form von Meskalinkonsumenten verzeichnet.

Man sollte freilich darauf hinweisen, daß Trips mit Halluzinogenen auch mächtig schiefgehen können. Es bedarf nur eines geringfügigen unangenehmen Erlebnisses oder Gedankens, und schon gerät das Gemüt aus dem Gleichgewicht und in ein Durcheinander; dann wird das Drogenerlebnis buchstäblich zu einer Hölle, aus der kein Entrinnen mehr möglich ist. Ich habe selbst von Menschen erfahren, die infolge ihrer LSD- oder sonstigen Drogeneinnahme Selbstmord begingen oder emotional-mental dauerhaft gestört waren. Solche Substanzen sind gewiß keine belanglosen Stoffe zum Herumprobieren, um rasch »high« zu werden.

Die interessante wissenschaftliche Fragestellung ist jedoch, wie die LSD-Moleküle dies alles bewirken können. Die Steigerung der Wahrnehmung, die Glückseligkeits-Empfindungen, die telepathischen oder sonstigen Erlebnisse mit subtilen Energien zeigen uns doch deutlich genug, daß wir es hier mit der subtilen Seite unseres körpereigenen Energiesystems zu tun haben. Direkt oder indirekt wirken die Moleküle der Halluzinogene über die Molekülebene auf die subtilen Energien ein, und unsere Erfahrungen mit den bioelektronischen Aspekten des Körpers sagen uns, daß dies die Schaltstelle des Biochemischen mit dem Subtilen ist.

Kristallstrukturen im Körper

Bei Zusammenkünften in den USA wurden von dem Trance- und Channeling-Medium Kevin Ryerson Botschaften über die subtilen Aspekte von Gesundheit und Heilen durchgegeben. Ryerson sagte, daß der Körper selbst – neben seinen biomagnetischen und bioelektronischen Aspekten – ein komplettes kristallines System besitze, das von der modernen Medizin noch nicht recht durchschaut sei. Zu diesem kristallinen System gehörten Zellsalze, Fettgewebe, Lymphflüssigkeit, rote und weiße Blutkörperchen und die Epiphyse. Diese kristallinen Strukturen arbeiteten auf der Basis von sympathischer Resonanz – die wir in Kapitel 6 bereits besprochen haben –, und die heilenden Energien von Schwingungsarzneien (wie Homöopathika, Blütenessenzen usw.) würden auf diese Weise von den körpereigenen, kristallinen Strukturen verstärkt. Ähnliches gelte auch für die Edelsteinmedizin, Pulsoren, Mora-Therapie etc.; mit Hilfe dieser Methoden könnten die Körperenergien von »außen« durch das biophysische Aurafeld verstärkt werden.
Kevin Ryerson sagte in Trance ferner, die Epiphyse mit ihrer kristallinen Struktur sei eine wesentliche Schaltstelle zur Steuerung der Verbindung zwischen dem Körper und den höheren, subtilen Energien. Eine ständige Resonanz bewege sich längs der Wirbelsäule zwischen zwei entscheidenden Reflexpunkten, der Medulla oblongata und dem Steißbein. Diese Aussage bezieht sich natürlich auf die durch die Chakras fließende Energie. Die aus dem Bereich der subtilen Energien über die Epiphyse empfangene Information wird so der ständigen Resonanz aufgeprägt und geht von hier aus weiter in andere Teile des Körpers – über die Akupunktur-Meridiane, Nadis und kristallinen Strukturen, die biomagnetischen, bioelektronischen Energiefelder und das Nerven- und Blutgefäß-

system etc. Die Energie von Schwingungarzneien, Edelsteinen, Pulsoren usw. aktiviert dieses ganze System und beeinflußt so die Gesundheit und das Wohlbefinden des Menschen.
Anklänge an dieses Energiesystem finden sich im Werk von John Evans ebenso wie in der Mora-Forschung. Zu den Forschungsgebieten gehören: spezifische kinetische Schwingungen; die winzigen elektromagnetischen Felder subatomarer Partikel, Atome und Moleküle; Resonanz-Effekte, piezoelektrische Proteine, elektro-physikalische Eigenschaften von Akupunkturmeridianen und -punkten, strukturierte, kristalline Stoffe im Körper. Aus all diesen Aspekten ergibt sich ein Bild biophysikalischer Energien, das der modernen Biochemie oder Physik zur Zeit noch unerreichbar scheint, das aber einen faszinierenden und gewiß erfolgversprechenden Erkenntnisweg in Richtung Gesundheit und Heilung bietet.
Weitere Forschungen über kristalline Muster wurden von dem Kräuterheilkundigen George Benner durchgeführt. Sein Interesse wurde zunächst von einem Buch über Pflanzennachbarschaften im Anbau geweckt, das die Nutzung sympathischer Energieverbindungen zwischen verschiedenen Pflanzenarten zur gegenseitigen Anregung des Wachstums bei benachbartem Anbau lehrt.
Nach einer Methode, die Rudolf Steiner schon vor über sechzig Jahren gebrauchte, stellte einer der Autoren, Dr. Philbrick, die Beziehungen zwischen verschiedenen Pflanzen fest, indem er Saft von jeder Pflanzenart in eine 5%ige Kupferchloridlösung gab und die Mischung zu einem kristallinen Muster austrocknen ließ. Für jede Pflanzenart ergab sich ein individuelles, beliebig wiederholbares Muster – wie ein Fingerabdruck der Pflanzenenergien, wenn man so will.
Wenn der Saft von zwei Pflanzen verwendet wurde anstatt von einer, war das resultierende Muster entweder harmo-

nisch oder disharmonisch und chaotisch. Laut Philbricks Forschungsergebnissen zeigen die meisten Pflanzen, die sich gut nebeneinander vertragen, harmonische Kristallisationsmuster, während bei den Pflanzen, die nicht gut miteinander harmonieren, disharmonische Kristallisationsbilder auftreten.
Benner, der auch Botaniker ist, setzte diese Untersuchungen fort, zunächst zur Identifikation von Pflanzenarten. Später ging er zur Untersuchung pathologischer Zustände bei Menschen über, indem er einen Tropfen Speichel eines Kranken in eine 5%ige Kupferchloridlösung mischte und auf einen Objektträger gab. Was er dabei entdeckte, war höchst erstaunlich. Zunächst stellte sich heraus, daß nicht nur Pflanzen einen arteigenen »Energie-Fingerabdruck« besaßen, sondern auch der Speichel von Patienten mit bestimmten krankhaften Zuständen übereinstimmende Charakteristika zeigte.
Damit hörten die Entsprechungen aber noch nicht auf. Benner bemerkte, daß die Kristallisationsbilder des Speichels von Patienten mit bestimmten Leiden ihn an die Kristallisationsmuster gewisser Pflanzenarten erinnerten. Weitere Untersuchungen ergaben, daß sehr häufig die Pflanze, die als spezifisches Heilmittel für einen bestimmten Krankheitszustand bekannt war und verwendet wurde, genau das gleiche Kristallisationsbild aufwies wie der Speichel des Erkrankten. Ich erinnere daran, daß wir es hier mit einem Muster zu tun haben, das sich aus dem Speichel eines Patienten mit einem bestimmten pathologischen Zustand formte. Wir betrachten also vielleicht die Reaktion des Körpers auf diesen Zustand und nicht das Krankheitsmuster an sich.
Wenn man annimmt, daß das Kristallisationsbild die Energieschwingung innerhalb des gelösten Stoffes wiedergibt, kann man möglicherweise den Schluß ziehen, daß der Körper dieser Schwingung bedarf, um sich selbst

zu heilen. Jedenfalls muß der aufgedeckte Zusammenhang in bezug auf die Schwingungen von einiger Bedeutung sein, da er absolut nicht mehr als zufällig zu erklären ist.
Diese Thematik ist ein weites, höchst faszinierendes Gebiet, und ich schneide es hier an, um die Aufmerksamkeit erneut auf die Schwingungsaspekte von Energiebeziehungen und ihre Rolle im Körper zu lenken. Die Wirkung dieser Schwingungen auf einfache Kupferchloridkristalle ist etwas sehr Interessantes, und die ganze Angelegenheit bedarf weiterer Erforschung.

Farbe, die Iris, Irisdiagnose, Energie und Sonnenschein

Hier stellen wir schließlich einen weiteren jener Gedankengänge vor, die ein neues Stück zu unserem Puzzlebild hinzufügen. Man könnte meinen, daß Farbe (elektromagnetische Energie) oder eine entsprechend höhere harmonische Schwingung keine Wirkung auf das Energiesystem des Körpers hätten. Erinnern Sie sich aber, daß – und dies ist ein wohlbekanntes Phänomen – manche Blinden lernen können, Farben mit ihren Fingerspitzen zu »spüren«, d. h. durch ihre Haut, mit ihrem Tastsinn wahrzunehmen; sie vermögen sogar die Eigenschaften der Farben zu beschreiben. Rot zum Beispiel soll eine warme, »expansive« Farbe sein, während Blau kühl, zusammenziehend wirkt – nicht anders reagieren wir auf die visuelle Wahrnehmung dieser Farben. Das bedeutet, daß mit Farben ein Energie-Aspekt verbunden ist, daß die Schwingung bestimmter Frequenzen elektromagnetischer Energie von sich aus wärmend oder kühlend ist, unabhängig davon, wie und ob wir die Farben visuell wahrnehmen. (Man beachte auch die Polarität dieser

Farbunterschiede.) Das ist der energetische Hintergrund der Verwendung von Farben beim Heilen, in der Psychologie und Soziologie.
Denken Sie auch daran, daß die Reflexion oder Brechung des Lichtes an einer Oberfläche kein passiver Vorgang ist, sondern auf eine *Interaktion* der Energien auf subatomarer und atomarer Ebene zurückzuführen ist; zumindest läßt sie sich in diesen Begriffen erklären und verstehen.
Farida, meine Frau, hat seit vielen Jahren Irisdiagnose praktiziert und gelehrt. Die Irisdiagnose ist die Wissenschaft und Kunst der Diagnose des Zustandes von Organen und Organsystemen des Körpers im physischen wie im emotional-mentalen Bereich durch die Deutung von Merkmalen und Strukturen in der Iris, der Regenbogenhaut des Auges. Auf welche Weise genau die Iris zu einer so komplexen »Landkarte« geworden ist, darüber kann man bisher nur spekulieren, an der Tatsache selbst besteht jedoch kein Zweifel. Die Iris ist die Anzeigetafel des Körpers und einer der Hauptbrennpunkte der Energie.
Farida und andere Irisdiagnostiker haben jedoch festgestellt, daß nicht nur der Komplex Körper-Gefühl-Geist sich in der Iris widerspiegelt, sondern daß umgekehrt auch Veränderungen der Iris (durch Unfall oder Operation etwa) sich mit einem direkten Einfluß in jenen Bereichen des Körpers bemerkbar machen, die sich in den verletzten Iriszonen widerspiegeln. Wir haben es also mit einem System zu tun, in dem Informationsaustausch in beiden Richtungen stattfindet.
Dorothy Hall, eine australische Naturheilkundige und Irisdiagnostikerin, beschrieb eine Reihe solcher Fälle in einem Irisdiagnose-Seminar für Fortgeschrittene, das im April 1986 in Cambridge stattfand. Ein Patient beispielsweise, der wegen grünen Stars operiert wurde – bei diesem Eingriff wird u. a. ein kleines Stück der Iris oberhalb

der Pupille entfernt –, litt in der Folge unter Persönlichkeitsveränderungen, mentalen Problemen, epileptischen Anfällen und Schwierigkeiten auf sensorischem Gebiet. Der verletzte Teil der Iris bezieht sich unmittelbar auf Belebung und Leben, Gleichgewicht und Schwindelgefühl sowie bestimmte andere Gehirnfunktionen.

Ein Bauhandwerker kam zu Dorothy Hall und klagte über so schwere Rückenschmerzen, daß er Angst hatte, seine Arbeitsstelle zu verlieren. Die Behandlerin stellte ein Pterygium (»Flügelhäutchen«) fest: bindegewebige, gefäßreiche Haut zwischen dem Augenwinkel und der Hornhaut (recht häufig bei Angehörigen der weißen Rasse, die in Ländern leben, in denen der UV-Anteil am Sonnenlicht sehr stark ist), die über jene Ränder der Iris gewuchert war, die man mit der Wirbelsäule assoziiert. Die Gewebswucherung wurde entfernt, und die Wirbelsäulenbeschwerden verschwanden restlos und *ohne jede weitere Behandlung*.

Dies bedeutet, daß die Iris im wesentlichen eine Reflexzone ist, von der aus Energie-Einflüsse über Reflexverbindungen andere Teile und Gebiete des Körpers erreichen. Man könnte sich auch darüber Gedanken machen, inwiefern die Iris an sich ein eigenständiges Organ ist und die Aufgabe hat, sich direkt vom Licht und vielleicht auch anderen Energien der Umwelt und der Sonne zu »nähren«.

Die moderne Endokrinologie hat Zusammenhänge zwischen dem Auge und der Epiphyse festgestellt, die etwas mit dem zirkadianen Rhythmus zu tun haben, dem 24-Stunden-Zyklus von Licht und Dunkel, von Tag und Nacht, auf den wir eingestellt sind. Wir wissen auch, daß die Epiphyse eine überaus wichtige Kontrollfunktion über das subtile und das körperlich-kristalline Energiesystem innehat.

Das biomagnetische und bioelektronische Energiesystem

des Körpers könnte somit auch direkt von der Iris gespeist werden, und zwar über deren spezifische Einstellung auf die einzelnen Organe und Organsysteme. Unser Wissen über die Wirkung von Farben auf den Körper – nicht allein durch die Augen – läßt uns auch besser verstehen, warum die meisten sich im Sonnenschein – oder gar sonnenbadend – besser fühlen. Das würde auch erklären, warum Patienten, die einige Zeit die Augen zugebunden bekommen hatten, oft muskulär schwächer wurden, auch wenn sie nicht ans Bett gefesselt waren, sondern sich bewegen und üben konnten. Man denke auch an das Drüsenfieber; zwei der typischen Symptome sind die Unfähigkeit, in helles Licht zu blicken, und die massive Entkräftung und Energielosigkeit. Vielleicht gibt es ein ganzes Spektrum symptomatischer Körperschwächen, die mit einem unausgewogenen Energienachschub über die Iris zusammenhängen. Das freilich ist nur ein Gedanke, dessen Erforschung sich aber gewiß lohnen würde.
Energie und »Brennstoff« nehmen wir also auf mannigfache Weise auf, nicht nur durch Essen und Trinken. Die Organe und Systeme unseres Körpers erhalten ihre subtilere Nahrung durch Anregung der Reflexzonen in Händen und Füßen, während wir gehen und arbeiten – besonders, wenn wir weiche, flexible Schuhe tragen oder Klima und Umgebung es uns erlauben, barfuß zu gehen. Ebenso nimmt die Iris elektromagnetische und subtilere Energie von außen durch Absorption und Resonanz auf.

Zusammenfassung

Wie schon einmal erwähnt, haben in manchen modernen Theorien auf dem Gebiet der Physik auch Begriffe wie »Geisterenergie« oder »virtuelle Energie« Platz. Dr. Shuji Inomata, Japan, spricht von einem »Dreieck« aus Masse,

Energie und Bewußtsein und hat mathematische Formeln entwickelt, um zu beschreiben, wie sich beobachtbare Energien unserer physischen Welt aus dem »virtuellen« oder »ätherischen« Energiefeld heraus manifestieren. Er spricht auch von »virtuellen elektromagnetischen Wellen« im feinstofflichen oder subtilen Bereich. Solche Vorstellungen werden in der skalaren elektromagnetischen Theorie noch weiter entwickelt, die im letzten Kapitel besprochen werden soll; beide Theorien jedoch bieten einen Rahmen, in den auch die konventionelle Einsteinsche Relativität, die Quantenmechanik und die elektromagnetische Theorie hineinpassen, sofern man zu einigen begrifflichen Zugeständnissen und Anpassungen bereit ist.

Sowohl in Inomatas Arbeiten als auch in der skalaren elektromagnetischen Theorie wird das Vakuum als aus Energie bestehend angesehen, die sich jedoch im virtuellen oder subtilen Zustand befindet. Die moderne Physik weiß schon seit langem, daß in aller bekannten Materie die subatomaren Partikel nur einen winzigen Teil des Raumes einnehmen. Die neuen Theorien nun betrachten diese subatomaren Partikel, Masse, Schwere, elektrische Ladung, elektrische und magnetische Felder etc. als das wahrnehmbare Ergebnis der Interaktion von Energien, die sich im virtuellen oder subtilen Zustand befinden. Diese Phänomene seien so etwas wie Interferenzmuster von virtuellen Energiewellen, die sich nach außen manifestieren. Sie sind vom virtuellen Bereich nicht getrennt, sondern dessen wahrnehmbare Manifestation – wie die Schaumblasen auf der sturmbewegten Meeresoberfläche, die nur als Teil des Ozeans existieren. Doch mit unserer normalen Wahrnehmung können wir nichts anderes sehen als Blasen, und der Ozean darunter ist unseren Blikken entzogen.

So gibt es eine Hierarchie, ein vertikales Spektrum virtueller Energien. Tiefere Energien werden aus höheren gebildet, und die Reihe geht bis hinauf zur Ebene der Gedankenenergie und noch darüber hinaus. So ergibt sich das klare Bild eines Mechanismus, bei dem das Denken und seine Projektionen – z. B. Emotionen – auf die subtileren physischen Energien unseres Wesens einwirken und sich schließlich in Gestalt der äußerlich wahrnehmbaren Energien unseres physischen Körpers manifestieren.

Das ursprüngliche morphogenetische Muster des Körpers liegt also im menschlichen Geist und den Karmas, die das Geflecht unseres Lebens ausmachen; sie manifestieren sich als entsprechend tiefere harmonische Schwingungen in den virtuellen oder subtilen Energiefeldern und schließlich auf den elektromagnetischen, Schwere-, subatomaren, atomaren und molekularen Ebenen unseres Körpers. Wir werden also auf allen diesen Ebenen ein Muster finden, das die Vorgänge und Organisation des Lebens widerspiegelt. Je tiefer die Ebene, desto grundlegender die Ordnung; ein Muster wird aber immer existieren – wir sehen ja die DNS-Strukturen und genetische Muster ebenso wie endokrine und biochemische Verläufe auch auf der molekularen Beobachtungsebene.

KAPITEL 8

Erdenergien, Feng Schui und Pyramidenenergie

Im Anschluß an unsere Besprechung der elektromagnetischen Aspekte des Lebens gilt es nun, die Auswirkungen der magnetischen und elektrostatischen Felder der Erde sowie deren subtilerer Energien auf unsere Gesundheit zu betrachten; einige dieser Fragen haben wir bereits angeschnitten.

Das Erdmagnetfeld – Vitamine, Kräuter und die Auswirkung der Zeitverschiebung auf den Organismus

Daß die Erde ein Magnetfeld besitzt, steht natürlich außer Frage. Nachdem wir von den bioelektronischen und biomagnetischen Aspekten der Lebewesen wissen, ist sehr leicht zu erkennen, daß es zu Interaktionen zwischen diesen und dem Erdmagnetfeld kommen wird. Da dieses Feld alles andere als gleichförmig ist, und angesichts des Auftretens weiterer Phänomene wie der natürlichen Radioaktivität von Erdboden und Felsen, kann man davon ausgehen, daß es Gebiete gibt, die den Gesundheitszustand oder das Befinden des Menschen entweder fördern oder dämpfen. Es ist auch leicht zu verstehen, wie Reisen mit hoher Geschwindigkeit über die Zeitzonen und das Erdmagnetfeld hinweg eine gewisse Desorientierung bewirken können, die jene noch verstärkt, die durch die Störung des 24-Stunden-Rhythmus ohnehin entsteht.

Es wird uns nun klar, warum hohe Dosen von Vitaminen, besonders Vitamin C, unsere Widerstandskraft gegen solche desorientierenden Wirkungen einer Überquerung des Erdmagnetfeldes erhöhen sollen. Vitamine und Hormone gehören zu den wesentlichsten biochemischen Bestandteilen lebender Gewebe. Ihre molekulare Struktur spielt eine sehr wichtige Rolle für den Energieaustausch auf molekularer Ebene. Wie wir bereits festgestellt haben, besitzt alle Materie einen Schwingungs- und Feinstoffanteil, den man auch Lebenskraft oder Prana nennt. Vitamine sind vielleicht stärkere Pranaträger als andere Substanzen, zudem auf anderen Schwingungsfrequenzen oder -ebenen. Wenn wir also Vitamine nehmen, stärken wir unser subtiles Energiesystem und werden auf Reisen nicht so anfällig für die Desorientierung der Schwingungen sein, die wir als körperliche Auswirkung der Zeitzonenüberschreitung kennen.
Es steht außer Zweifel, daß Vitamine uns mehr Energie und Schwung geben – sie stärken unser Ch'i, würde der Akupunkteur sagen –, dies gilt für unsere subtileren emotionalen und mentalen Ebenen ebenso wie für die körperliche. Aus unserer Darstellung wird auch klar, wieso *natürliche, unverarbeitete* Vitamine mehr Wirkung entfalten als von Menschen künstlich hergestellte. Es mag dem Menschen vielleicht möglich sein, ein gleich aussehendes Molekül zu erzeugen, aber er kann dessen Schwingungskapazität nicht mit Prana, mit Lebensenergie, füllen. Ähnliches gilt jedoch auch für natürliche, aber weiterverarbeitete Vitamine: Ein Teil ihrer Lebensenergie geht verloren – wie bei Speisen, die man kocht, anstatt sie roh zu sich zu nehmen. Aus diesen Fakten erklärt sich der Wert frischer Obst- und Gemüsesäfte, die aus biochemischer Sicht eine vollwertige Ernährungsform darstellen, aber auch mit Prana regelrecht »aufgeladen« sind.
Interessante Zusammenhänge ergeben sich hier durch

neue, russische Forschungsergebnisse, die von Hill und Playfair veröffentlicht wurden. Man hat dort entdeckt, daß bestimmte, natürlich wachsende Heilpflanzen lebenden Organismen Schutz vor der Auswirkung schädlicher Strahlung schenken können. Ginseng ist schon seit langem für seine allgemein *kräftigende* Wirkung auf den Körper bekannt, die sich nicht allein auf die landläufig gepriesene Steigerung der Libido beschränkt. Dr. Breckman vom Institut für biologisch aktive Substanzen in Wladiwostok hat berichtet, daß eine einzige Dosis sibirischen Ginsengs genüge, um das Leben von Versuchstieren (Ratten) zu verlängern, die Röntgenstrahlen ausgesetzt waren. Das heißt, Ginseng stärkt ihre Energiesysteme gegenüber den störenden Schwingungen starker elektromagnetischer Strahlung. Das Wissen über den Schwingungs- und Pranagehalt unserer Nahrung sollte uns zu gründlichen Überlegungen veranlassen, was wir zu uns nehmen und welche Wirkung es auf unsere Gesundheit und das Wohlbefinden hat. Vielleicht ist der Tag nicht mehr weit, an dem nicht nur Zigarettenpäckchen, sondern auch »Junk food« eine Warnung des Gesundheitsministeriums tragen wird!

Das elektrostatische Feld der Erde

Das elektrostatische Feld der Erde ist eine erwiesene Tatsache und wird ständig weiter erforscht, doch es gibt auf diesem Gebiet noch zahlreiche Aspekte, die die Wissenschaftler vor ein Rätsel stellen. Es ist quasi ein Teil der »höheren Meteorologie« und reicht von der Ionosphäre – der Zone der ionisierten Atmosphäre, die ca. 80 km oberhalb der Erdoberfläche beginnt – bis zur Erde herab. Die Erdoberfläche ist negativ geladen, die Ionosphäre dagegen positiv. Die Spannung zwischen beiden beträgt

300 000 bis 400 000 Volt. Wir spüren diese Spannung nicht, weil wir mit der Erde unter uns verbunden und deshalb in bezug auf die Atmosphäre negativ geladen sind. Nahe der Erdoberfläche hat die Atmosphäre noch eine positive Spannung von 200 bis 300 Volt pro Meter Höhe, die jedoch – je nach Wetterbedingungen – auf bis zu mehrere tausend Volt pro Höhenmeter ansteigen kann. Dieses elektrostatische Feld wird von äußerst energiestarken, kosmischen Strahlen, aber auch vom Sonnenwind subatomarer Partikel und von Sonnenenergie erzeugt. Der elektrostatische Charakter unserer Atmosphäre ist ein wesentlicher Faktor im meteorologischen Geschehen, und so überrascht es nicht, daß die Sonnenaktivität – Flares, Sonnenflecken usw. – eine wichtige Rolle bei der Wetterbildung auf unserer Erde spielt. Gewitter sind ein Weg zum Abbau elektrostatischer Spannungen und somit ein integraler Teil des ganzen, globalen Geschehens.
Es überrascht auch nicht, daß dieses positive, elektrostatische Feld – zusammen mit den negativen Ionen in unserer Atmosphäre – eine starke Wirkung auf unsere Lebensenergien ausübt. Pflanzen keimen früher und wachsen rascher in einem schwachen elektrostatischen Feld und zeigen Störungen in ihrem Verhalten, wenn das elektrostatische Feld fehlt. Hier sind noch weitere Versuche durchzuführen, aber man kann wohl davon ausgehen, daß sich gleiche Phänomene und Zusammenhänge beobachten lassen wie bei der negativen Ionisierung der Atmosphäre. Die Wirkung der natürlichen, elektrostatischen Schumann-Wellen wurde schon im vorangehenden Kapitel besprochen.
In der herkömmlichen Physik wird ein Metallgittergerät – bekannt als Faradayscher Käfig – verwendet, um äußere elektrostatische Felder abzuschirmen. Unzählige moderne Gebäude haben so viel Stahlgerüste, Stahlbeton-Armierungen, Eisenrohre und Stromleitungen, daß das

natürliche Feld der Erde stark verzerrt oder gänzlich ausgeschaltet wird für jene, die sich im Innern solcher Gebäude befinden. Das führt zwangsläufig zu einer subtilen Beeinträchtigung unseres Wohlbefindens – vielleicht ein weiterer Grund, warum wir einen Spaziergang machen, um einen »klaren Kopf« zu bekommen. Möglicherweise neigt der Mensch deshalb auch dazu, sich in Holzhäusern so wohl zu fühlen.

Geopathische Störungen – magnetische, elektromagnetische und elektrostatische Belastungen

Außer den bekannteren und spürbareren magnetischen und elektrostatischen Feldern der Erde gibt es noch subtilere Erdenergien, die durch intuitive oder subtile Wahrnehmungsweisen, aber auch durch Pendel und Rute aufzufinden sind. Das Aufspüren mit Hilfe von Pendel, Rute und ähnlichen Werkzeugen ist eine sehr alte Methode zur Entdeckung von Schwingungen in subtilen Energiefeldern. Aus der Erfahrung von Rutengängern scheint sehr klar hervorzugehen, daß es ein Netz von Energiemustern und Kraftlinien gibt, die einen Abstand von etwa zwei Metern voneinander haben und die ganze Erdoberfläche überziehen. Ja, es scheint sogar mehrere Ebenen subtiler Energien dieser Art zu geben, wie nicht anders zu erwarten. Das Hartmann-Gitter und das Curry-Netz sind zwei der am häufigsten genannten Kraftliniensysteme. Diese Energienetze stehen auch in Verbindung mit den Kraftlinien (»Ley-Linien«) positiver und negativer Energie, die die Erdoberfläche überziehen. Die Kreuzungsstellen solcher Kraftlinien wurden als geopathische Zonen bezeichnet, da sich Symptome geopathischer Belastung bei den Menschen zeigen, die an solchen Orten leben.

Daß Tiere solche Kraftlinien und Kreuzungsstellen instinktiv wahrnehmen, scheint recht bekannt zu sein. So heißt es beispielsweise, daß Wildwechsel recht häufig den Kraftlinien folgen.
Wasseradern – wir haben bereits darüber gesprochen – erzeugen über sich eine negative Energie, und Menschen, die über Wasseradern leben, haben häufig gesundheitliche Probleme. Umfangreiche Forschungen über die Auswirkungen unterirdischer Wasserströmungen wurden in Deutschland und der Schweiz durchgeführt, wo die porösen und spaltenreichen Untergründe viele Problemzonen verursachen. Dr. Jenny beobachtete in einer langen Versuchsreihe, die in den Jahren 1932 bis 1945 durchgeführt wurde, das Verhalten von Mäusen, die man in sechs Meter langen Käfigen hielt. Diese waren wiederum zum Teil über Zonen negativer Energie aufgestellt, die man durch Ruten festgestellt hatte. Jenny fand heraus, daß viermal so viele Mäuse außerhalb der Zonen negativer Energie ihr Nest bauten wie innerhalb. 13 Prozent der Mäuse, die über den Negativzonen eingegittert waren, bekamen krebsartige Tumore, während die übrigen Versuchstiere gesund blieben.
Die Parallelen zwischen geopathischen Zonen und wissenschaftlich bekannten Energien sind interessant, wenn auch nicht immer schlüssig. Im Jahre 1973 untersuchte J. W. F. Stangle ein Terrain, das zuvor schon von den Rutengängern Phol und Rambeau erforscht worden war. Die beiden hatten hier bereits in den dreißiger Jahren gearbeitet und eine erhöhte Krebserkrankungshäufigkeit in den Zonen negativer Erdenergie festgestellt. Stangle entdeckte, daß diese Zonen auch ein weit höheres Maß natürlicher Radioaktivität zeigten als die Umgebung. Jüngste Untersuchungen in Deutschland konnten auch einen Zusammenhang zwischen verlangsamter Blutgerinnung und geopathischen Zonen feststellen, die außerdem

eine höhere elektrische Leitfähigkeit der Erde (vielleicht aufgrund ihres Wassergehaltes) aufwiesen.
Aus diesen Fakten kann man keine definitiven »wissenschaftlichen« Schlüsse ziehen – außer, daß sie weitgehend zu anderen Forschungsergebnissen passen, die von der Existenz eines starken, bioelektronisch-magnetischen Ordnungs- und Informationsverarbeitungssystems in Lebewesen zeugen, dessen Störung zu Krankheit führt.
In der Bundesrepublik Deutschland und der Schweiz wird intensiv an der Erforschung der Auswirkungen, Ursachen und Arten geopathischer und anderer Erdenergien gearbeitet. Diese Bemühungen sind noch nicht abgeschlossen, und deshalb kann ich hier nur den gegenwärtigen Forschungsstand wiedergeben, wie er in den Schriften von Anthony Scott-Morley vom Institut für Bioenergetische Medizin in Bournemouth, England, dargestellt ist.
Behandler und Ärzte aller Richtungen und Sparten wissen nur zu gut, daß die Patienten – trotz der besten Fürsorge und Behandlung – sehr unterschiedlich auf Therapien ansprechen. Das mag auf die verschiedensten Faktoren zurückzuführen sein, sowohl beim Patienten selbst als auch in seiner Umgebung. Zu den Umgebungsfaktoren muß man die Wirkung der subtilen Erdenergien oder *geopathischen Störungen* rechnen. Alles Folgende entnehme ich einem längeren Artikel von Scott-Morley:
»Eine geopathische Belastung läßt sich definieren als eine *geomagnetische Störung, die geographisch lokalisiert ist und die homöostatischen Mechanismen des empfindlichen Patienten unterbricht.* Diese Definition sollte vielleicht ausgedehnt werden auf künstliche, d.h. von Menschenhand geschaffene Störungen elektrischer, elektromagnetischer oder strahlender Art.
Untersuchungen von Physikern und Ingenieuren haben ergeben, daß geopathisch gestörte Zonen eine Reihe von physikalisch nachweisbaren Eigenschaften zeigen.

So gibt es zum Beispiel Veränderungen im Temperaturgefälle. Viele Gebäude haben ›kalte‹ Stellen. Häufig scheinen kalte Luftzüge von genau lokalisierbaren Stellen herzukommen, an denen keine Türen oder Fenster sind. (Dieses Phänomen zeigt sich oft und sehr deutlich in alten Kirchen, die in den meisten Fällen auf energiegeladenem Untergrund gebaut wurden.)
Es kann an solchen Stellen auch Veränderungen im Ionisierungsgrad geben, die auf elektromagnetischen Ladungen beruhen; auch Wechselströme wirken hier anders als in der Umgebung. Veränderungen des elektrischen Widerstandes treten auf, der oft höher ist als gewöhnlich. Es kommt auch zu Veränderungen in der Raumakustik.
Der Rundfunkempfang über einer geopathisch gestörten Zone ist anders als in der Umgebung. Häufig ist Gammastrahlenaktivität festzustellen, und auch das Erdmagnetfeld zeigt meßbare Veränderungen.
Man kann eine grobe Unterscheidung zwischen zwei Kategorien geopathischer Störungen treffen: das entladende Feld (Yin) und das aufladende Feld (Yang). Der Unterschied zwischen beiden soll auf dem Bild rechts verdeutlicht werden.
Die Höhe über der Erdoberfläche scheint kaum oder keinen Unterschied in der Intensität dieser Feldlinienveränderungen auszumachen. Das bedeutet, daß eine Person, die im obersten Stockwerk eines Hochhauses lebt, vermutlich den gleichen Einflüssen ausgesetzt ist wie die Bewohner des Erdgeschosses.
Die entladenden oder Yin-Kräfte hängen mit unterirdischen Wasseradern oder Höhlen und Spalten in der Gesteinsstruktur zusammen. Unter Druck strömendes Wasser oder Höhlen im Untergrund verursachen eine Abschwächung des Erdmagnetfeldes, die oft groß genug ist, um lebende Organismen zu beeinflussen. Wo zwei unterirdische Wasseradern sich kreuzen – selbst wenn sie

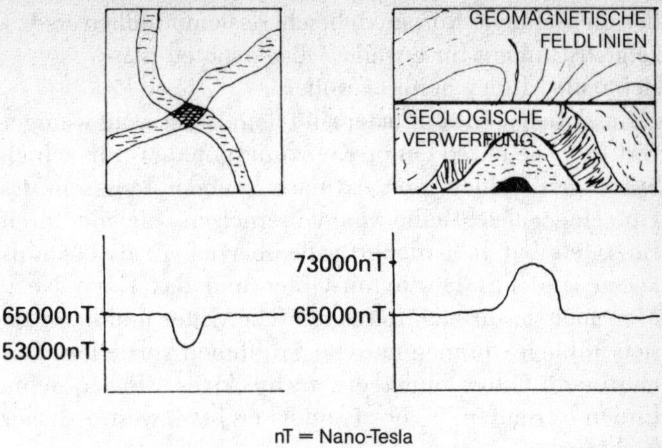

nT = Nano-Tesla
1 nT = 10^{-9} Tesla
1 Gauß = 10^{-4} Tesla

Entladendes Feld:
Kreuzungsstelle von zwei unterirdischen Strömungen

Aufladendes Feld:
Geologische Verwerfungszone

durch einen beträchtlichen Höhen- bzw. Tiefenunterschied voneinander getrennt sind –, gibt es eine größere geomagnetische Störung. Wasserläufe an der Erdoberfläche zeigen dieses Phänomen nicht.

Aufladende oder Yang-Störungen sind unterschiedlicher Art. Manche rühren von geologischen Erscheinungen, andere von andersartigen Ursachen her. Solche Störungen stehen häufig auch in Zusammenhang mit Minerallagern, besonders mit Vorkommen von Kohle und Öl. Charakteristisch für Erdölvorkommen sind Veränderungen im Ionisierungsgrad, stärkere Infrarot-Ausstrahlung, Gleich- und Wechselstrom-Veränderungen, niederfrequentes, atmosphärisches Pulsieren; in solche Zonen schlagen Blitze gerne ein. Häufig ist auch eine radioaktive Strahlung geringer Intensität festzustellen. (Ölgesellschaften könnten sich Gedanken darüber machen, daß

der menschliche Körper vielleicht das empfindlichste Anzeigeinstrument für etwaige Öllagerstätten ist!)«
Bei Scott-Morley heißt es weiter:
»Die globalen Gittermuster sind dem Leser wohl weniger vertraut. Die durch Gitter-Kreuzungspunkte verursachten Störungen können ihrer Art nach Yin oder Yang sein. Es gibt eine ganze Reihe von Gitternetzen, die mit ihren Energielinien die Erdoberfläche überziehen; am bekanntesten sind das Hartmann-Gitter und das Curry-Netz. Man hält sie für elektromagnetische Gitter und kann sie sich ähnlich wie magnetische Kraftlinien vorstellen. Das Hartmann-Gitter bildet ein rechteckiges Muster, seine Linien verlaufen in nord-südlicher bzw. west-östlicher Richtung.
Das Curry-Netz ähnelt dem Hartmann-Gitter, seine Feldlinien verlaufen jedoch im Verhältnis zu jenem genau diagonal; auch der Abstand zwischen parallelen Gitterlinien ist wesentlich größer.
Das Curry-Netz scheint in bezug auf Zeit und Mondphasen stabil zu sein, d. h. die Breite seiner Feldlinien verändert sich nicht.
In beiden Gitternetzen sind die Feldlinien abwechselnd positiv und negativ geladen. Wo gleichartig geladene Linien sich kreuzen, sind die geopathischen Störungen stark.
Strahlungen sind eine weitere Art geopathischer Belastung; hierzu zählen sowohl korpuskulare als auch nichtkorpuskulare Strahlungen. Nicht-korpuskulare Strahlung wird von bestimmten Gesteinsarten (z. B. Granit) und manchen mineralischen Lagerstätten (z. B. Erdöl) abgegeben. Korpuskulare Strahlung geht etwa von Röntgenapparaten usw. aus. Ein Patient kann korpuskulare Strahlung aufnehmen, indem er starken Dosen von Röntgenbestrahlung oder radioaktivem Niederschlag ausgesetzt ist oder mit radioaktivem Material zu tun hat. Die

Strahlendosis braucht nur sehr gering zu sein (weit unterhalb der zulässigen Grenzwerte!), um beim empfindlichen Patienten eine Störung zu verursachen.
Auch elektromagnetische Felder von Elektrogeräten lassen sich als geopathisch wirkend einordnen, da sie Störungen im Energiefeld ihrer Umgebung verursachen. In diesem Zusammenhang denken wir an elektrische Apparate in der Nähe des Kopfes (z. B. Radiowecker, Uhren, Radios etc.), die ihren störenden Einfluß besonders nachts ausüben; auch das Schlafen auf einer Heizdecke oder mit stromführenden Leitungen hinter dem Kopfende des Bettes fällt in diese Kategorie.
Weiterhin gehören hierher Hochspannungsgeneratoren, Transformatoren und Hochspannungsleitungen wie jene, die an hohen Masten übers Land geführt werden.« (Eine interessante Fallstudie bietet hier das Dorf Fishpond in der Grafschaft Dorset, England.)
»Wenn durch eine Leitung ein elektrischer Strom fließt, erzeugt dieser ein Magnetfeld. Wenn der Strom stark ist und man sich längere Zeit innerhalb des Magnetfeldes aufhält, können die Zellfunktionen und -mechanismen im Organismus beeinträchtigt werden.
Schließlich – auch wenn dies normalerweise nicht zur geopathischen Belastung gerechnet wird – sollte der Praktiker sich vor Schumann-Wellen hüten, d. h. der vertikalen Strahlung von der Erdoberfläche zur Ionosphäre. Es hat den Anschein, daß eine ausgeglichene Gesundheit von der Anwesenheit dieser Wellen abhängig ist. Leider haben große Gebäude und mächtige Betonblöcke eine abschirmende Wirkung gegenüber Schumann-Wellen. Städtisch bebaute und besiedelte Gebiete zeigen also eher einen Mangel an Schumann-Wellen, der möglicherweise schädliche Folgen für die Bewohner nach sich zieht.
Die hier aufgeführten Beispiele veranschaulichen die wichtigsten geopathischen Kräfte, die eine Belastung für

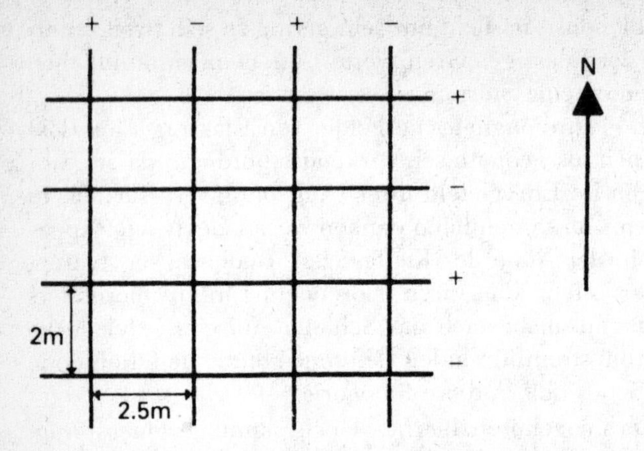

Oben: *Schematische Darstellung des Hartmann-Gitters; die Breite der Gitterlinien ist etwa 20 cm. Wo sich zwei Netzlinien kreuzen, ist eine Zone starker geopathischer Belastung. Da die Gitterlinien positiv oder negativ geladen sind, ist die Störung besonders an jenen Kreuzungspunkten stark spürbar, die von zwei gleichartigen Ladungen gebildet werden. Zur Zeit des Vollmondes scheint die Breite der Hartmann-Gitterlinien auf bis zu 80 cm zu wachsen. Da die geopathische Wirkung zur Nachtzeit stärker zu sein scheint – während die körperliche Widerstandskraft geschwächt ist –, spielt die Schlafposition des Patienten eine entscheidende Rolle. Es ist beispielsweise möglich, daß ein Patient mit dem Kopf innerhalb einer 80 x 80 cm großen Kreuzungszone liegt, jedoch nicht innerhalb der 20 x 20 cm messenden Kernzone. In einem solchen Falle treten Symptome nur jahreszeitlich oder bei Vollmond auf.*

Rechts oben: *Schematische Darstellung des Curry-Netzes. Seine Linien verlaufen diagonal zu denen des Hartmann-Gitters. Man beachte auch den Unterschied in den Dimensionen.*

Rechts: *Kreuzungen von Gitternetzlinien (Schema gilt für beide Gitter)*

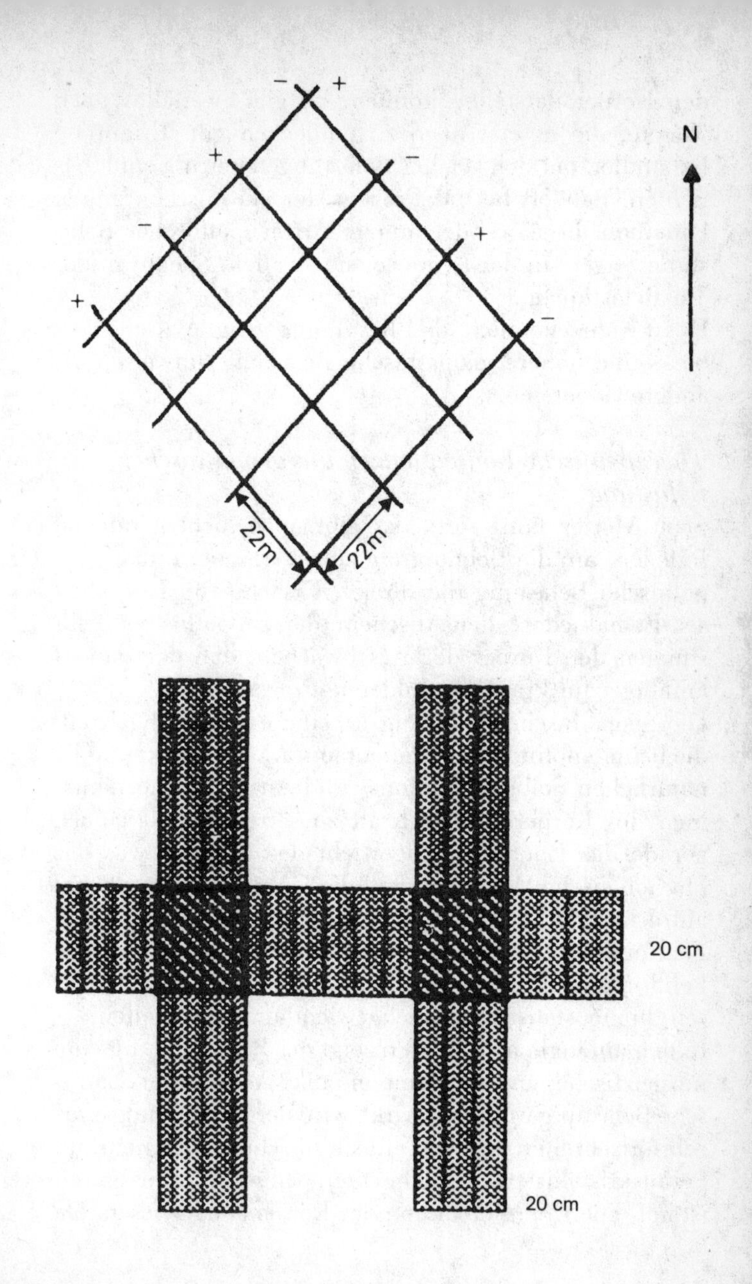
N
22m
22m
20 cm
20 cm

den Körper darstellen können. Es gibt zweifellos noch weitere, die es erst noch zu entdecken gilt. Erfahrene Behandler, die sich solcher Belastungen bewußt sind, berichten, daß 30 bis 50 Prozent der chronisch kranken Patienten die eine oder andere Art geopathischer Belastung zeigen, in der Regel solche aus dem Spektrum der Yin-Belastungen.
Es ist wahrscheinlich, daß bestimmte geographische Gebiete eine höhere geopathische Belastung aufweisen als andere Gegenden.«

Therapeutische Konsequenzen aus geopathischer Belastung

Scott-Morley fährt fort: »Es gibt noch nicht genügend Indizien, um die Behauptung zu untermauern, daß geopathische Belastung die direkte Ursache von Krankheit sei. Es hat jedoch den Anschein, daß geopathische Belastungen den Körper derart schwächen, daß der Patient anfälliger für krankheitsbildende Prozesse wird.
Die geopathische Belastung ist eine energetische Kraft, die beim empfindlichen Patienten stark genug ist, um die natürlichen Selbstregulations- und Ausgleichsmechanismen des Körpers außer Kraft zu setzen. Es ist jedoch gerade das Energiegleichgewicht des Körpers, was das physiologische Wohlbefinden, die Gesundheit regelt und aufrechterhält; wenn also eine übermächtige energetische Fehlfunktion vorliegt, dann muß ihr eine physiologische Fehlfunktion folgen, d. h., der Körper kann nicht länger sein homöostatisches Gleichgewicht aufrechterhalten.
In den anfänglichen Stadien zeigt der Patient häufig eine unspezifische, unklare Symptomatik. Wenn die geopathische Belastung weiter einwirkt, wird der Erkrankungsprozeß fortschreiten, bis sich ein spezifisches Krankheitsbild herauskristallisiert. Jegliche therapeutische Intervention ist auf eine Energiereaktion des Körpers angewiesen. Da

der Organismus aber unter der äußeren Belastung steht, sind seine Energiereserven bereits angegriffen, und es ist nur noch wenig übrig, um auf den therapeutischen Reiz anzusprechen. Die Folge ist, daß auch eine bewährte Therapie oft zum Scheitern verurteilt ist.
Zu den physiologischen Wirkungen geopathischer Belastung gehören: Veränderungen in der elektrischen Polarität der Zellmembran, die zu einer gestörten Ionisierung über die Zellwände führen; eine Veränderung von Spin und Oszillation sowie Protonenresonanz in Eiweißmolekülen; falsche Wasserstoffbindungen, Störungen der Mesenchym-Basis-Regulation, Störungen des hormonellen Gleichgewichts, Verschiebungen der pH-Werte, Häufung vegetativer Störungen.

Krankheit und geopathische Belastung

Es gibt eine ganze Reihe von Krankheitskategorien, die mit dem Vorliegen geopathischer Belastung des Körpers in Zusammenhang zu stehen scheinen. Man geht davon aus, daß die geopathische Belastung die Anfälligkeit für solche Krankheitszustände erhöht, obgleich wir noch nicht behaupten können, daß sie die direkte Ursache von Krankheit ist.

Yin (negative Belastung)

›Hypo‹-Störungen, d. h. Mangel- und Unterfunktionsphänomene. Dazu gehören Erschöpfung, Arthritis, Krebs, Multiple Sklerose, degenerative Störungen (›Verschleiß‹). Ein negatives Feld raubt dem Körper Energie und bewirkt einen Energiemangel-Zustand. Man nimmt an, daß Yin-Felder einer der wichtigsten Faktoren sind, die die Anfälligkeit für bösartige Krankheitsprozesse und degenerative Störungen erhöhen. Häufig bewirken sie auch eine Umkehrung der Spin-Oszillation der Eiweißmoleküle.

Yang (positive Belastung)
›Hyper‹-Störungen, Energieüberschuß-Phänomene. Dazu gehören: Bluthochdruck, Herzerkrankungen einschließlich Herzinfarkte, Schlaganfälle, Manien, Alkoholismus, Migräne. Möglicherweise epileptoide Anfälle bei Kindern. Yang-Felder führen zu einem extremen Energieüberschuß im Körper.

Gitternetz-Belastung
Hierzu gehören beide obengenannten Belastungen (Yin und Yang), je nach der Polarität des jeweiligen Gitternetz-Abschnittes.

Strahlung
Hautprobleme, Erschöpfung, Ermattung. Spätfolgen von Strahlenbelastung führen zu degenerativen Störungen. Zu den abträglich wirkenden Strahlenfeldern gehören sowohl korpuskulare als auch nicht-korpuskulare Strahlungsarten.

Elektromagnetismus
Verschiedenartige Symptome. Elektromagnetische Störungen stehen oft in Verbindung mit Quecksilbervergiftungen (aus galvanischen Strömen, die zwischen Zahnfüllungen aus unterschiedlichen Metallen entstehen). Man kann also hier mit Symptomen rechnen, die von Quecksilbervergiftungen her bekannt sind, zum Beispiel Störungen im Bereich des Zentralnervensystems, Nieren-, Herz- und Darmbeschwerden. Doch elektromagnetische Störungen gibt es nicht nur durch galvanische Ströme. Auch die Empfindlichkeit gegen elektrostatische Spannungen ist recht verbreitet. In solchen Fällen ist der Patient empfindlich gegen bestimmte Stoffarten, besonders gegen reine Kunstfaserstoffe. Um solche Unverträglichkeiten festzustellen, sollte man kleine Proben der verdächtigen

Materialien austesten. Häufig kann derselbe Stoff in einer Mischung mit anderen durchaus verträglich sein.
Andere Quellen elektromagnetischer Störungen sind batteriebetriebene Armbanduhren, fluoreszierendes Licht, elektrische Geräte am Bett, Mikrowellen und Bildschirme.

Entdeckung von geopathischer Belastung
Bei sorgfältiger Befragung wird der Patient oft Symptome schildern, die als Anzeichen für das Vorliegen geopathischer Belastung gelten können. Dazu gehören:
– Schlafstörungen, unruhiger Schlaf, Einschlafschwierigkeiten
– exzessives Träumen
– außerordentlich tiefer Schlaf, jedoch unausgeschlafenes Erwachen am Morgen
– übergroßes Schlafbedürfnis
– im Bett kalte Beine und Füße
– unruhiges Gefühl in den Beinen (nachts)
– Atemschwierigkeiten nachts, Asthma
– auffällige Müdigkeit und Ermattung
– unerklärliche Stimmungsschwankungen, Aggression, Depression.

Kinder zeigen oft die Neigung, nur auf einer Seite ihres Bettes zu schlafen oder sich in einer Ecke zusammenzurollen, als wollten sie instinktiv der Belastungszone ausweichen. Vielleicht tendieren sie auch zu Schlafwandeln und verlassen nachts oft ihr Bett, um zu den Eltern ins Bett zu schlüpfen.
Interessanterweise reagieren auch viele Tiere empfindlich auf solche Belastungszonen. Hunde, Ziegen und Rinder werden geopathischen Belastungsbereichen immer ausweichen. Wenn ein Hund umhergeht, bevor er sich zum Schlafen niederläßt, könnte das durchaus bedeuten, daß

er sich die Stelle mit der geringsten Belastung aussucht. Katzen dagegen suchen sich gerade die geopathisch belasteten Stellen aus. Wenn eine Katze einen Lieblingsschlafplatz hat (den sie nicht nur aufgrund seiner Wärme bevorzugt), spricht einiges dafür, daß die betreffende Stelle geopathisch gestört ist.

Für den Behandler ist es wichtig, daß sein Sprechzimmer frei von geopathischen Störungen ist; dies gilt vor allem für den Standort der Behandlungsliege. Steht diese an einer geopathisch belasteten Stelle, sind die Therapieerfolge oft nur dürftig, die diagnostischen Ergebnisse nur unklar, wirr oder irreführend. Es liegt natürlich im Interesse des Praktikers, sich selbst von geopathischer Belastung frei zu halten.

Wenn man bei einem Patienten Verdacht auf geopathische Belastung hat, ist es wichtig, diesen Punkt zu klären, bevor man die Behandlung weiterführt. Bleibt die geopathische Belastung bestehen, werden die Erfolge einer normalen Behandlung wohl nicht den Erwartungen entsprechen. Häufig spricht der Patient kaum auf die Therapie an, oder es kommt zu unerwarteten Rückfällen.

Zunächst gilt es, dem Patienten zu empfehlen, seinen Schlafplatz zu wechseln. Das Bett sollte vielleicht einen Meter in eine Richtung verschoben werden. Wenn die geopathische Belastung genauer zu lokalisieren ist (wenn sie zum Beispiel von Gitternetzlinien herrührt), wird es oft ausreichen, den Patienten aus dem Einflußbereich dieser Problemzonen fernzuhalten. Der Körper wird sein Gleichgewicht in der Regel binnen drei Wochen wiederherstellen und die Auswirkungen der früheren Belastung überwinden. Der Patient berichtet dann, daß er besser schlafe, sich entspannter und allgemein besser fühle.

Wenn eine Veränderung der Schlafstelle keine merklichen Ergebnisse zeigt, gilt es, weitere Überlegungen anzustellen. Eine Möglichkeit wäre, einen guten Rutengän-

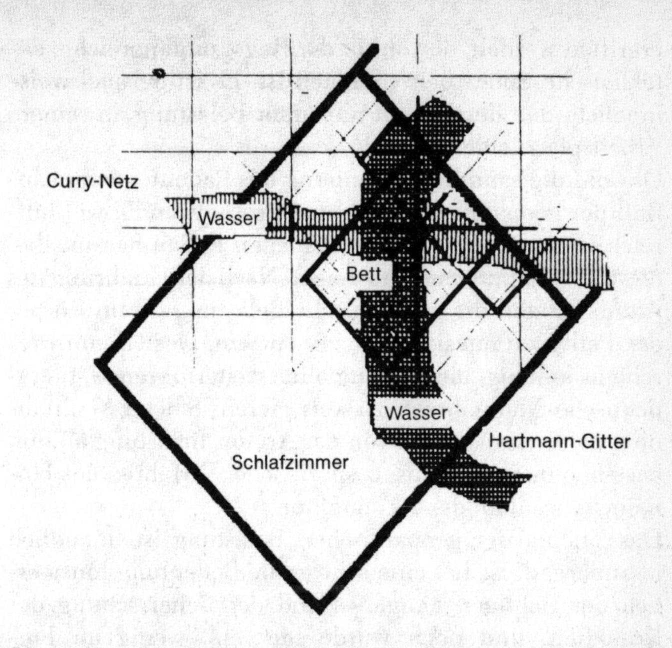

Dieses komplexe Beispiel zeigt eine extreme Möglichkeit geopathischer Belastung. Das Bett steht über einer negativen Kreuzung des Curry-Netzes, die sich darüber hinaus mit einer negativen Kreuzung des Hartmann-Gitters deckt. Unterhalb des Schlafzimmers verlaufen zwei Wasseradern, die einander ebenfalls überkreuzen. Das Bett steht also über einer extrem Yin-belasteten Störzone. Wer hier schläft, wird mit großer Wahrscheinlichkeit krebsanfällig sein.

ger zu Rate zu ziehen, der die ganze Umgebung des Patienten untersucht und entsprechende Empfehlungen gibt. Eine zweite (und häufig bevorzugte) Lösung zum Nachweis der geopathischen Belastung am Patienten ist der Einsatz einer bioenergetischen Testmethode, zum Beispiel mit Hilfe des Vega-Tests. Hieraus können wir Hinweise auf die Art der Belastung gewinnen, die den Patienten anfällig macht. Je nach dem Wesen der Belastung können bestimmte medikamentöse Maßnahmen

ergriffen werden, obwohl in der Regel umfangreiche, detektivische Spürarbeit vonnöten ist. Es ist beispielsweise möglich, daß der Patient nur unter Belastung an seinem Arbeitsplatz leidet.
Obwohl die räumliche Trennung des Patienten vom Einfluß der geopathischen Belastung so notwendig wie hilfreich ist, stellt sich doch in manchen Fällen heraus, daß diese Maßnahme nicht ausreicht. Nach der Erfahrung des Autors scheint die geopathische Belastung oft im Körper des Patienten quasi ›gefangen‹ zu sein. Der Organismus scheint unfähig, die Störung ohne weiterführende, therapeutische Maßnahmen zu korrigieren. Solche Maßnahmen hängen wiederum von der Art der Belastung ab und bestehen meist im Einsatz spezifischer Verfahren aus Homöopathie und/oder Akupunktur.
Das Thema der geopathischen Belastung ist unendlich faszinierend. Es hat eine sehr große Bedeutung hinsichtlich des richtigen Umgangs und der Beherrschung der Krankheit, und doch wurde hier erst wenig an Forschungsarbeit geleistet. Man sollte meinen, daß es zahlreiche Forschungsmöglichkeiten in diesem Bereich gebe. Allerdings ist das Thema auch nicht völlig unbekannt. Die Auswirkungen geringer Energieveränderungen auf den menschlichen Körper wurden schon seit langem erahnt und vom Militär im Osten wie im Westen ausgenutzt. Das bekannteste Experiment auf diesem Gebiet wurde sogar schon im Fernsehen behandelt; es gab Anzeichen dafür, daß die UdSSR schwache und niederfrequente Schwingungen versuchsweise in Richtung Westen ausstrahlte (›Operation Specht‹).
Angesichts der zur Geopathologie vorliegenden Untersuchungsergebnisse scheint es überraschend, daß man dem Thema nur verhältnismäßig wenig Publizität zuerkennt. Viele Behandler scheinen an die Möglichkeit solcher Störungsursachen nicht zu denken, und selbst wenn sie sich

ihrer bewußt sind, geben sie der geopathischen Belastung kaum Priorität.«

Ich habe den Artikel von Anthony Scott-Morley fast vollständig zitiert, da er eine so umfassende Darstellung des Themas bietet. Zweifellos werden Sie an vielen Stellen auf Gedanken und Äußerungen gestoßen sein, die mit anderen Vorstellungen und Erfahrungen, wie sie in diesem Buch beschrieben sind, übereinstimmen. Pulsor-Benutzer in der Schweiz haben mir berichtet, daß Pulsoren die Polarität geopathisch belasteter Zonen umkehren könnten. Wenn es sich jedoch um eine Kreuzung von Hartmann-Gitter, Curry-Netz und unterirdischen Wasseradern handele, falle es selbst den Pulsoren schwer, eine positive, gesundheitsfördernde Schwingung herzustellen.

Feng Schui

Die Beschäftigung mit den Energien der Erde ist nichts Neues, und Geomanten hat es zu allen Zeiten gegeben. Die antike chinesische Kunst des Feng Schui ist vermutlich die detaillierteste und faszinierendste Methode zur Steuerung des Ch'i-Flusses in der Umgebung. Es ist wohl allgemein bekannt, daß die Chinesen den ersten Kompaß erfanden; daß dieser jedoch als Instrument der Geomantie erdacht und nicht primär für Navigationszwecke bestimmt war, werden nur wenige wissen. Die Chinesen der alten Zeit verstanden sehr wohl den Zusammenhang zwischen den magnetischen Energien der Erde und einer harmonischen Lebensführung.
Form und Gestalt sind sehr wichtig für das Fließen von Energie. Energie fließt von der Erdoberfläche nach oben, sie strömt besonders aus Ecken und scharfen Kanten heraus. Sie fließt auch an gewissen Formen entlang oder um

sie herum, was erklärt, warum manche Hügel und Täler eine so gute Atmosphäre haben, während andere eher das Gefühl von Düsterkeit und Bedrückung vermitteln. Sie haben gewiß schon bemerkt, wie das schlichte Zuziehen der Vorhänge die Atmosphäre in einem Raum verändert. Die weichen Vorhänge versperren den Blick nach draußen. Die Energie vom Auge kann nun nicht mehr in den weiten, offenen Raum hinauswandern, sondern ist auf eine gemütlichere, vertrautere Umgebung beschränkt. Die Energie von außen kann nicht mehr nach innen hindurchdringen. Ein Fenster ohne Vorhänge sieht kahl aus; Gardinen verhüllen die scharfen Kanten und Ecken der Fensternische, die ansonsten negative Energie in den Raum hineinstrahlen würde. Ähnlich können Pflanzen, die ihre eigene Lebensenergie besitzen, über die Ecken und Kanten eines Bücherregals drapiert werden. Spiegel lassen sich nutzen, um Energie in einem geschlossenen Raum zu bewegen und zu reflektieren, die sonst blockiert, stagnierend und berückend wirkte. Auch vom Luftzug sacht bewegte Glöckchen finden Verwendung beim Feng Schui, um konzentrierte Energieströme aufzulockern.
So finden sich zahlreiche Mittel der Raumgestaltung im alten Feng Schui wieder, die dem intuitiven Empfinden, Gespür und Verstehen von wirklich künstlerischen Architekten, Landschaftsgärtnern, Innenarchitekten, Bildhauern und Kunstschaffenden entsprechen. Denken Sie nur einmal, wie anders unsere Landschaft aussähe, wenn all die Häßlichkeit unserer menschlichen Bauwerke und Straßennetze nach den Maßstäben und Regeln von Feng Schui – oder einfach dem guten Geschmack – einer Baugenehmigung bedürften! Die Ausrede, daß dies zuviel kosten würde, ist kaum stichhaltig, denn eine gute Umgebung bringt gute Energien ein – und Energie ist eine Form von Geld. Für Feng Schui eingesetztes Geld aber ist eine Investition zum Wohle aller Betroffenen. Die Feng-

Schui-Literatur zählt eine lange Reihe von Beispielen dafür auf – wie Geschäftsinhaber, die ihr Unternehmen vor dem Ruin bewahrten, indem sie den Eingang ihres Gebäudes so veränderten, daß reichlicher Energie hereinfließen konnte. Oder sie änderten die Anordnung der Möblierung in den Büroräumen, oder sie mauerten einige ihrer zahlreichen Fenster zu, um zu verhindern, daß Energie und Geld geradewegs wieder hinausströmten!

Das ist nicht so abwegig, wie es vielleicht auf den ersten Blick erscheint. Alles ist schließlich Energie. Wenn wir mit unseren Augen wahrnehmen, erreicht uns Energie als elektromagnetische Schwingung vom Gegenstand unserer Betrachtung, wobei ein repräsentatives Muster des betreffenden Objektes in diese Schwingung oder Wellenform verschlüsselt ist. Das Auge sammelt sie, erzeugt ein umgekehrtes Bild des Gegenstandes auf der Netzhaut, verschlüsselt auf biochemischem Wege dieses Bild erneut zu elektrischer Energie, die über den Sehnerv ins Gehirn weitergeleitet wird. Was danach passiert, weiß keiner genau – außer daß es zu einer Sehwahrnehmung kommt, einer Fähigkeit, in der auch mentale, emotionale und subtile physische Energien mitspielen; die Energie wird dabei quer durch das vertikale Energiespektrum hindurch umgeformt. So viele unserer Energien sind an dem »einfachen« Sehen von Gegenständen beteiligt! Und die Qualität dieser Energien wird ein integraler Aspekt des Weges sein, den wir durchs Leben verfolgen, und der Ereignisse, die uns zufallen.

Feng-Schui-Künstler werden in allen Bereichen des Lebens gebraucht, weil alles Energie ist, deren ausgeglichenes Fließen von höchster Wichtigkeit für unsere Gesundheit, für Erfolg, Wohlstand und eine schöne Umwelt ist. Mit Hilfe der Regeln des Feng Schui können die positiven Plätze einer Gegend bestimmt werden, und zwar in Abhängigkeit von der Gestalt der Hügel und Täler und der

Anwesenheit des Wassers in Flüssen, Bächen und Seen. Feng Schui kann zeigen, wie Straßen und Gebäude zu gestalten und wie sie zu bauen sind. Es kann helfen, einen guten Platz zu finden, um dort zu wohnen oder zu arbeiten. Es kann auch die innere Einrichtung und Ausschmückung Ihres Hauses beeinflussen.

Geld als Energie, Wohlstand

Das Thema Geld und Wohlstand rechtfertigt eine kurze Abschweifung – ist es doch Teil von unser aller Leben. Besitzstreben, Gier und Sicherheitsbedürfnis sind – mehr oder weniger stark ausgeprägt – natürliche Aspekte von uns als menschlichen Wesen; es sind Dinge, mit denen wir alle zu kämpfen haben. Trotzdem gibt es ganz verschiedene Einstellungen zu Geld und Geschäft: Während manche Idealisten den Besitz von Geld und Eigentum verdammen – vielleicht aufgrund eines unterbewußten Wissens um ihre eigenen Wünsche –, vereiteln andere alle Chancen zu weltlichem Erfolg durch eine unbewußte, pseudo-spirituelle Negativität und blockieren ihren naturgemäßen Energiefluß aus Angst vor »Erfolg« – vielleicht, weil er sich nicht mit der spirituellen Vorstellung vereinbaren ließe, die sie von sich selbst besitzen. Wieder andere erstreben in aller Aufrichtigkeit nur sehr wenig und sind mit einem einfachen Leben zufrieden, während viele Menschen ihr ganzes Leben lang nach Geld und Besitz streben, und dabei Erfolg haben – oder auch nicht.
Geld ist Energie – Teil der hervortretenden Struktur unseres Schicksals. Auch der Erwerb von weltlichen Reichtümern ist mehr eine Denkhaltung als allein die Frucht harter Arbeit. So mancher hat schon lange Stunden bei spärlicher Entlohnung schwer gearbeitet, während an-

dere immer zur rechten Zeit am rechten Ort zu sein scheinen, um einen finanziellen Erfolg zu verbuchen. Das Maß der Arbeit ist also nicht ausschlaggebend für das weltliche Vermögen.

Geld ist wie ein Fluß. Es muß fließen, um frisch und gesund zu bleiben. Selbst Christus blickte tadelnd auf den Menschen, der seinen Schatz nur in der Erde vergrub – doch mag Christi Vorstellung von einem »Schatz« etwas Höheres, Geistigeres gewesen sein. Richtig eingesetzte Energie kann zu einem gesunden Einkommen führen. Ein vernünftiges Einkommen wiederum ermöglicht einem, viele gute Dinge im Leben zu tun. Ein Armer – so gut seine Absicht auch sein mag – kann kaum einem anderen in dessen wirtschaftlicher Not helfen, auch wenn er womöglich viele andere, glänzende menschliche oder spirituelle Eigenschaften besitzt.

Doch es gibt für jeden einen Platz, und der Besitz oder Nichtbesitz von Reichtümern ist kein Anhaltspunkt zur Beurteilung unserer Mitmenschen. Aber es ist wichtig für unser inneres Glücklichsein, daß unsere Energien frei und leicht fließen können, und dazu gehört eben auch unser Verhältnis zum Geld und die Art und Weise, wie wir mit ihm umgehen. Wohlstand bedeutet, daß wir die guten Dinge im Leben annehmen, daß wir Teil des Überflusses in der Natur sind, daß wir den Fluß der Energien nicht eindämmen, bevor sie uns selbst erreichen, aber auch nicht alles, was unseren Weg kreuzt, für uns selbst zu hamstern versuchen. Ein ausgeglichenes Verhalten ist hier gefragt – wie in allen Dingen, auf die es ankommt.

Geld – und das gilt für alle Formen unserer Energie – sollte nicht vergeudet werden. Wir sollten aber auch nicht die Energien und Gelder anderer Menschen durch unüberlegtes oder egoistisches Handeln oder Denken verschwenden. Diese Wahrheit wird sowohl aus ökologischer und planetarer als auch aus moralischer oder persönlicher

Sicht bestätigt. Wohlbefinden und inneres Glücksgefühl werden aus einem bedachten, fürsorglichen und konzentrierten Gebrauch der Energien erwachsen, die um uns und durch uns fließen.

Die widerrechtliche Aneignung oder Verwendung von Energie – gleichgültig auf welcher Ebene – wird uns mißmutig und elend machen und vermutlich das mentale und emotionale Gleichgewicht der Geschädigten stören. So gesehen, leiden der Dieb, der manipulierende Geschäftsmann oder Kunde, der Geldgierige und der Geizige samt und sonders unter dem gleichen Grundübel; der falschen Anwendung von Energiemustern. Und alle sind sie unglückliche Menschen; das Maß ihres inneren Elends steht im Verhältnis zum Grad ihrer Abweichung oder ihres Verstoßes gegen das Gesetz der Natur. Dies ist unsere menschliche Situation.

Wenn wir Geld als eine der Energien betrachten, die in unseren Beziehungen zu anderen Menschen ausgetauscht werden, bekommen wir eine ganz andere Einstellung zu ihm. Wir werden nicht zuviel Geld für Dienstleistungen verlangen, aber auch nicht zuwenig dafür nehmen. Es gibt auch keinen Einheitsbetrag, den man von allen Menschen verlangen könnte. Es kommt darauf an, wohin Geld oder Energie nach dem Empfang fließen und in welchen Energiekomplex von Geben und Empfangen der Einnehmende gestellt ist. Viele Menschen verurteilen andere in bezug auf diese Dinge, dabei sehen sie nur die Spitze des Eisberges, der die ganze Situation darstellt. Wir kennen nicht unsere ganze karmische Vorgeschichte – ganz zu schweigen von der Vergangenheit anderer –, und so sind wir überhaupt nicht in einer Position, die uns ein Urteil ermöglichen oder erlauben könnte, nicht einmal in Gedanken.

Es ist ferner wichtig, daß die Energie oder das Geld, das wir geben, nicht mit emotionalen Verpflichtungen behaftet sind, die uns an den anderen binden oder ihn an uns. So etwas wäre Nehmen, nicht Geben, und der andere wird bewußt oder unbewußt spüren, daß Energie von ihm abgezogen wird. Das Geben muß ohne den geringsten Gedanken an Entlohnung oder Gegenleistung irgendeiner Art (ob materiell oder emotional) sein. Wenn wir geben und damit bestimmte Erwartungen verknüpfen, sind wir keine Geber – ganz gleich, wie sehr wir uns im Glanz unserer vermeintlichen »Großzügigkeit« sonnen.

Alle unsere Beziehungen sind karmischen Ursprungs. Unsere Tage verbringen wir damit, Energie in der einen oder anderen Form zu geben und zu empfangen. Der weise Mensch achtet auf Ausgeglichenheit in diesen Transaktionen des Lebens, auf Klarheit und Übereinstimmung mit dem Gesetz der Natur. Er geht durchs Leben so bewußt, wach und ausgeglichen wie möglich.

Energiegeschäfte und -verbindungen, die in diesem Leben ungelöst bleiben, sind in einem späteren Leben zu klären. So wird in der oft wirren Unübersichtlichkeit unserer alltäglichen Beziehungen neues Karma geschaffen, und wir bleiben immer ans Rad der Wiedergeburt gebunden.

Pyramidenenergien und der Einfluß der Form

Wir wissen aus der Beschäftigung mit Feng Schui, daß die Form auf den Energiefluß einwirkt. Daraus ergibt sich deutlich, daß bestimmte Formen spezielle Eigenschaften besitzen. So überrascht es nicht, daß es Gestaltungsformen gibt, die ein Höchstmaß guter Energie in sich tragen. Bögen, Kuppeln, Spitztürme und Pyramiden bergen in ihrem Innern starke positive Energie. George Yao, der Erfinder des Pulsors, meint, daß negative Ener-

gie (Yin) zur Spitze emporgezogen und von dort abgestrahlt wird, während positive Energie (Yang) im Innenraum zurückbleibt.
Bekanntlich werden magnetische, elektrische und elektromagnetische Energien von spitzen Punkten und Ecken aus gebündelt verstrahlt oder über diesen entladen. Dieses Prinzip macht man sich beim Blitzableiter zunutze, aber auch für Antennen oder die Korona-Entladungstechnik, die bei Negativ-Ionen-Generatoren eingesetzt wird. Pat Flanagan entdeckte, daß die Energie, die von den fünf Ecken einer Pyramide ausgeht, die gleichen Eigenschaften besitzt wie die Energie im Innern der Pyramide; dies bedeutet, daß nicht alle Energien, die von hervorstehenden Spitzen oder Ecken ausgehen, grundsätzlich negativ sind. Dies besagt aber auch, daß die konventionelle Wissenschaft die Wichtigkeit der Form, Gestalt und Struktur in einem Energiesystem zu erkennen beginnt; solche Gedanken wurden im Zusammenhang mit Pyramiden bisher oft vernachlässigt.
Was ist denn Form letzten Endes? Eine Veränderung in der äußeren Manifestation schwingender Energiemuster. Farben erscheinen als solche, weil das »farbige« Material unterschiedliche elektromagnetische Schwingungen reflektiert. Feste, flüssige und gasförmige Stoffe nehmen Form und Struktur an, wie es der Anordnung von Molekülen und Atomen in ihnen entspricht. Werfen Sie einen Blick auf Ihre unmittelbare Umgebung: Die Formen von Feststoffen und Lufträumen erscheinen als solche, weil es sich um unterschiedliche Verdichtungen und Anordnungen der Moleküle, Atome und Partikel handelt, aus denen sie bestehen. Gestalt und Farbe sind allein Schwingungsphänomene, also kann man davon ausgehen, daß es Formen mit harmonischen und Formen mit disharmonischen Schwingungen und Atmosphären gibt, die sie umgeben. So können wir Feng Schui »wissenschaftlich«

nachvollziehen, aber auch die Pyramidenkunde und andere formabhängige Phänomene. Manche der geschilderten negativen geomagnetischen Erscheinungen – das läßt sich fast mit Gewißheit sagen – beruhen auf Belastungen, Spannungen, Formen und Disharmonien, die an Kreuzungen und Rändern erzeugt werden, während gute atmosphärische Verhältnisse auf der Erde zweifellos von harmonischen Anordnungen der physischen, vor allem aber der subtilen Struktur gefördert werden.

Die Geschichte der modernen Entdeckung von Pyramidenenergien geht auf den Franzosen Bovis zurück. Ende der dreißiger Jahre verbrachte er seinen Urlaub in Ägypten und besichtigte auch die große Pyramide bei Gizeh. Er war überrascht, dort einen Abfalleimer zu entdecken, der mit toten Kleintieren gefüllt war, von denen keines irgendwelche Merkmale von Verwesung zeigte. Die Tierkörperchen waren lediglich ausgetrocknet. Einer der Aufseher erklärte ihm auf sein Fragen, daß dies bei allen Tieren festzustellen sei, die sich in der Pyramide verlaufen hätten und verhungert seien. Als er nach Hause zurückkehrte, begann Bovis mit Pyramidenmodellen zu experimentieren und erhielt die gleichen Ergebnisse.

Als Bovis seine Entdeckungen publizierte, ließ sich einer seiner Leser, ein tschechoslowakischer Radio-Ingenieur namens Karel Drbal, davon faszinieren und anregen. Bei den Versuchen, die er selbst anstellte, beobachtete er, daß eine über Nacht unter ein Pyramidenmodell gelegte Rasierklinge am nächsten Morgen wieder scharf war. Das war eine wichtige Entdeckung, denn in den kommunistischen Ländern war guter Stahl für Rasierklingen Mangelware. Die Soldaten der Roten Armee erhielten nur eine neue Klinge im Monat, die jedoch nur einige Rasuren durchhielt. Drbal erinnerte sich seiner eigenen Soldatenzeit, als man zum Spaß die Rasierklingen seiner Kameraden aufs Fenstersims legte, wo das polarisierte Licht des

Mondes die Schneiden abstumpfte, ohne daß die Manipulation sichtbar wurde.
Drbals Entdeckung bekam in seinem Lande also großen praktischen Wert, obwohl er viele Jahre brauchte, um das Patentamt zu bewegen, seine Neuigkeit anzuerkennen, denn er selbst war nicht in der Lage, das Funktionsprinzip seiner Entdeckung zu erklären.
Gleichgültig, wie es nun tatsächlich möglich ist: fest steht, daß Pyramiden Energie erzeugen, die sowohl magnetische als auch subtile Eigenschaften besitzt.
Die Pyramideenergie bewirkt unter anderem das »Aufladen« von Wasser und die Geschmacksverbesserung von Getränken; Mikroorganismen hingegen und zersetzende Kreaturen wie Fliegen usw. hält sie davon ab, ins Innere einer Pyramide einzudringen. Dieses letztere Phänomen ist besonders interessant und jederzeit leicht unter Beweis zu stellen: Nahrungsmittel, die unter Pyramiden aufbewahrt werden, fangen nicht an zu verderben oder zu schimmeln, sondern trocknen nur im Laufe der Zeit aus. Hier stoßen wir auf eine interessante Parallele zu unserer Geschichte von der Zellkultur, die allein durch die Übertragung von ultraviolettem Licht von einer bakteriell verseuchten Kultur »angesteckt« wurde. Die ultraviolette, elektromagnetische Strahlung war von der negativen, disharmonisierten Schwingung der kranken Kultur geprägt und störte die gesunde Kultur durch Übertragung dieser Schwingung auf deren molekulare und zelluläre Struktur. Gehen wir davon aus, daß es auf den molekularen, subatomaren und subtileren Ebenen positive und negative Schwingungen gibt, wie wir es in vorangegangenen Kapiteln besprochen haben, dann wird alles, was auf negative Schwingung eingestellt ist – zum Beispiel fäulnis- und zersetzungsbewirkende Mikroorganismen, Fliegen usw. –, sich in einem Bereich positiver Schwingung nicht wohl fühlen; dies gilt freilich, wie wir alle wissen, auch im

Größeren, Menschlichen: Ein zu Gewalttätigkeit neigender, wütender Mensch wird sich in einer spirituellen Gemeinschaft oder bei einer geistig eingestellten Person nicht wohl fühlen, diese wiederum wird sich unter disharmonischen Leuten fehl am Platze fühlen. Wenn also die Pyramide eine positive Energieschwingung erzeugt, die ihren Innenraum erfüllt, ist es nur zu verständlich, warum die Mikroorganismen hier nicht ungestört ihrer abbauenden und zersetzenden Tätigkeit nachgehen können!
Ähnlich erklärt sich die Geschmacksverbesserung von Getränken oder Speisen und die Aufladung von Wasser mit positiver Energie unter dem Einfluß der Pyramide; solche Phänomene lassen sich auch beim Pulsor beobachten. Geschmack und Geruch sind Eigenschaften, die es uns ermöglichen, den molekularen und atomaren Gehalt dessen zu erkennen, was uns durch Mund oder Nase geht. Der Geschmack einer Speise wird nicht nur durch Pyramide und Pulsor verbessert, sondern auch durch die Stimmung des Kochs. Eine Frau, die eine Mahlzeit in liebevollem, konzentriert-bewußtem Gemütszustand bereitet, wird dies auf alle übertragen können, die sich davon nähren, und so deren Bewußtsein erheben und die Tischgemeinschaft in einem Geist herzlichen Zusammenseins vereinen, in dem keiner die Bande der Harmonie und des guten Willens zerreißen möchte, die alle verknüpfen. Wenn, wie wir meinen, der Geruchssinn auch die molekulare Schwingung und den subtilen Energiegehalt aufnimmt – ähnlich, wie die Augen die Aura zu »sehen« scheinen –, können wir leicht nachvollziehen, wie der Geschmack von Speisen zu verbessern ist.
Interessanterweise neigen Pyramiden dazu, künstliche Geschmackswirkungen und Düfte (einschließlich jener von Süßigkeiten und Kosmetika) zu beseitigen oder zu reduzieren. Übrig bleiben der süße Zuckergeschmack oder der Duft des Anteils natürlicher Öle. Daraus läßt sich

schließen, daß die positive Energie unter der Pyramide den unnatürlichen Schwingungseigenschaften künstlicher Geschmacks- und Duftmoleküle entgegenwirkt und sie so der Fähigkeit beraubt, auf unsere Sinneszellen einen Reiz auszuüben.
Weitere Hinweise geben uns die Aussagen von Hellsichtigen: Prana wird durch den hinteren Teil der Nase in den Körper aufgenommen, die heilenden Schwingungen von Blütenessenzen jedoch dringen durch den oberen Gaumen direkt in die Gehirnenergie ein. Nase und Mund scheinen also wesentlich mehr über subtile Energien zu wissen, als wir beim ersten Schmecken vielleicht ahnen!
Die Verbesserung der Wasserqualität ist ebenfalls unter ähnlichen Gesichtspunkten verständlich: Wasser, chemisch H_2O, verhält sich in jeder analytischen Hinsicht eigenartig. Wenn man es verfestigt, dehnt es sich aus, während die meisten anderen Stoffe sich zusammenziehen. Gäbe es diese Eigenschaft des Wassers nicht, sähe unser Planet ganz anders aus: Wasser sickert nämlich in Spalten des Gesteins, gefriert dort in der Kälte, dehnt sich dabei aus und sprengt den Fels, dessen Erosion dadurch wesentlich beschleunigt wird. Eis also ist weniger dicht und schwer, denn es schwimmt auf dem Wasser; so kommt es zu Eisbergen, Packeis usw. Ja, die ganzen Gebiete um Arktis und Antarktis sähen völlig anders aus, wenn Eis im Wasser sinken und nicht von ihm getragen würde! Andere Erscheinungsformen von H_2O wie Hagel, Schnee und Regen sowie seine große Bereitschaft, mit zahlreichen anderen Molekülen Bindungen einzugehen, machen das Wasser auch zu einer einzigartigen Substanz – ganz zu schweigen von einer Reihe weiterer, noch schwerer verständlicher Eigenschaften, die aufzuzählen wir hier nicht den Platz haben. Manche Wissenschaftler glauben zum Beispiel, daß Wasser tatsächlich kristalline Eigenschaften besitze und viele tausend Male pro Se-

kunde zwischen dem flüssigen und dem festen Zustand hin und her oszilliere und dadurch auch die Eigenschaften der Flüssigkeit aufrechterhalte. Das Wassermolekül ist ein Dipol. Das heißt, seine elektrische Ladung ist nicht gleichmäßig über die Oberfläche verteilt, sondern polarisiert; das eine Ende ist positiv, das andere negativ. Das bedeutet jedoch, daß Wasser den Einflüssen des Magnetismus unterworfen ist, und diese Eigenschaft wurde von Behandlern schon seit vielen Jahren nutzbringend eingesetzt. »Magnetisiertes« Wasser wurde in der Ayurveda-Medizin schon seit Jahrhunderten verwendet. Der Magnetismus steht, wie wir wissen, in der Schwingungsfrequenz den subtileren Energien sehr nahe und bewirkt auch Veränderungen auf solchen Ebenen, wie sich an der Möglichkeit zeigt, Akupunkturpunkte mit kleinen Magneten anzuregen.

Fernerhin ist Wasser die Universallösung, in der physische Lebensvorgänge stattfinden; dazu muß es Träger von Prana- und subtilen Energien sein, die zu dieser Funktion notwendig sind.

Leitungswasser, das man unter Pyramiden stellt (oder mit Pulsoren behandelt), verliert einiges von seinem Chlorgeschmack und mundet besser; es soll auch heilende Eigenschaften erhalten und Pflanzen besser wachsen lassen. Neun von zehn Hunden und Katzen ziehen es dem normalen Leitungswasser vor. Außerdem behält es seine Ladung an subtilen Energien länger als andere Substanzen wie Brot und Nahrungsmittel. Pyramidenbehandelte Lebensmittel halten sich zwei- bis dreimal länger als unbehandelte Ware, früher oder später verderben sie jedoch auch.

Es gibt eine interessante Verbindung zwischen Kristall- und Pyramidenenergien. Dr. William Tiller von der Universität Stanford hat herkömmliche Labortechniken angewendet, um Kristalle unter Pyramiden zu züchten. Un-

ter den Eigentümlichkeiten, die er dabei beobachtete und berichtete, befinden sich Kristalle, die spiralig oder streifig verdreht sind, aber auch Kristalle mit eigentümlichen optischen und piezoelektrischen Merkmalen.
Darüber hinaus gehört zu den Eigenschaften der Pyramide auch, daß sie ein schwaches Magnetfeld erzeugt; dies gilt selbst für Pyramidenmodelle aus Karton. Pyramiden wirken am besten, wenn eine Seite auf den magnetischen Nordpol der Erde ausgerichtet ist. Die Wirkungen des Pyramideneinflusses wechseln zuweilen von Tag zu Tag, was vielleicht auf die Veränderungen im Erdmagnetfeld zurückzuführen ist, höchstwahrscheinlich aber auch auf die Schwankungen in der Qualität und Quantität subtiler Energien in der Umgebung der Pyramide. In diesem Zusammenhang wäre es interessant zu wissen, ob die Wirkung von Pyramiden auch in Abhängigkeit davon wechselt, wo sie sich befinden und wer sie gebraucht. Jedenfalls stoßen wir hier wieder auf eine Verbindung zwischen Magnetismus und subtilen Energien. Man sollte darauf hinweisen, daß die Wissenschaft nicht weiß, was Magnetismus – ja, was jegliche Materie oder Energie – tatsächlich *ist*. Die Wissenschaft beschäftigt sich allein damit, die Eigenschaften und gegenseitigen Beziehungen ihres Forschungsgegenstandes zu beschreiben. Und solange ihr nicht ein Verstehen für das vertikale Energiespektrum zu dämmern beginnt, wird sie immer mit dem Kopf gegen eine Wand anrennen. Denn die Fakten allein werden nie zufriedenstellende Erklärungen ergeben. Wenn dies erst einmal verstanden ist, wird man erkennen, daß niemals etwas *erklärt* werden kann, sondern nur *beschrieben*. *Erklärung* oder *Verstehen* erwachsen nur aus dem inneren Erleben – dem völlig Subjektiven, das natürlich dem »objektiven« Wissenschaftler höchst verdächtig erscheint. C'est la vie!
Mit Hilfe von Biofeedback-Geräten zur Überwachung der

elektrischen Spannungen läßt sich beobachten, daß die Gehirnströme bei Menschen, die in Pyramiden sitzen, meditieren oder schlafen, in Richtung Entspannung beeinflußt werden. Wir haben noch keine Untersuchungen mit Gehirnwellenmessungen und Pulsoren in Pyramiden durchgeführt und auch nicht davon gehört, daß andernorts solche Experimente angestellt werden, gehen aber davon aus, daß die tiefe Entspannung, die man erleben kann, sich auch im Aktivitätsmuster der Gehirnströme widerspiegeln muß. Viele subjektive Eindrücke und Bemerkungen von Leuten, die mit Pyramiden experimentieren, klingen sehr ähnlich. Es heißt, wer unter einem offenen Pyramidenrahmen schlafe, brauche weniger Schlaf, fühle sich erquickter am Morgen und sei den Tag über wacher und energieerfüllter; seine Träume sind häufig lebendiger, farbiger und bleiben besser in der Erinnerung.

Auch das subtile und psychische Gewahrsein wird gesteigert; die Menschen berichten, Farben und Lichter in ihrem Körper zu sehen und eine Vertiefung bestimmter Meditationszustände zu erleben; damit verbunden sei eine entsprechende Veränderung der Amplitude der Alphawellen.

KAPITEL 9

Die ätherische oder Gesundheitsaura

Der Ätherleib

Bisher habe ich in diesem Buch versucht, das Wort Ätherleib oder ätherisch möglichst zu vermeiden, nicht aufgrund einer persönlichen Abneigung gegen diesen Ausdruck, sondern weil er so reichlich und so unterschiedlich schon gebraucht wurde, daß er nun bei verschiedenen Menschen mit unterschiedlichen Bedeutungen verknüpft wird und auf verschiedenartige Reaktionen stößt. Der Ätherleib oder das »ätherische Doppel« wurde für die westliche Welt erstmalig in gedruckter Form von den Theosophen beschrieben, wenngleich wir diesen seine *Entdeckung* nicht zuschreiben können. Psychisch-medial begabte Menschen, Yogis und Mystiker aller Zeiten und in allen Kulturkreisen waren sich des Ätherleibs bewußt, wie ihre Aufzeichnungen und bildlichen Darstellungen beweisen. Die Schriften aus Indien, Tibet und China bieten eine ganze Reihe von Beschreibungen des Ätherleibs. Der Ätherleib besteht aus den subtilen Formen der fünf Tattwas, liegt innerhalb des physisch-körperlichen Rahmens und überragt dessen Oberfläche um ca. 5 bis 8 cm in Gestalt der Gesundheits- oder ätherischen Aura. Zu seinen zahlreichen Energien und Aspekten gehören die Chakras und Nadis, aber auch die Akupunktur-Meridiane und das lebenspendende Schwingungsmuster der Pranas. Der Ätherleib stellt den unmittelbaren Bauplan, die Blaupause, unseres bioelektronischen Energiesystems sowie der sichtbaren festen, flüssigen, gasförmigen und kalorischen Aspekte unseres physischen Körpers dar. Er ist der Sender und Empfänger von emotionalen und mentalen Energien von oben und der physischen Energien von unten. Daß der Ätherleib in sich höhere und niedere Energie-Ebenen birgt, ergibt sich aus der Tatsache, daß wohl viele Menschen die Aura als ein Ineinander von verschiedenen Farben wahrnehmen können, aber nur wenige in der Lage sind, tiefer oder höher genug zu schauen, um die Chakras oder den Fluß der Energien in den Akupunktur-Meridianen zu sehen; nur sehr wenige sind gar imstande, die Aura korrekt und folgerichtig genug zu lesen, um Gesundheitszustand und Krankheitsprobleme im physischen Organismus eindeutig zu identifizieren.

Aus der ätherischen Matrix, aus dem Ätherleib, wird Energie in den physischen Körper verteilt. Hier stoßen wir auf die enge Verbindung der endokrinen Drüsen mit den Chakras als den Energiekontrollzentren. Es gibt ferner zahlreiche untergeordnete Schaltstellen, Kreuzungen oder Kontrollpunkte für den Energiefluß – ebenso wie im physischen Bereich das körperliche Gehirn oder die Herzgewebe eine zentralere ordnende Rolle spielen als zum Beispiel die Beinmuskeln. So haben die Hellsichtigen und zahlreichen Therapeuten die Milz und ihre Entsprechung im Ätherischen als Sammel- und Verteilungsstelle für die subtile Energie im ganzen grobstofflichen und ätherischen Körper bezeichnet.

Der Ätherleib wurde auch schon als eine Art von Geflecht beschrieben, das sehr eng in sich verwoben sein, aber auch zerrissen oder unterbrochen erscheinen könne. Der Ausdruck »spaced out« (wörtl. »mit Zwischenräumen verteilt«, gleichbedeutend mit »high«; Anm. d. Ü.), wie er von gewohnheitsmäßigen Drogenkonsumenten gebraucht wird, zeigt genau an, was in ihrem Ätherleib geschehen ist, dessen Integrität (Ganzheit) und Form einen schweren

Schlag hinnehmen mußte und dessen Energiefluß gestört wurde, so daß Kontinuität, Konzentration und Koordination von Denken und physischem Handeln schwierig werden. Das gleiche gilt natürlich auch für Alkohol. Viele Menschen, die anfangen zu meditieren, trennen sich aus eigenem Entschluß von Drogen, Alkohol, Kaffee und sogar Tee wegen deren störender Wirkung auf den inneren Seinszustand, dessen man durch die Meditation immer deutlicher gewahr wird.

Miasmen und das Schwingungsmuster der Krankheit

Ende des 18., Anfang des 19. Jahrhunderts erforschte und begründete der deutsche Arzt Samuel Hahnemann (1755–1843) die Gesetzmäßigkeiten dessen, was er Homöopathie nannte. In dem Bestreben, den ganzen Menschen zu behandeln, bietet die Homöopathie Arzneien, die die Schwingungsharmonie innerhalb der subtilen Energiefelder unseres physischen Wesens wiederherstellen. Die verschiedenen Arzneien mit ihren unterschiedlichen Schwingungseigenschaften sind auf die Behandlung der mannigfachen Disharmonien abgestimmt, die jeder von uns in sich trägt.

Hahnemann ging mit diesem Prinzip jedoch noch weiter. Er spürte, daß es gewisse grundlegende Schwingungsmuster der Krankheit gibt, die er als *Miasmen* bezeichnete. Miasmen haben ihren Ursprung im subtilen oder Aurafeld, das bestimmte »Muster« im Leben und Körper des einzelnen festlegt. Wie ein Tropfen Farbe in einem Eimer Wasser oder wie eine Prise Salz in einem Topf Suppe dehnen diese Schwingungen oder Miasmen ihren subtilen Einfluß über *alle* Energien unseres Wesens aus. Miasmen, sagte Hahnemann, seien erworben: durch verschie-

dene Möglichkeiten der Vergiftung oder Ansteckung oder durch traumatische Einflüsse, die wir im Laufe unseres Lebens erfahren. Sie manifestierten sich durch den bestehenden Schwingungsfluß subatomarer, atomarer, molekularer, elektromagnetischer und allgemein biochemischer und physiologischer Vorgänge in unserem Körper.
Je nach der Intensität der Miasmaschwingung sind solche Muster entweder genetisch ererbt oder durch Resonanz erworben: »Wir werden beeinflußt durch die Gesellschaft, mit der wir uns umgeben«, sagt schon der Volksmund. Dieses Wort ist tatsächlich noch wahrer und zutreffender, als wir uns vorstellen.
Miasmen werden also im Laufe des Lebens erworben oder bei der Geburt von den Eltern als Erbe übernommen. Ererbte Miasmen werden durch den genetischen Code übertragen – die Zellintelligenz, das Zellgedächtnis –, während erworbene Miasmen sich als bakterielle oder Virus-Infektionen – in unserer modernen Zeit auch als toxische Verseuchungen von Lebensmitteln und Umwelt – darstellen oder von diesen verursacht sind.
Manche Kreise sprechen auch von planetaren Miasmen und verstehen darunter subtile Tendenzen und Schwingungen in der Stimmung oder dem kollektiven Unbewußten und der subtilen Energie des Planeten selbst. Auch diese können gestört und verändert werden durch die Sorge (oder vor allem deren Mangel), die ihm die Bewohner des Planeten zukommen lassen. Verschmutzung und Vergewaltigung der Umwelt verursachen also planetare Disharmonien auf subtilen wie auf grobstofflichen Ebenen, die die Gesundheit aller Erdbewohner beeinträchtigen. Simon Martin hat in seinem Geleitwort einige interessante Bemerkungen hierzu gemacht.
Miasmen können auch viele Jahre latent im Menschen verborgen bleiben und nur sehr subtile Einflüsse ausüben bis zu dem Zeitpunkt, an dem aus inneren oder äußeren

Ursachen eine Schwächung eintritt. Dann flackern Miasmatendenzen auf und lösen Krankheit, Spannung, biologische Verschleißerscheinungen und degenerative Vorgänge, Vitalitätsverlust und Alterssymptome in den Geweben aus. Dann zeigen sich die subtilen Energiemuster in dem geschwächten Menschen deutlicher auf der biochemischen und physiologischen Ebene, oder sie treten als bakterielle oder Virus-Infektionen zu Tage, die bisher unbemerkt geblieben oder symbiontisch gewesen sind, sich nun aber auf Kosten ihres Wirts vermehren, da die naturgegebene Widerstandskraft gegen Krankheit stark unterminiert ist.

Miasmen breiten sich über die mentalen, emotionalen und subtil-physischen oder ätherischen Energien unseres Wesens aus und bilden einen Teil des Weges, auf dem das Karma aus Tun und Wollen früherer Leben nun als Krankheit in unser derzeitiges Leben Einlaß findet.

Energie geht nie verloren, sondern wird allenfalls umgewandelt oder anders plaziert. Also versucht die homöopathische Therapie, die Disharmonie des Miasmas als Grundursache der Krankheit auszugleichen und damit den ganzen Menschen zu behandeln. Die Lösung des ganzen Miasmas würde zu einer umfassenden Heilung führen, ist aber mehr oder weniger unmöglich, da die höhere Energie, die den karmischen Ursprung unserer Existenz auf dieser Ebene darstellt, dafür sorgt, daß Vollkommenheit in unserem Geist-Fühlen-Körper-Komplex und seinen Energiemustern nie erreichbar sein wird. Vollendung ist jedoch in Seelenbereichen zu erlangen, auch während die menschlichen Aspekte noch dabei sind, ihr karmisches Schicksal auszuleben. Wenn also ein Miasma erfolgreich behandelt wurde, ist das entsprechende Energiefeld repolarisiert, der Mensch hat jedoch weiterhin die Tendenz, dem gleichen Grundmuster in seinem Leben Ausdruck zu geben.

Miasmen sind im Grunde Energie-Disharmonien, Krankheitsmuster, Störungen des Gleichgewichtszustandes. Deshalb ist es nicht notwendig, die Energie zu *entfernen*, sondern nur die Energiemuster zu einem harmonischeren Bild *neuzuordnen*. Auch ein Sturm ist eine Störung der Schwingungen; wenn er sich aber gelegt hat, glättet sich die Oberfläche des vorübergehend aufgewühlten Wassers wieder zur Harmonie.

Hahnemann sprach von drei erblichen Hauptmiasmen: *Psora*, *Sykose* (Gonorrhö) und *Syphilis*.

Psora bedeutet an sich Mangel oder Unausgeglichenheit; man könnte diesen Zustand auch als Reizung, Gereiztheit bezeichnen. Er äußert sich in Form von Hautausschlägen und Hautkrankheiten aller Arten, als Disharmonie der natürlichen Rhythmen des Körpers und im emotionalen Bereich als Müdigkeit, Niedergeschlagenheit, Sorgen, Furchtsamkeit, Angst und Schüchternheit. Hahnemann hatte den Eindruck, daß Psora als Unausgeglichenheit das Wesen oder die Mutter aller Krankheit sei und zu den beiden anderen Miasmagattungen führe.

Das *Sykose*-Miasma äußert sich durch Exzeß, Übertreibung, Hyperfunktion und Überaktivität; der Begriff selbst stammt aus dem Griechischen und bedeutet »Warze« oder »Auswuchs«. Die Sykose manifestiert sich als Überaktivität bzw. Überfunktion aller wichtigen Organe und Organsysteme des Körpers. Verdauungs-, Atmungs-, Herz-/Gefäß- und urologische Probleme häufen sich – charakteristisch sind Absonderungen –, während die überhitzte mentale und emotionale Aktivität zu einer hastigen, extravertierten, eifrigen und großtuerischen Wesensart führt, die sich sogar im Extremfall bis zu klinischen, psychotischen Zuständen steigern kann.

Das *Syphilis*-Miasma ist in seiner Auswirkung degenerativ und destruktiv. Menschen, bei denen dieses Miasma stark ausgeprägt ist, sind leicht aus der Ruhe zu bringen

und zeigen grausame und destruktive Wesensaspekte. Ihre körperlichen Krankheiten sind gekennzeichnet durch Geschwürbildung, Erosion und Gewebszerfall.
Die von Hahnemann gebrauchten Begriffe spiegelten die Probleme und Krankheiten seiner Zeit wider; betrachten wir sie heute aus allgemeiner Sicht, können wir sehr deutlich erkennen, welche Dualität oder Polarität Hahnemann mit seinen Begriffen ausdrücken wollte. Das Syphilis-Miasma ist ein Ausdruck des indischen Tamas-Guna oder des Yin der Chinesen. Es ist Winter, Tod, Trägheit, Dunkelheit und Vernachlässigung.
Das Sykose-Miasma dagegen ist eine Manifestation des nach außen drängenden, aktiven Rajas-Guna oder des chinesischen Yang-Prinzips. Es ist Ausdruck, Manifestation, Aktivität, positiv. Psora wiederum steht für einen Zustand der Unausgeglichenheit (d. h. einer Abweichung von der »zentralen Integrität«, vom Tao), während Gesundheit, wie Hahnemann so scharfsinnig beobachtete, aus der Ausschaltung dieser Disharmonie oder Psora entsteht.
Somit sind wir erneut auf die Grundprinzipien von Polarität und Dualität gestoßen, diesmal in westlicher Terminologie.
Manche Richtungen haben überlegt, ob Tuberkulose oder Krebs echte Miasmen seien, und in jüngerer Zeit heißt es gar, daß es drei neue Miasmen aufgrund der hochgradigen Umweltverschmutzung gebe. Es handele sich um die petrochemischen, Strahlungs- und Schwermetall-Miasmen.
Ohne Zweifel manifestieren sich Tuberkulose und Umweltgefahren mit spezifischen, identifizierbaren Symptomen und verursachen bestimmte Arten subtiler und grobstofflicher Disharmonie, die als unausgeglichene Schwingungsmuster zu erkennen sind und deshalb als Miasmen bezeichnet werden könnten. Doch sie lassen sich auch

noch als Aspekte der Grunddualität in der Natur erklären und erweisen sich dann als Phänomene innerhalb dieser bereits bekannten Polarität. Sie lassen sich ferner auch den Begriffen Psora, Syphilis und Sykose unterordnen, als Rajas-, Tamas- und Satvas-Guna oder als Yin und Yang der Chinesen. Das nimmt ihnen freilich nichts von ihrer Gefährlichkeit, gibt uns aber den weiteren Verständnisrahmen und zeigt zugleich, daß Hahnemanns Denken selbst unter den heutigen Umständen nichts an praktischem Bezug und Gültigkeit verloren hat.

In diesem Zusammenhang ist es interessant, darauf hinzuweisen, daß die chinesische Pflanzenheilkunde die verschiedenen Kräuter nach ihren Yin- bzw. Yang-Eigenschaften und -Wirkungen verordnet, während die islamische Volksmedizin ähnlich von den »heißen« und »kalten« Eigenschaften von Arzneien spricht. Sie werden mit ähnlicher Absicht eingesetzt wie die homöopathischen Mittel: um die Energien auszugleichen, die unserer menschlichen Existenz zugrunde liegen. Die orientalische Kräuterheilkunde zielt darauf ab, die heißen oder kalten Abweichungen vom Gleichgewicht zu behandeln, während die Homöopathie das ganze Symptomenbild des Patienten mit der Arznei therapieren will, die eine ähnliche Symptomatik hervorrufen würde.

Möglicherweise ging es Hahnemann nicht darum, eine so fundamentale Erklärung der Krankheitsursachen zu finden, wie ich sie durch die Gleichsetzung seiner Miasmen mit der grundlegenden Dualität im Universum andeutete. In diesem Falle kann man die Miasmen einfach als allgegenwärtige subtile Schwingungen innerhalb des menschlichen Energiesystems betrachten, hinter und in denen die fundamentalen Antriebskräfte von Polaritätsstörung und Disharmonie liegen. Keinem Menschen ist es je gelungen, die Gesamtheit der Wissenschaft mit seinem Lebenswerk zu umfassen, und man kann davon ausgehen, daß ein so weit entwickelter Denker wie Hahnemann auch die Entfaltung seines Verstehens und seiner medizinischen Praxis weitergetrieben hätte, hätte er bis heute gelebt! Die Tendenz des Menschen, sein Denken auf das Werk eines längst Verstorbenen zu konzentrieren – sei es auf dem Gebiet der Religion oder der Wissenschaft –, ist nicht so sehr ein Anzeichen für die Unfehlbarkeit des vorausgegangenen Helden als für den Mangel an wirklich ursprünglichen, eigenständigen Denkern und Pionieren unter uns.

Aus verschiedenen medialen und ähnlichen Quellen ist zu erfahren, daß die Homöopathie an sich nicht neu ist und daß ähnliche potenzierte Arzneien bereits sowohl in Atlantis – wo man mit Hilfe von Kristallresonanzen Arzneien mit Energie auflud – als auch in Lemurien zum Einsatz kamen, wo man die subtilen Essenzen aus Pflanzen gewann, vielleicht nach einer Methode, wie sie auch zur Herstellung der modernen Bach-Blütenessenzen angewendet wird.

Der Zustand unserer Umwelt, der neue Schwingungsmuster erzeugt, wurde im Laufe dieses Buches schon wiederholt erwähnt. Wir müssen etwas gegen die Umweltverschmutzung unternehmen, wenn wir auch nur annähernd mit unserer gegenwärtigen Gesellschaftsstruktur, Zivilisation und Technik ins 21. Jahrhundert hinein überleben wollen. Der Mensch muß Wege finden, seine Technik in Einklang mit der Natur zu bringen, denn das ist unsere einzige Hoffnung. Jedermann hat selbst die Verantwortung, seiner Selbstsucht und seiner Neigung zu persönlichem Profit zu widerstehen, damit der Planet Erde ein einigermaßen sauberer Planet bleibt, den wir unserer Nachwelt mit Anstand hinterlassen können. Wenn die Menschen nur erkennen würden, wie unausweichlich und unbeirrbar das Gesetz von Ursache und Wirkung, das Karmagesetz, sich durchsetzt und sein Ziel über alle unsere Leben hinweg verfolgt, dann würde – und sei es aus egoistischen Motiven heraus – keiner mehr fortfahren, die Erde in eine verseuchte Schutthalde zu verwandeln. Dann wüßte jeder, daß er wiedergeboren wird, um die Folgen seines früheren, mutwilligen Zerstörungswerkes zu spüren!

Hinsichtlich unserer Erörterung der Miasmen sei noch eine Hypothese erwähnt, die Dr. J. E. R. McDonaugh vorgebracht hat: Viren würden durch disharmonische Schwingungen (er spricht von Überexpansion) von Eiweißmolekülen erschaffen. Hierbei brächen Fragmente des Moleküls ab und entwickelten sich zu Viren. Das Virus wiederum arbeitete sich durch die normalen Prozesse der Eiweißvermehrung hindurch und könne andere, gesunde Organismen infizieren. Viele ganzheitlich arbeitenden Behandler würden hinzufügen, daß Krankheit nur da Wurzeln fassen kann, wo eine entsprechende Neigung besteht – d. h. eine Schwingung innerhalb des Organismus, mit der das negative Wesen der Krankheit resonieren kann, mit anderen Worten: ein Miasma.

Dieser *Schwingungsmuster*-Aspekt der Krankheit begegnet uns auf allen Ebenen. Ein negativer Gedanke, eine negative Idee, die uns von außen erreicht, kann uns nichts anhaben, solange sie nicht irgendeinen Winkel in uns findet – sei er größer oder kleiner –, in dem sie auf Resonanz stößt. Auch keine Krankheit, nicht einmal eine Epidemie, vermag uns etwas anzuhaben, wenn es nicht einen Schwingungskeim in uns gibt, der ihr Einlaß gewährt durch die Schwingungsverwandtschaft oder Resonanz. Auf diese Weise ziehen wir Dinge zu uns heran, gute wie schlechte. Wenn wir aus karmischer Sicht – d. h. aufgrund unseres Handelns oder Denkens in früheren Leben – dazu bestimmt sind, in dieser Inkarnation eine bestimmte Ernte einzubringen, dann wird ein entsprechendes Schwingungsmuster vom Zeitpunkt unserer Geburt an ein fester Bestandteil unserer Konstitution sein – sei es mental, emotional oder physisch –, das zur rechten Zeit, am rechten Ort und auf die richtige Weise Frucht trägt. So wirkt sich unser Schicksal zu guten, schlechten oder neutralen, zu großen oder kleinen Ereignissen in unserem Leben aus. *Aber*, sagen die Weisen, *wir besitzen bedingt freien Willen*, innerhalb des Rahmens und Zusammenhangs unseres Schicksals. In diesem Rahmen haben wir die Fähigkeit, neues Karma für zukünftige Leben zu erschaffen – gutes, schlechtes oder neutrales! Wir sind nicht absolut frei, sondern werden gelenkt von den Energiemustern, die in höheren Energiebereichen aufgezeichnet sind wie in einer Wachstafel und bestimmen, wie die Grundstruktur und ein großer Teil der Einzelheiten unseres derzeitigen Lebens aussehen. Solange wir also von dem einen Meer getrennt sind und ein individuelles Identitäts- oder Ichgefühl besitzen, müssen wir unser Unterscheidungsvermögen gebrauchen, um die Gedanken und Handlungen, auf die wir uns einlassen, genau beurteilen zu können, soweit man erkennt, daß sein Leben nicht in eigenen Händen liegt und das kleine »Ich« im Grunde gar nicht existiert, kann man sich dem großen Allwillen übergeben.

Emotionale und mentale Energien und ihre Widerspiegelung in der Aura

Wie wir schon in vorausgegangenen Kapiteln festgestellt haben, sind emotionale und mentale Energien eine höhere Schwingung als die subtil-stofflichen Energien. In manchen Lehren werden sie als Teil des Ätherleibes betrachtet, in anderen dagegen den Astral- und Kausalkörpern zugeordnet. Die eigentlichen Astral- und Kausalkörper, die in ihren jeweiligen Welten arbeiten, befinden sich allerdings weiter oben bzw. weiter innen, wie schon dargelegt. Ich selbst stelle mir diese emotionalen und mentalen Energien als subtile Energien innerhalb des Körpers und als Teil des Energiespektrums oder -kontinuums vor. In bezug auf die Aura haben diese Energien gewiß eine größere »Bandbreite« als die allein physischen oder ätherischen Aura-Abschnitte, wie sich mit Hilfe von Ruten oder intuitiven Wahrnehmungsfähigkeiten erfahren läßt. Die Anwesenheit eines Menschen in einem Raume ist auf der physischen wie auf der emotionalen und der mentalen Ebene deutlich spürbar. Zu sexueller Anziehung kommt es normalerweise, wenn man einem anderen Menschen physisch-körperlich sehr nahe ist. Jedenfalls spürt man die Schwingung eines anderen viel stärker, wenn man neben ihm sitzt. Aber der emotionale und mentale Aspekt des Geistes eines anderen Menschen breitet sich über ein ganzes Haus aus. Das Gefühl, in einem Haus völlig allein zu sein, ist vielen Menschen vertraut, aber auch das Gewahrsein der Anwesenheit eines anderen, ohne daß Geräusche oder andere Faktoren einen Hinweis darauf gäben.

Die Beziehungen, die wir mit anderen Menschen haben, stellen auch eine Verbindung her. Selbst über Meere und Kontinente hinweg scheint räumliche Entfernung kein Hindernis zu sein. Inneres und Äußeres sind einander sehr nahe, viel näher, als die konventionelle Wissenschaft sich vorstellen mag.

Die Aura ist tatsächlich ein Ausdruck der inneren Seele und der sie umgebenden Körperhüllen und Energien. Die physischen, astralen und kausalen Körper sind fest mit den von ihnen in die Aura ausstrahlenden Energien verbunden, die das Wesen des Innewohnenden widerspiegeln. Stellen Sie sich vor, wie herrlich die Aura eines wahrhaft Heiligen sein muß, funkelnd und strahlend vom Licht der Liebe und mystischer Weisheit. Vergleichen Sie dieses Bild mit der gemeinen, trüben, groben Ausstrahlung eines zornigen, verkommenen und grausamen Menschen. Beim Anblick des letzteren empfinden wir Traurigkeit, wenden uns aber ab, weil da kaum oder gar nicht zu helfen ist; vom Anblick eines Heiligen hingegen fällt es uns schwer, den Blick zu lösen.

Charisma

Charisma – auch bekannt als persönlicher Magnetismus – ist eine Art Anziehungskraft, von der manche Menschen umgeben sind. Häufig steht Charisma in Verbindung mit einem hohen Maß an unerschöpflicher physischer Energie und Ausdauer, und so werden charismatische Menschen zum Mittelpunkt der Aufmerksamkeit, wo auch immer sie auftreten. Häufig findet man sie in Führungspositionen oder im Showbusiness. Andere Menschen fühlen sich in ihrer Nähe angeregt und erhoben, besonders wenn die Art ihrer Persönlichkeit mit der eigenen verwandt ist.
Politiker, große Heerführer, philosophische Vordenker – sie alle haben diese Eigenschaft gemeinsam. Man denke an den großen Alexander, der als junger Herrscher seine Armee auf den langen Marsch von Persien bis Indien führte und sein Reich selbst aus weiter Ferne noch fest unter Kontrolle halten konnte – ohne die Hilfe der modernen Kommunikationsmittel, allein aufgrund der Liebe und Achtung, aber auch der Furcht, die seine Persönlichkeit auf sich zog. Auch Hitler besaß Charisma und eine magnetische Anziehungskraft, die Menschen zu unsagbaren Beweisen ihrer Treue anfeuerte. Er besaß persönlichen Charme ebenso wie eine gewisse dämonische Natur. Alle Anführer dieser Art müssen solch ein Charisma besitzen, um ihre Position eine Zeitlang halten zu können.

Und es ist nicht zwangsläufig mit Gutem oder gar Spiritualität gleichzusetzen.
Für Entertainer ist Charisma mehr oder weniger Grundvoraussetzung ihrer Arbeit; sie brauchen dieses subtile Mittel, um die Herzen ihrer Zuhörer berühren zu können. Unter den echten spirituellen Lehrern oder Mystikern ist Charisma eine selbstverständliche äußere Manifestation ihres inneren, liebevollen Wesens. Ja, Charisma in Verbindung mit einer spirituellen Tendenz wird eine äußerst anziehende Persönlichkeit prägen. Man sollte es jedoch nicht als ein Zeichen von Spiritualität mißverstehen; eine liebenswerte, starke und magnetische Persönlichkeit muß nicht mit innerem, spirituellem Wissen gesegnet sein. Charisma zeigt sich in der Aura als eine kräftige und energiereiche Schwingung auf ätherischer, emotionaler und mentaler Ebene. Charisma ist auch die »joie de vivre« (Lebensfreude). Die Chinesen würden sagen: Ein solcher Mensch besitzt starkes Ch'i. Fest steht jedenfalls, daß charismatische Menschen sich sehr stark im Äußeren verwirklichen und einen mächtigen Einfluß über andere ausüben können.

KAPITEL 10

Rute und Pendel: Das Aufspüren subtiler Energien

Pendel und Wünschelruten

Rutengehen, Pendeln, Muten oder Radiästhesie – das ist die Kunst, Energien, Gegenstände usw. aufzuspüren, und zwar mit Hilfe von speziellen Ruten, Pendeln oder anderen Instrumenten. Ein wesentlicher Faktor bei allen diesen Methoden ist der Ausübende selbst, ohne den nichts geschieht. Die Literatur über Radiästhesie bietet eine Fülle von historischen Berichten und Darstellungen des Rutengehens zur Brunnen- oder Wassersuche; dies war vermutlich die erste Aufgabe des Rutens überhaupt gewesen. Es gibt zahlreiche Kunstwerke und Gemälde aus allen Zeitepochen und Kulturkreisen, die Rutengänger bei der Arbeit darstellen; das älteste Zeugnis dieser Art ist vermutlich eine Statue des chinesischen Kaisers Kwang Su, der eine Wünschelrute hält, das Kunstwerk wird auf die Zeit um 2500 v. Chr. geschätzt.
In jüngerer Zeit – wahrscheinlich aber auch in früherer – wurden Ruten und Pendel gebraucht, um Erzlagerstätten oder Wasser aufzuspüren, und seit Anfang dieses 20. Jahrhunderts wurden solche Instrumente auch zum Feststellen medizinischer Sachverhalte und subtiler Energien verwendet (z. B. Radionik und Radiästhesie). Da es bei den Naturphänomenen nur selten etwas Neues gibt, würde es mich nicht überraschen, wenn die medizinische Radiästhesie und alle anderen Formen der modernen Radiästhesie auch schon bei Völkern und Kulturen früherer Zeiten bekannt waren. Nur unsere modernistische Sucht nach

dem schnell gedruckten Wort, nach der Technik, die alles Wissen aufzuzeichnen und zu verbreiten hat, sorgt dafür, daß jetzt alles schwarz auf weiß und für alle Zukunft niedergelegt ist. In früheren Zeiten wurde Wissen hauptsächlich durch mündliche Überlieferung weitergegeben, vom Lehrer an den Schüler, und häufig im geheimen. Manchmal war die Leidenschaft zur Geheimniskrämerei tatsächlich so stark, daß das Wissen am Ende mit den Wissenden starb. Dies gilt zum Beispiel für das alte China, in dem einige Familien sich spezielles Wissen über die Akupunktur erwarben, durch das sie berühmt wurden – und ohne Zweifel auch recht wohlhabend. Als jene Familien aber schließlich ausstarben, ging ihr kostbares Wissen mit ihnen verloren.

Ich habe nicht die Absicht, hier Indizien und Beweise für die Radiästhesie zusammenzutragen; das ist schon in vielen anderen Büchern geschehen. Ich will mich auf die Feststellung beschränken, daß die meisten Armeen der Welt, die meisten Bergbau-, Erdöl-, Wasser- und Pipeline-Firmen sowie zahlreiche Landwirte und Bauherren in trockenen Klimazonen Rutengänger beschäftigen oder wenigstens von Zeit zu Zeit zu Rate ziehen. Solche Leute würden nicht auf Rutengänger zurückgreifen, wenn das Phänomen an sich nicht existierte und funktionierte.

Darüber hinaus wurde die Radiästhesie schon früher und wird auch heute in zunehmendem Maße in der therapeutischen Praxis eingesetzt, vor allem in Verbindung mit der sogenannten alternativen Medizin. Dies geschieht mit großem Erfolg zur Diagnose physiologischer und biochemischer Störungen und Mängel ebenso wie zur Feststellung des Zustandes der subtilen Energien eines Patienten.

Das Pendeln wurde schon zu Hilfe genommen, um (über einer Seekarte) vermißte Unterseeboote oder (über einer Landkarte) Minen zu finden. Die Radiästhesie wurde ein-

gesetzt, um die Aura zu vermessen und aufzuzeichnen, um das Geschlecht von Tagesküken zu bestimmen (in Japan), um Kriminelle und ihr Versteck (über einem Stadtplan) aufzuspüren, um zu bestimmen, welches Auto zu kaufen oder welches Kleid zu tragen sei, um verlorene Gegenstände wiederzufinden, um auf Entfernung Radionik- und Pulsor-Diagnose und Behandlung durchzuführen, um das Geschlecht eines noch nicht geborenen Babys zu erfahren, um archäologische Fundstücke zu orten und zu datieren und zu vielen, vielen anderen Zwecken. Falls Sie es noch nie versucht haben: es lohnt sich. Sie können einfache Wünschelruten aus Drahtkleiderbügeln zurechtbiegen, und zu Beginn kann jeder kleine, schwere und symmetrische Gegenstand sich als Pendel eignen. Es macht Spaß, und viele Menschen haben von Natur aus eine Begabung dafür, die normalerweise mit zunehmender Übung und Erfahrung noch wächst – also probieren Sie es und haben Sie keine Angst, für nicht mehr normal gehalten zu werden!
Jenen unter ihnen, die noch gar nichts über Pendeln und Ruten wissen, mögen einige kurze Erläuterungen vielleicht helfen. Zunächst einmal brauchen Sie jedoch ein Instrument, d.h. eine Rute oder ein Pendel. Einige der gebräuchlichsten Formen sind auf der nächsten Seite abgebildet.
Um die Radiästhesie erfolgreich anzuwenden, müssen Sie ganz klar verstehen, was dabei geschieht. Erstens, *der eigentliche Detektor sind Sie selbst,* d.h. Ihr eigenes Bioenergiefeld, Ihr Unterbewußtes und vielleicht sogar Ihr Überbewußtes. Es gibt eine Instanz in uns, die alles weiß, aber wir stehen mit dieser Instanz nicht in bewußter Verbindung. Vielleicht ist das vergleichbar mit der bekannten Situation: Ich kann wohl meinen Arm heben, weiß aber nicht, wie *der Gedanke übertragen wird* von meinem Geist in mein Gehirn, über die Nerven in die Muskeln und dort

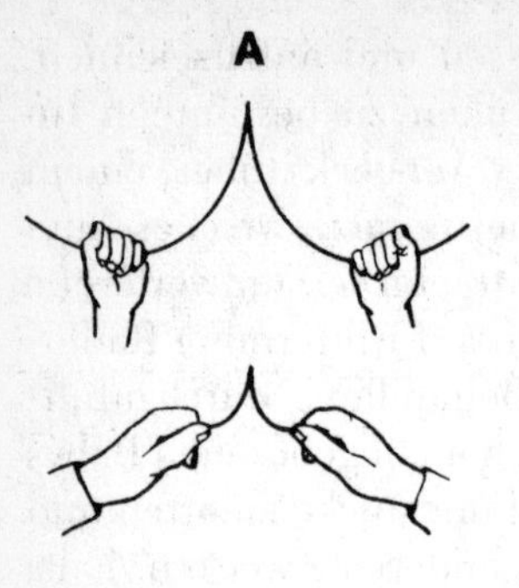

Traditionelle Wünschelrute, ca. 30 cm lang, aus Holz (meist Haselstrauch oder Weide), aber auch aus Metall, Plastik, Fischbein etc. In beiden Händen gehalten, die Handinnenflächen weisen nach oben. Die Spitze (Gabelung) der Rute bewegt sich nach unten oder oben, wenn der Rutengänger mit ihr über das Gesuchte geht. Es gibt auch kleine (ca. 15 cm lange) Ruten, die man in den Fingern hält.

B

Spür-Ruten, ca. 30 cm lang, wie sie oft zum Untersuchen der Aura verwendet werden. Horizontal gehalten, weisen die langen, freien Enden parallel nach vorne. Sie bewegen sich aufeinander zu oder auseinander, wenn die Grenze eines Energiefeldes überschritten wird. Den Handgriff bildet ein Röhrchen, in dem die L-förmige Rute sich frei drehen kann.

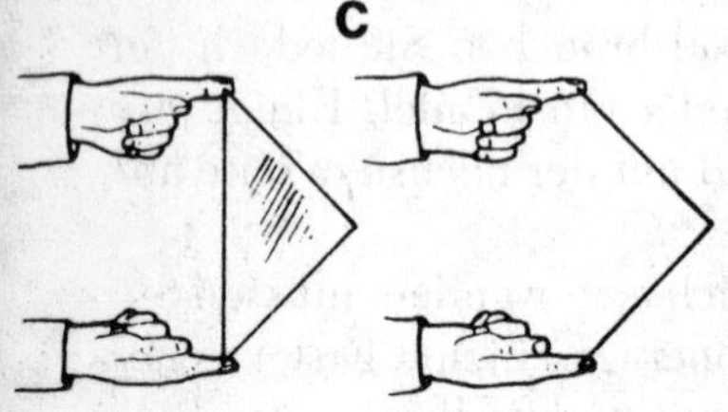

Dreieckige Rute, aus Plastik oder Draht, ca. 15–20 cm hoch. Die Spitze des Dreiecks zeigt nach vorn und bewegt sich seitwärts, wenn das Gesuchte entdeckt ist.

D

Ruten dieser Art wurden erstmalig von dem berühmten amerikanischen Radiästhesisten und Pfarrer Verne Cameron zur Aura-Untersuchung entworfen und gebraucht. Die Spitze schwingt zur einen oder anderen Seite, wenn etwas entdeckt wird.

E

Pendel verschiedener Formen und Größen, hergestellt aus allen denkbaren Materialien. Die Bewegungsrichtung zeigt die Antwort auf die gestellte Frage oder die Grenze eines Energiefeldes an. Der Faden ist im allgemeinen ca. 15 cm lang, kann aber bei bestimmten Techniken auch wesentlich länger gewählt werden.

in die kontraktilen Muskelzellen. Wenn also bereits die elementarsten Fakten im Zusammenhang mit dem menschlichen Körper und dessen Funktionen unserem bewußten Denken ein Rätsel sind – können wir dann vielleicht akzeptieren, daß unser Bioenergiesystem mehr »weiß«, als uns bewußt ist?

Wir sind also der Detektor; Pendel oder Rute sind lediglich unsere »Verlängerung«, wie der Zeiger an einem Meßinstrument. Sie *zeigen an*, was wir unbewußt bereits wissen oder aufgespürt haben. Deshalb ist es notwendig, daß der Radiästhesist sich innerlich ganz klar vor Augen hält, was er sucht. Die *richtige Einstellung* zu bewahren und eine *ganz klare Zielvorstellung* zu haben, das ist die Hauptaufgabe auf dem Wege, das Pendeln oder Ruten zu lernen; denn in dieser Hinsicht schleichen sich die meisten Fehler oder Ungenauigkeiten ein. Das heißt aber auch, wenn Sie aufgeregt oder emotional unausgeglichen sind, werden Ihre gestörten Energien zu einer unzuverlässigen Anzeige des Pendels oder der Rute führen. Ruhe und Konzentration sind also unabdingbar.

Sie können in Gedanken oder Worten eine Frage stellen – zum Beispiel »Ist hier eine unterirdische Wasserader?« – oder einfach die feste Absicht oder Zielvorstellung im Sinn behalten. Wenn Sie nach Wasser suchen, können Sie an einen Wasserfall denken, einen strömenden Fluß oder das Meer – an irgend etwas, das Sie auf »Wasser« einstellt, während Sie dabei gleichzeitig daran denken, daß es eben Wasser ist, was Sie suchen. Wenn Sie Erdenergien und Feldlinien untersuchen, können Sie sich das Bild von Felsen oder Vulkanen vorstellen oder sich einfach auf die Energien einstimmen oder *einfühlen*, um die es Ihnen geht.

Der Erfolg ist davon abhängig, wie weit Sie unvoreingenommen gegenüber der Antwort oder dem Resultat Ihres Versuchs bleiben können, während Sie zugleich ein »teilnahmsloses Interesse« am Ergebnis bewahren. Wenn Sie sich zu sehr bemühen, »fair« zu sein und das Resultat nicht zu beeinflussen, wird es keines geben. Wenn Sie ein starkes, bewußtes oder unbewußtes Verlangen oder Vorurteil hinsichtlich des einen oder anderen Resultates haben, werden Sie das Pendel oder die Rute vermutlich beeinflussen. Sie müssen ein Höchstmaß an persönlicher Integrität und Ehrlichkeit entwickeln, um die Radiästhesie erfolgreich betreiben zu können. Ich habe zum Beispiel meiner Frau gesagt, daß es keinen Sinn hat, das Pendel zu befragen, wenn es zu entscheiden gilt, ob sie das Kleid, das ihr so gut gefällt, auch kaufen soll. Das Pendel würde unweigerlich »ja« sagen!

Manche Rutengänger oder Pendler haben unterschiedliche Instrumente für verschiedenartige Zwecke, weil ihnen dies hilft, innerlich klar auf das eingestellt zu bleiben, wonach sie suchen – Wasser, Erdenergien, Mineralien, Aura-Messungen etc. Manche Ruten haben ein kleines Fach im Handgriff, in das man ein Muster dessen geben kann, wonach man sucht. Das hilft natürlich auch dem Rutengänger, sein Denken auf diese Substanz zu konzentrieren. Es kann sich dabei einfach um ein Stückchen Papier mit einem bestimmten Schlüsselbegriff, Namen oder Wort darauf handeln. Diese »Probe« hilft dem Radiästhesisten, sich genau auf das Gesuchte einzustellen.

Vermutlich trägt auch die Schwingung der Probe dazu bei, daß der Rutengänger sich eindeutiger auf die Schwingung des Gesuchten konzentriert. Es gibt natürlich auch Pendel, die innen hohl sind und Muster des zu Suchenden aufnehmen können.

Trotz aller Aufrichtigkeit und Konzentration gibt es noch weitere Möglichkeiten, Fehler zu machen. Selbst der große Reverend Cameron, der 1959 vor den erstaunten Augen von Vizeadmiral Curtis auf einer Seekarte die Position aller US-Unterseeboote mit Erfolg und Präzision lokalisierte (und gleich darauf die Positionen der russischen U-Boote), »entdeckte« auch bei seinen Aura-Untersuchungen, daß die menschliche Aura Engelsflügel und einen Heiligenschein hätte. Seine christliche Erziehung veranlaßte ihn, eine Auraform festzustellen, die bislang von keinem einzigen anderen Radiästhesisten oder Medium bestätigt werden konnte! Verne Cameron rät übrigens, Rute oder Pendel als eine Verlängerung des eigenen Körpers zu betrachten, die an das Nerven- und Muskelsystem angeschlossen ist.

Auch das Material, aus dem die Instrumente zur Radiästhesie hergestellt sind, mag eine gewisse Auswirkung auf die Genauigkeit der Resultate haben. Vielleicht sind Rute oder Pendel aus Stahl am besten, um Magnetismus und Erdenergien aufzuspüren, während Kupfer das geeignete Material zur Entdeckung elektrischer Leitungen und Induktionsfelder wäre. Kristallpendel helfen wohl zur Einstimmung auf spezielle Heilungsfarben oder -faktoren.

Da die Radiästhesie ganz deutlich mit den bioelektronischen und subtilen Energiefeldern zu tun hat, die wiederum Aktivität in magnetischen und elektromagnetisch/biomagnetischen Energiefeldern zeigen, ist es wohl ratsam, metallene und elektrisch leitende Pendel zur Untersuchung des Zustandes subtiler Energien zu vermeiden. Aus ähnlichen Gründen sollte der Faden, an dem

das Pendel schwingt, aus Wolle oder Seide sein, möglichst aber nicht aus Nylon oder Kunstfasern, da diese auch elektrostatische Eigenschaften besitzen. Subtile Energien fließen bestimmt auch entlang Drähten, in Kanälen und über natürliche Grenzlinien, wie durch mediale Wahrnehmungen, Nadis und Akupunktur-Meridiane bestätigt wurde, aber auch äußere Formen haben einen Einfluß, wie wir aus Feng Schui und von den Pyramiden wissen. Man braucht also ein Instrument, das den natürlichen Fluß der Energien nicht blockiert oder stört; wenn Sie also ein bestimmtes Material oder Radiästhesie-Instrument nicht mögen, dann versuchen Sie erst gar nicht, mit ihm zu arbeiten.
Wir verwenden immer ein Pulsor-Pendel, den Acu-Pulsor, wenn wir mit Pulsoren arbeiten und diese Bereiche der körperlichen Energiepolaritäten untersuchen, weil andere Pendel eine Mischung unterschiedlicher Polaritäten subtiler Energien haben und damit zu ungenauen Meßergebnissen führen können. Auch im allgemeinen Gebrauch stellen wir beim Acu-Pulsor eine sehr hohe Genauigkeit und Zuverlässigkeit fest.
Manche Radiästhesisten wollen nicht, daß andere Menschen ihre Instrumente berühren, da dies ihre Schwingungen stören könne. Das ist ganz verständlich. Der wesentliche Punkt ist doch, daß alles, was einem hilft, seine Einstellung klar und rein zu halten, auch genutzt und berücksichtigt werden sollte.
Bei allen dargestellten Instrumenten muß der Benutzer also zunächst in sich selbst festlegen, welches die positive und welches die negative Antwort oder Reaktion seines Werkzeuges sein soll. Soll die Wünschelrute (A) nach oben oder nach unten ausschlagen, um Wasser oder Erz anzuzeigen? Sollen die L-Ruten (B) sich auseinander bewegen oder überkreuzen? Soll der Ausschlag nach links oder der nach rechts einen »Fund« bei dem dreieckigen

Instrument (C) oder dem Cameron-Aurameter (D) anzeigen?
Das Pendel bietet drei verschiedene Bewegungsmöglichkeiten:

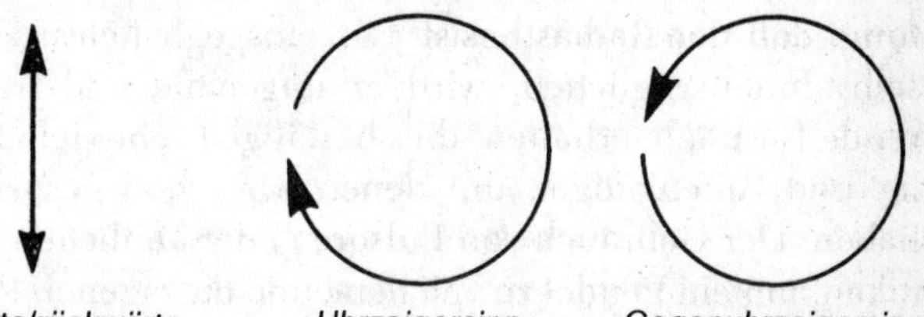

Je nachdem, was Sie aufspüren wollen, können Sie den Antwortmodus des Pendels auf zwei oder alle drei Möglichkeiten definieren. Die Quantität oder Stärke des Ausschlages wird in der Regel als Anzeichen für die Stärke des Feldes oder der Ja- bzw. Neinantwort gedeutet. Um Ihre Antwort zu programmieren, brauchen Sie sich nur selbst ganz klar zu sagen, welches die positive und welches die negative Antwort sein soll und welche Abstufungen Sie dazwischen zulassen möchten, die – je nach dem Ausschlag des Pendels oder der Rute – noch sinnvoll für Sie sind. Und dann halten Sie sich daran, damit es Ihnen in Fleisch und Blut übergeht.
Übung und die Zusammenarbeit mit anderen Radiästhesisten werden Ihnen helfen, Ihre verborgenen Talente zu entfalten. Manchmal wird ein zögerndes Pendel oder eine »verstockte« Rute plötzlich zum Leben erwachen, wenn ein Experte dabei ist oder seine Hände auf die Ihren legt. Es ist schwierig, eine rationale und wissenschaftliche Erklärung zu finden, warum und wie ein Pendel funktioniert; trotzdem aber funktioniert es. Ich glaube, das Pendel benutzt die körpereigene Bioenergie, um mit seiner Bewegung (im Uhrzeigersinn oder Gegenuhrzeigersinn)

die Polaritäten oder den Zustand der Harmonie des Untersuchten darzustellen. Die subtilen Ätherkräfte der Natur brauchen ein feines Test- und Meßinstrument, das in diesem Falle seine Kraftquelle im menschlichen Bediener findet. Aus diesem Grunde ist es von wesentlicher Bedeutung, daß der Radiästhesist ganz ausgeglichen ist. Ist er selbst unausgeglichen, wird er ungenaue und irreführende Resultate erhalten; dies bestätigen sehr viele Pendler und Rutengänger, mit denen wir schon gesprochen haben. Der Gebrauch von Pulsoren oder ähnlichen Techniken, um ein Pendel zu »eichen« und die eigenen Polaritäten und Harmonien zu überprüfen, ist deshalb eine notwendige Voraussetzung, um akkurate Aussagen über die subtilen Energiefelder machen zu können.
Während die übliche, wissenschaftliche Methodik sogenannte objektive, empirische Bestätigungen von Tests und Meßergebnissen braucht, können wir uns daran erinnern, daß diese Forderung nur auf einer der möglichen Denkweisen beruht, die, historisch gesehen, erst seit relativ kurzer Zeit vorherrscht. Und obgleich sie uns gewaltige technische Errungenschaften und Fortschritte ermöglichte, gibt es doch keinen Grund anzunehmen, diese Art zu denken sei absolut die richtige. Sie bezieht ihre Berechtigung allein aus dem Versuch, die naturgemäß fließenden Aspekte subjektiven Erlebens festzuhalten und zu objektivieren. Alles Erleben jedoch ist wesenhaft subjektiv; was immer uns geschieht, wird subjektiv wahrgenommen oder gedeutet. Wenn wir also eine empirische, objektive Verifizierung des Erlebten erhalten wollen, bevor wir dessen Gültigkeit anerkennen, so hieße das, dessen Kraft des Lebens, der Liebe und des Bewußtseins auf ihren kleinsten gemeinsamen Nenner zu reduzieren und es der Kraft seiner Verbindungen zur physischen Materie zu berauben.
Man sagt, wir bewegten uns auf ein neues Zeitalter zu, die

Astrologen nennen es das Wassermann-Zeitalter. Die Technik dieser neuen Zeit wird eine Interaktion des einzelnen mit seinem Instrumentarium verlangen, die sich auf subjektive und doch im höheren Sinne wissenschaftliche Weise vollzieht. Die angeborene Neigung der Menschen, einander zu mißtrauen – weil man einander entfremdet ist –, muß überwunden werden, damit wir mit Liebe die Unzulänglichkeiten und Stärken unserer Mitgeschöpfe verstehen und dann den Punkt des Gleichgewichts und der Unterscheidung in subjektiver, wissenschaftlicher Forschung finden können. Intuition muß ein anerkannter und berechtigter Teil von Forschung und Technik werden.

Das Rüstzeug

Ein geeignetes Pendel kann man praktisch aus jedem kleinen Gegenstand herstellen, den man an einen 10 bis 15 cm langen dünnen Wollfaden oder ein Kettchen hängt. Laut Dr. Yao sollten Kristallpendel nur mit Vorsicht verwendet werden, da sie ihre eigenen Polaritätsprobleme besitzen, die zu ungenauen Ergebnissen führen könnten. Ein Kristallpendel sollte parallel zur C-Achse (Licht-Achse) geschnitten sein; Bleikristallglas ist zu vermeiden, da das von ihm weitergeleitete Licht Polaritätsumkehrungen im Körper bewirken könne.
Um subtile Energien genau zu untersuchen, müssen Sie selbst so weit wie möglich frei sein von Umkehrungen und Disharmonien der subtilen Energien Ihres Körpers. Das heißt, daß Sie zuerst alle Metallgegenstände, Zigaretten und ähnlichen negativen Objekte von Ihrem Körper entfernen und dann, ohne die Arme und Beine zu überkreuzen, stehen oder sitzen; beide Füße sollten fest auf dem Boden stehen. So können Ihre Energien harmonisch und in guter Verbindung zur Erde fließen.

Nehmen Sie Abstand von Elektrogeräten, Leuchtstoffröhren, metallenen Einrichtungsgegenständen oder Heizkörpern, nach Möglichkeit anderthalb bis zwei Meter weit. Damit begeben Sie sich außerhalb der unmittelbaren Umgebung jeglicher normaler elektrischer Felder.

Halten Sie nun das Pendel in der rechten Hand, den Faden zwischen Daumen und Zeigefinger, und lassen Sie es frei hin und her schwingen; dabei stellen Sie in Gedanken Ihrem eigenen unbewußten Wissen eine Frage.

Beobachten Sie die Antwort entspannt und gelassen. Das Pendel wird sehr leicht von Ihrem Denken in seiner Rotationsrichtung beeinflußt, und so sollten Sie sich in einer Technik liebevollen, unbeteiligten Beobachtens üben. Ein starker gedanklicher Vorsatz, das Pendel *nicht* zu beeinflussen, wird allerdings auch eine Auswirkung auf das Pendel haben, das sich dann häufig weigert, sich überhaupt zu bewegen! Achten Sie darauf, daß Schulter-, Unterarm- und Handgelenkmuskulatur entspannt bleiben. Ein steifes Handgelenk kann die Bewegung des Pendels verhindern.

Das Pendeln ist eine Kunst, die man erlernen kann; Ihre Fertigkeit entwickelt sich mit zunehmender Übung. Die Zusammenarbeit mit einem erfahrenen Pendler ist ebenfalls sehr hilfreich, um die eigene Begabung in Gang zu setzen. Wenn Sie Probleme haben, dann prüfen Sie noch einmal Ihre Umgebung auf offensichtlich negative Einflüsse und versuchen Sie, mindestens einen Meter Abstand von anderen Menschen zu halten, oder wechseln Sie Ihre Kleidung zugunsten heller Naturfasern. Versuchen Sie auch, sich gen Süden oder in eine andere Himmelsrichtung zu wenden, die Ihnen die Arbeit erleichtert.

Wie funktioniert es?

Pendel oder Wünschelrute bewegen sich, weil der Radiästhesist sie unwillkürlich und unbewußt bewegt. Gelegentlich ist die Muskelkontraktion bei der Arbeit mit einer Zweiggabel stark genug, um die Rute zu zerbrechen. Sie können selbst ein Experiment durchführen, indem Sie ein Pendel halten und ihm in Gedanken den Befehl geben, sich im Uhrzeigersinn oder im Gegenuhrzeigersinn zu drehen. Wenn Sie eine Videokamera auf Ihre Finger richten, könnten Sie tatsächlich beobachten, wie diese sich leicht bewegen. Durch die Wünschelrute werden die Muskelkontraktionen in Händen und Unterarmen sofort sichtbar gemacht. Dieses Phänomen ruft natürlich sofort die Skeptiker auf den Plan, deren Frage lautet: Warum bewegen sich die Muskeln? Die Universitäten in Moskau und Leningrad unterhalten je eine Abteilung, in der untersucht wird, *wie* (nicht: *ob?)* die Radiästhesie funktioniert. Die der Wissenschaft naheliegendste Frage war immer, ob es sich um ein magnetisches oder elektromagnetisches Phänomen handele. Rutengänger sind schließlich in der Lage, Magnetfelder aufzuspüren, die nur ein Zweihundertstel der Stärke des Erdmagnetfeldes besitzen; sie können feststellen, ob ein Elektrogerät angeschaltet ist oder nicht, und sie können die Quelle von Radio- und Fernsehausstrahlungen bestimmen. Es gibt ja Eisen im Hämoglobin und Wasser in unserem Körpergewebe, mutmaßen einige Forscher unter Hinweis auf deren magnetische Eigenschaften. Nun, auch der Aufenthalt der Radiästhesisten in Bleikammern und unter ähnlichen Umständen, die elektromagnetische und magnetische Felder abschirmen, ist ebensowenig ein Hindernis für korrekte Pendel- und Rutenergebnisse wie für die Telepathie.
Ich denke, wenn man auf irgendeiner Ebene Wissen über ein Energiefeld anstrebt, so richtet sich die unbewußte

Energie des Geistes oder Körpers nach dorthin aus, erfährt die Antwort und gibt sie automatisch in unser vertikales Energiespektrum ein, von wo aus sie durch reflektorische Kontraktion gewisser Muskeln als entsprechende Bewegung des Instrumentes Ausdruck erhält.* Beziehen wir hierzu noch das naturgegebene, intuitive Gewahrsein ein, das viele Menschen mehr oder weniger stark entfaltet haben und das ihnen Zugang zu dem Spektrum der Lebensenergien gibt, werden sie die Antwort erfahren, ohne zu Pendel oder Rute greifen zu müssen. So ergibt sich ein Bild, das im Zusammenhang mit den subtilen Energien und dem subjektiven Leben, das wir alle führen, sinnvoll erscheint.

Viele Radiästhesisten »wissen« oder spüren in ihrer Hand den Zustand der subtilen Gesundheitsenergien beispielsweise. Sie brauchen dazu kein Pendel, außer zur Bestätigung. Sie müssen sich nur innerlich, mental konzentrieren. Die »Was sollte ich tun?«-Fragen werden beantwortet, wenn der Beantwortung keine vorgefaßten Meinungen, bewußten oder unbewußten Wünsche im Wege stehen, indem man sich dem Energiekomplex auf der emotional/mentalen Ebene zuwendet, aus der unsere Persönlichkeit besteht und die die richtige Antwort für uns weiß. In der Regel haben wir jedoch eine Antwort im Sinne, wenn wir eine Frage stellen, und wir bitten eigentlich nur um Bestätigung. Deshalb kann das Pendel ungenau werden, weil wir eine Antwort, die wir nicht wünschen, nicht akzeptieren wollen.

* Manche Rutengänger bestehen auf der Aussage, daß nach ihrer Erfahrung – besonders mit Wünschelruten – die Rute nicht von ihren Muskeln bewegt wird. Zuweilen müssen sie sogar bewußt den starken Ausschlag der Rute bremsen, damit sie nicht zerbricht. In diesem Falle – denn der Rutengänger ist ja nach wie vor Teil des Geschehens – ist die Bewegung vermutlich spontan psychokinetischen Ursprungs. Das Resultat, d. h. die Äußerung von Wissensinhalten des Unbewußten, bleibt das gleiche.

Ein weiteres interessantes Phänomen in diesem Bereich kann uns die Verbindung zwischen Radiästhesie und dem Unbewußten verdeutlichen, nämlich das »intuitive« Wissen um die Uhrzeit. Viele Menschen wissen, daß man sich darauf programmieren kann, morgens zu einer bestimmten Zeit aufzuwachen, indem man es sich einfach vornimmt. Kinder schlagen manchmal mit dem Kopf aufs Kissen, um sich die Aufwachzeit einzuprägen, also zum Beispiel siebenmal, wenn sie um sieben Uhr am nächsten Tage erwachen wollen. Das ist offensichtlich eine Technik, um über das Unbewußte auf das Bewußte Einfluß zu nehmen. Ähnlich können wir ein Pendel benutzen, um die Uhrzeit festzustellen, wenn wir keine Uhr bei uns haben, indem wir unser unbewußtes Wissen anzapfen.
Dies alles ist eine Frage der Konzentration. Schließlich erinnern wir uns ja nicht all unseres Wissens und unserer Erlebnisse *gleichzeitig*. Das würde einen ja zum Wahnsinn treiben! Aber alles ist gespeichert in unserem unbewußten Gedächtnis und steht auf Abruf bereit. Wenn es aber um Wissen oder Informationen geht, die weiter unten im Gedächtnisspeicher liegen, brauchen wir eine Hilfe oder ein Ritual, eine Gedächtnisstütze, um solches Wissen an die Oberfläche des Bewußtseins zu holen. Dies erklärt auch, warum Radiästhesisten häufig die Antwort auf eine Frage schon wissen, wenn sie ihr Pendel oder die Rute hervorziehen, also *bevor* sie Gebrauch von ihrem Instrument machen. Die Konzentration oder gedankliche Ausrichtung vermittelt ihnen die Antwort ins Bewußtsein, bevor das Hilfsritual der Radiästhesie zum Einsatz kommt.
Ich persönlich empfehle übrigens den Gebrauch des Pendels zur Entscheidungsfindung nicht. Wäre es nicht besser, unser eigenes Unterscheidungsvermögen, unsere Intuition und das höhere Denken zu üben, anstatt zu versuchen, die Verantwortung an ein Stück Eisen an einem

Faden abzuschieben? David Tansley bemerkt humorvoll und ernst zugleich, daß emotionelle oder unentschlossene Menschen selbst daran »hängenbleiben« können, gewiß aber rechtzeitig damit aufhören sollten, bevor Gott daran geht, ihnen Anweisungen durch ihr Pendel zu geben!

Radiästhesie nach Zahlen

In vielen Fällen der praktischen Radiästhesie sind Antworten differenzierterer Art als ein bloßes »Ja« oder »Nein« nötig. Bei der Suche nach Wasser oder Erz beispielsweise spielen ja auch die Tiefe in der Erde und die Stärke des Fundes eine wichtige Rolle. Die Stärke des Pendel- oder Rutenausschlages erlaubt eine gewisse qualitative Aussage, aber um genaue Ergebnisse und Einzelheiten zu erfahren, muß man anders vorgehen. Man kann zum Beispiel durch Ja/Nein-Fragen sich allmählich genauen Angaben nähern. Der Rutengänger beispielsweise, der auf Wasser gestoßen ist, kann die Tiefe unter der Erdoberfläche in Meterzahlen sagen und einzeln abfragen, wobei er mit größeren Schritten beginnt, um dann zwischen zwei Zahlen noch in kleineren Schritten die genaueren Angaben zu ermitteln.
Wenn aber die Entscheidungsmöglichkeiten wesentlich zahlreicher sind – zum Beispiel bei der medizinischen Radiästhesie –, muß eine andere Technik zur Anwendung gelangen, und dies gilt ebenso für die Diagnose bestimmter Krankheitszustände als auch bei der Entscheidung, welche Arznei zu verordnen ist – zum Beispiel in der Homöopathie. Auch hier, meine ich, sollte ein wohlüberlegtes Vorgehen angestrebt werden, und keine Übertreibung in die eine oder andere Richtung geschehen. Wir empfehlen nicht den Verzicht auf das ärztliche Wissen hinsichtlich der normalen diagnostischen und therapeuti-

schen Mittel; wenn man aber ehrlich nicht weiterkommt oder einfach Hilfe oder Bestätigung braucht, kann der Gebrauch einer Radiästhesiemethode von großem Wert sein. Das hängt freilich auch vom einzelnen Behandler ab; manche sind in dieser Beziehung außergewöhnlich begabt, und die Kluft zwischen dem Unterbewußten, dem Überbewußten und dem Bewußten ist bei solchen Menschen beträchtlich geringer als im Normalfalle; bei ihnen spielen Intuition und unmittelbare mediale Wahrnehmung natürlich die Hauptrolle.

Radionik ist die therapeutische Wissenschaft, die am weitesten geht in der Benutzung von komplizierten Instrumenten; in dem entsprechenden Abschnitt unseres Buches soll ausführlicher darauf eingegangen werden. Wir haben es hierbei mit einer Kombination von kalibrierten Skalen zu tun, die jeweils die Ziffern 0 bis 9 tragen und mit denen sich dann »Raten« oder Werte zwischen 000 000 000 und 999 999 999 einstellen lassen. Die räumliche Anordnung der Skalen und Drehknöpfe wird auch als wichtig für die Empfindlichkeit und Feinabstimmung des Gerätes angesehen. Die Wählknöpfe werden gedreht, bis man eine positive Reaktion vom Pendel erhält. Wenn man dabei methodisch vorgeht, dauert es nicht lange, bis man die richtige Einstellung findet. Die Bedeutung der »Raten« wird für jedes Gerät festgelegt und im allgemeinen in der Gebrauchsanweisung angegeben. Beim Radionikinstrument vom Typ De La Warr beispielsweise ist die Rate für den Magen 32 (einzustellen mit den beiden ersten Knöpfen), die beiden nächsten Knöpfe stehen für die Ausgeglichenheit der Funktion; 48 und 49 sind ein Hinweis auf normale Funktion, während 46 oder 47 Unteraktivität bedeuten. Die Kennzahl für »Vergiftung« ist 90 222. Liest man also die Zahl 32-46-90 222 ab, so heißt das: »aufgrund eines Vergiftungszustandes unteraktiver Magen«. Der Behand-

ler würde natürlich bei der Diagnose nicht ganz von vorne beginnen, sondern zunächst nach den Regeln der Kunst die Vorgeschichte des Patienten eruieren und weitere Diagnosemethoden einsetzen, um dem Problem näherzukommen.
»Rate« und Ursache des Vergiftungszustandes ließen sich dann weiter austesten: 30 337 an den letzten fünf Stellen bedeutete beispielsweise Botriocephalus, eine Art Bandwurm.
Vernon Wethered schildert in seinem Buch *Medical Radiesthesia* zwei weitere Methoden, Frequenzen zu therapeutischen Zwecken festzustellen. Dabei benutzt er zunächst ein 100 cm langes Lineal, das er auf einen Tisch legt, außer Reichweite von möglicherweise störenden elektrischen Feldern, Geräten oder anderen negativen Einflüssen. Das Lineal wird auf Klötzchen gelegt; Wethered verwendet Gummiblöcke, um das Lineal zu »isolieren«. Wir haben bereits darauf hingewiesen: Die Radiästhesie ist im Detail eine persönliche Angelegenheit, und alles, was Ihnen dabei hilft, ist für Sie selbst richtig und wichtig, um die unbewußte Informationsquelle besser zu erreichen. Zusätzliche Gummiklötzchen werden längs des Lineals verteilt, um auf ihnen Proben von Arzneien oder Patienten ablegen zu können. Ein hölzernes Metermaß dürften Sie in jedem Haushaltswaren- oder Werkzeuggeschäft erhalten, und große Gummistöpsel wird es in vielen Drogerien, Labor- und Apothekenbedarfshandlungen geben. Wethered gibt auch Proben in Glasfläschchen, die als »Resonatoren« und »Verstärker« funktionierten. Ob diese Fläschchen und ihr Inhalt die Schwingung tatsächlich verstärken oder psychologisch helfen, den Pendelausschlag zu konzentrieren oder zu verstärken (oder beides), ist dabei von untergeordneter Bedeutung. Die Kraft des konzentrierten Denkens sollte ausreichend sein, um eine oder beide dieser Funktionen zu gewährleisten.

Eine Speichel-, Blut- oder Haarprobe des Patienten (oder zu Versuchszwecken auch von Ihnen selbst) wird auf den Gummistöpsel bei 0 cm gelegt. Nun gehen Sie langsam mit dem Pendel am Lineal entlang und warten auf eine positive Reaktion; Ihre Fragestellung gilt hierbei der Messung ihrer eigenen Vitalität. Ein Ausschlag bei 0 cm würde bedeuten, daß Ihre Vitalität gleich null (Sie selbst also tot) wären; eine Reaktion bei 100 cm hieße, daß Sie in allerbester Verfassung sind. Angenommen, das Pendel schlägt bei 40 cm aus, und Sie haben das Gefühl, Sie könnten eine Stärkung oder Anregung brauchen. Dann halten Sie nacheinander jedes der in Frage kommenden Stärkungsmittel in der linken Hand und testen dabei Ihre Vitalität von neuem. Das Tonikum, das den höchsten Wert auf der Skala erreicht, ist auch das beste für Sie.

Um andere Zustände Ihrer Gesundheit zu messen, legen Sie eine Probe, die etwas mit der Fragestellung zu tun hat, an die 100-cm-Marke und stellen mit dem Pendel den derzeitigen Meßwert fest. Der Ausschlag bei 100 cm bedeutet, daß der untersuchte Zustand gerade in optimaler Fülle besteht, bei 0 cm ist totaler Mangel. 50 cm ist ein guter Durchschnittswert, den man erzielen sollte. In manchen Fällen – zum Beispiel bei der Frage nach der Verfassung des Nervensystems – würde man Meßwerte von 50 cm und darüber anstreben. Um eine geeignete Maßnahme auszuwählen, mit der sich der erzielte Meßwert steigern läßt, kann man Proben der in Frage kommenden Arzneimittel bei der 0-cm-Markierung aufstellen und untersuchen, bei welcher Medizin der Pendelausschlag die höchste Zahl erreicht.

Bei der Untersuchung von toxischen oder Krankheitszuständen soll man Werte von 50 cm und weniger anstreben, und die beste Arznei ist jene, die den Meßwert auf höchstens 50 cm reduziert.

Die Auswahl der verwendeten Materialproben ist von Ih-

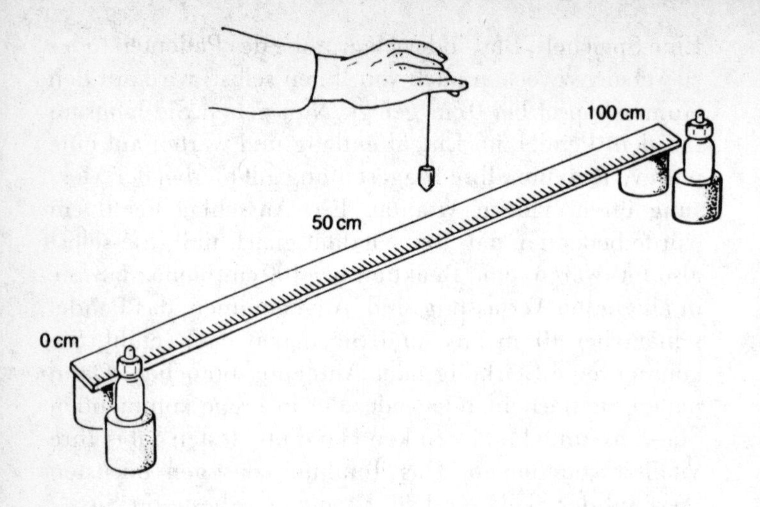

rer eigenen Einstellung zur Radiästhesie abhängig. Wethered verwendete ein vielfältiges Sortiment von Proben, zum Beispiel Acetylcholin (das im Nervensystem von Natur aus vorkommt) bei der Untersuchung des Allgemeinzustandes des Nervensystems, Harnstoff oder Harnsäure zur Prüfung eines allgemeinen Vergiftungszustandes usw. Es kommt also darauf an, was Ihnen geeignet erscheint und wie intuitiv oder mental Sie die Sache angehen. Wenn Sie Ihrer Fragestellung und Konzentration sicher sind, genügt auch ein Stück Papier, auf das Sie den Gegenstand der Untersuchung als Stichwort schreiben – oder Sie konzentrieren sich einfach gedanklich darauf, während Sie den Meßwert abfragen.
Für eine ähnliche Methode, die ebenfalls in Vernon Wethereds Buch detailliert geschildert wird, verwendet man ein Dreieck. Hier wird der gesuchte Meßwert längs der oben liegenden Basis des Dreiecks bestimmt im Verhältnis zum Mittelpunkt des Dreiecks, über dem das Pendel gehalten wird. Die Schwingungsrichtung des Pendels zeigt also auf den Meßwert an der oben abzulesenden

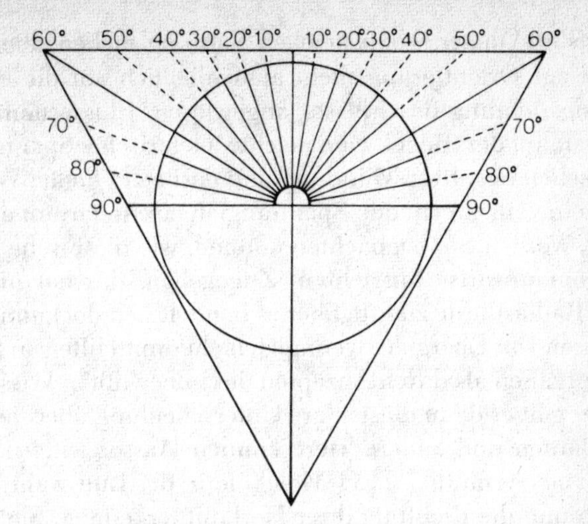

Skala. Proben und Gegenstand der Frage können an jedem der drei Eckpunkte abgelegt werden. Nach ähnlichen Verfahren gehen Yao und andere vor, um Vitamin- und Mineralmangelzustände anhand einer Liste dieser Stoffe und eines Kreisdiagramms für Zustand und Bedürfnisse des Körpers zu bestimmen.

Tiere und die Wahrnehmung subtiler Energien

Bei vielen Erfindungen und Entdeckungen des Menschen hat sich später herausgestellt, daß sie in der Natur schon lange in Gebrauch waren, deshalb erscheint auch die Möglichkeit radiästhetischer Fähigkeiten bei Tieren gar nicht abwegig. Ich denke da natürlich nicht an einen Eisbären, der mit der Wünschelrute spazierengeht, um nach Robben unter dem Eis zu suchen! Wir wissen aber, daß Tiere Sinnesorgane haben, die wir nicht besitzen. Fische zum Beispiel »stehen« oft mit dem Kopf stromauf-

wärts im Wasser, wenn sie nach Nahrung suchen, aber sie sind zur Orientierung nicht ausschließlich auf die Strömungsrichtung des Flusses angewiesen. Flüsse nämlich haben in der Regel eine leichte elektrische Spannung zwischen negativer Mündung und positiver Quelle. Wenn Sie eine entsprechende Spannung an ein Aquarium anlegen, werden Sie beobachten können, wie die Fische sich »stromaufwärts« ausrichten. Zugegeben, das hat nichts mit Radiästhesie zu tun, aber es handelt sich doch um das Spüren von Energien, wenngleich eher mit Hilfe von Sinnesorganen als durch Anzapfen des unbewußten Wissens. Aber gibt es denn diese klare Unterscheidung überhaupt? Elefanten und andere Tiere können Wasser wittern, indem sie vermutlich H_2O-Moleküle in der Luft wahrnehmen und die Richtung ihrer Herkunft erkennen. Sie vermögen aber in einer Trockenzeit Wasser auch tief in der Erde zu entdecken und danach zu graben – in manchen Fällen vielleicht aufgrund ihrer geologischen Erfahrung oder eines sehr schwachen Geruches, aber nicht alle diese Beispiele lassen sich so einfach erklären.
Mein Großvater war ein Bohrunternehmer im englischen Lake District; er pflegte Rutengänger zu Rate zu ziehen, um die besten Bohrstellen zu finden. Gelegentlich arbeitete für ihn auch ein Mann, der einfach aus einem »Gespür im Fuß« heraus wußte, wo Wasser zu finden war. Vielleicht können Elefanten instinktiv das gleiche tun?
Auch Pflanzenwurzeln strecken sich dem Wasser entgegen, und die Weide bricht selbst in Entwässerungsrohre ein. Jeder Haustierbesitzer weiß, daß Katzen und Hunde sich selbst aussuchen, wo sie am liebsten liegen und schlafen. Häufig gibt es für ihre Entscheidung keine offensichtlichen Gründe; Radiästhesisten jedoch bestätigen, daß sie Stellen negativer bzw. positiver Erdenergie aussuchen. Meine Frau und ich wundern uns immer wieder, mit welcher Zuverlässigkeit es Mäusen gelingt, in luft-

dicht verschlossene Behälter ihrer Lieblingsspeisen in unseren Vorratsregalen zu gelangen und gleichartige Behälter mit für Mäuse weniger attraktiven Leckereien konsequent zu ignorieren!

In diesem Zusammenhang sollte der weithin bekannte T.C. Lethbridge – Archäologe, Radiästhesist und Autor aus Cambridge – erwähnt werden, der eine Methode zur Feststellung von Meßwerten oder »Raten« für verschiedene Substanzen entwickelte und interessante Beziehungen zwischen dem Leben von Insekten und größeren Tieren fand. Lethbridge verwendete ein Pendel an einem 1,20 bis 1,50 m langen Faden. Zuerst spulte er den Faden auf einen Stab oder einen Bleistift und konzentrierte sich dann auf eine Substanz, einen Gegenstand oder einen abstrakten Gedanken (z.B. Kalzium, eine Katze oder Liebe). Er ließ das Pendel langsam von dem Bleistift herab, wobei es vor und zurück schwang. Bei einer bestimmten Länge hielt das Pendel in seiner Bewegung inne und begann zu kreisen, bis es sich etwa 1 cm tiefer wieder hin und her bewegte. Lethbridge maß die Länge des Fadens in dieser Höhe und zählte, wie viele Kreisbewegungen das Pendel ausführte, bevor es zu seinem Hinundherschwingen zurückkehrte. So erhielt er für alle untersuchten Dinge zwei Meßwerte, Koordinaten oder »Raten«. Dies waren beispielsweise für die Farbe Grau 22:7 (d.h. 22 Zoll = ca. 56 cm Fadenlänge und 7 Kreisbewegungen), Silber ergab 22:22. Diese Methode ermöglichte nun eine vielfältigere Fragestellung und bedeutete eine Verbesserung im Vergleich zum einfachen Ja oder Nein in den Fällen, die es erforderten. Ob Zahlen an sich etwas Absolutes besitzen oder ob jede willkürlich gewählte Skala ausreichen würde, weiß ich nicht. Die Numerologen könnten an dieser Stelle vielleicht eine Aussage machen; Lethbridge jedenfalls meinte, es könne sich um absolute Werte handeln. Gewiß aber waren seine

Meßwerte durch ihn selbst jederzeit reproduzierbar, und dies galt auch für andere, die nach seiner Methode arbeiteten.
Lethbridge ermittelte die Meßwerte für viele, viele Dinge und stieß dabei auf manche faszinierenden Zusammenhänge. Vielleicht ist Ihnen aufgefallen, daß Silber meist von grauer Farbe ist, und beide – Metall wie Farbe – besitzen als ersten Meßwert die Zahl 22, gemeinsam mit dem Metall Blei. In manchen Fällen wiederum ergaben Substanzen und Gedanken den gleichen Meßwert, zeigten aber keinerlei nachvollziehbare Verbindung miteinander. Auch in der Praxis bewährte sich das System von Lethbridge. Er konnte eine beliebige Stelle des Rasens nehmen und mit Hilfe des als Antenne ausgestreckten Fingers und einer Reihe von Pendeltests genau bestimmen, was sich unsichtbar unter dem Rasen befand.
Bestärkt durch die Vielseitigkeit seiner neuen Methode entdeckte Lethbridge, daß zum Beispiel ein Insekt die gleichen Meßwerte hatte wie die ihm als Nahrung dienende Pflanze. Damit kehren wir auf das bereits bekannte Gebiet der Schwingungsresonanzen zurück. Die Entdekkungen von Lethbridge können uns vielleicht verständlich machen, wie Tiere (und Menschen!) Dinge *instinktiv* wissen können. Ist *Instinkt* möglicherweise zum Teil eine Funktion einer *Schwingungswahrnehmung?* Wie zum Beispiel findet ein seltenes Insekt seinen Weg zu einer seltenen Pflanze? Von welchem Mechanismus wird es angezogen? Was für einen unsichtbaren Radarstrahl benutzt es? Damit kommen wir wieder zu den Motten, die ihr Weibchen auf eine Entfernung von 50 km finden, obwohl die Pheromon-Konzentration bei einem einzigen Molekül liegt. Sprechen solche »Sinne« in Wirklichkeit auf die spezifischen Schwingungen eines Moleküls an, anstatt auf seine chemische Zusammensetzung und Reaktion? Wir könnten uns jedenfalls eher erklären, wie

den ist, wenn die Entdeckung ein *informationeller Anreiz* ist, das Weibchen zu suchen, und nicht so sehr auf einem biochemischen Prozeß beruht.
Lethbridge übertraf sich selbst durch seine Analyse der Schnurrhaare von Katzen. Zitat aus seinem letzten, posthum veröffentlichten Buch *The Power of the Pendulum:*
»Wir besitzen eine Siamkatze, und dieses fast noch wilde Tier ist ein großer Jäger. An den meisten Tagen kommt sie, noch bevor wir aufstehen, ins Schlafzimmer und legt sich am Fußende des Bettes schlafen. Eines Morgens setzte sie sich mit einem Ruck auf und begann die Ecke des Raumes zu mustern. Sie schien irgend etwas zu wittern und anzupeilen, sprang mit einem Satz vom Bett und rannte aus der geöffneten Tür. Nach etwa drei Minuten kam sie wieder und brachte eine Wühlmaus mit kurzem Schwanz herein, die sie mit schrecklichen Begleitgeräuschen unter dem Bett verzehrte.
In Richtung ihrer Peilung war eine grasbewachsene Böschung am Wege, ungefähr acht Meter von ihrem Schlafplatz entfernt. Um dorthin zu gelangen, mußte das Tier erst den Flur in die entgegengesetzte Richtung gehen, ein großes Zimmer durchqueren, die Hintertreppe hinunter, durch die Küche, aus dem Fenster über einen kleinen Hof, um zwei Ecken des Hauses herum und dann über den Platz. Offensichtlich hatte sie die Position der Maus im Schlaf aufgenommen und dann in ihr Wachbewußtsein übertragen. Mindestens zwei mentale Ebenen waren hier beteiligt. Die Richtung der Witterung konnte sie trotz mehrfacher Änderungen ihrer Wegrichtung behalten und wußte immer noch genau, wo die Wühlmaus sich aufhielt, die keine Chance hatte, der Katze zu entkommen. So etwas war inzwischen schon wiederholt geschehen, und jedesmal endete es mit dem gleichen entsetzlichen Festschmaus unter unserem Bett.

Wahrscheinlich wirkten die Schnurrhaare der Katze wie Wünschelruten, und ich beschloß, ihre Koordinaten innerhalb unseres Katalogs von Pendelkoordinaten zu bestimmen. Das ist wesentlich komplizierter, als man es sich zunächst vorstellt, denn es gilt nicht nur, die Schnurrhaare auszupendeln, sondern auch herauszufinden, zu welcher Kategorie von Gedankenformen diese Koordinaten gehören. Eine Katze hat übrigens mindestens vier Paar von Schnurrhaarbüscheln. Die längsten und hintersten kommen auf eine »Rate« von 16 Zoll (wie Sex), und das überrascht ja nicht. Die nächste Gruppe liegt bei 20 Zoll; in diesen Bereich gehört auch der Mensch, Liebe und Leben. Die kürzesten und am weitesten vorne liegenden Haare »messen« 24 Zoll; auf dieser Koordinate finden wir auch Mäuse. Die Augenbrauen der Katze ergeben 10 Zoll, die gleiche Rate wie Wärme. Das ist sicherlich die Erklärung für das Phänomen, daß Katzen mit untrüglichem Instinkt den wärmsten Platz im Hause finden.
Die vier Gruppen von Schnurrhaaren scheinen wohl das vitale Sexualleben der Katzen zu erklären, ihre Zuneigung zu den Menschen, ihre Leidenschaft für Mäuse und ihre Liebe zur Wärme (siehe Abb.). Das kann kaum einem Zufall entsprungen sein, sondern gleicht eher einer

Kopf einer Katze und Meßwerte ihrer Schnurr- und Barthaare, wie sie das Pendel ergab:
10" (ca. 25 cm) = Wärme, Licht
16" (ca. 40 cm) = Sex
20" (ca. 50 cm) = Menschen, Lebewesen
24" (ca. 60 cm) = kleine Säugetiere

sorgfältig geplanten Ordnung. Versuchen Sie einmal, die Charakteristika einer Katze aufzuzählen: diese vier Eigenschaften wären gewiß Teil Ihrer Liste.«
Ein weiteres Fragment des Puzzlebildes: Die Schnurrhaare einer Katze bestehen aus Keratin, das, wie wir wissen, piezoelektrische Eigenschaften besitzt und bei Tauben und anderen Tieren mit dem bioelektronischen Energiesystem in Verbindung steht. Erinnern wir uns ferner der Tatsache, daß die Länge einer Antenne der Resonanz- oder Sende- bzw. Empfangswellenlänge entspricht. Nichts geschieht oder besteht in der Natur aus bloßem Zufall. Es muß also einen Zweck für die Anzahl und Länge der Katzenschnurrhaare geben. Vielleicht hatte auch Samson seinen Grund, als er sich dem Haarschnitt widersetzte – oder ist diese Assoziation zu weit hergeholt? Hier haben wir es also wieder: Die Radiästhesie ist nur ein weiterer Aspekt der Schwingungs- und Resonanzlehre. Alles paßt so herrlich zusammen. Ich kann einfach nicht glauben, daß die Schnurrhaare einer Katze, die diese so sorgfältig pflegt und schützt, nur der Eitelkeit des Tieres dienen und es ihm ermöglichen sollen, den Abstand zwischen zwei Möbelstücken zu messen!

Verfeinerte Geräte

Anfang unseres Jahrhunderts, bevor sich die wissenschaftliche Forschung endgültig auf die verschiedenen Disziplinen spezialisierte (wobei jene abstruseren Gebiete, die man bei der Spezialisierung nicht berücksichtigte, später schwer um ihre Daseinsberechtigung und Stellung zu kämpfen hatten), traten eine Reihe privater Forscher und Erfinder mit hochentwickelten Instrumenten an die Öffentlichkeit, die der Bestimmung von Frequenzen und Raten dienten und mit nur wenigen Abän-

derungen meist heute noch in Gebrauch sind, überwiegend im Bereich der Radionik.
Das erste uns überlieferte Gerät dieser Art war der amerikanische »Oszilloclast« aus den ersten Jahren des 20. Jahrhunderts; ihm folgten die Instrumente des englischen Arztes Guyon Richards in den Zwanzigern.
In Amerika entwickelte in den ersten beiden Jahrzehnten unseres Jahrhunderts Albert Abrams die ersten Geräte, die man heute als Radionik-Apparate bezeichnen würde. Um die Radionik hat es schon immer starke Kontroversen gegeben, und erst 1960 wurde ein Pionier auf diesem Gebiet, Dr. Ruth Drown, mit ihren Mitarbeitern nach einem von der FDA (US-Bundesbehörde zur Überwachung des Nahrungs- und Arzneimittelmarktes) angestrengten Gerichtsverfahren ins Gefängnis gesteckt. Ich frage mich, ob es auch Prozesse gibt, um Hersteller von Medikamenten mit schädlichen, unentdeckten Nebenwirkungen hinter Gitter zu bringen? Man denke nur an DDT, Coxigon, Contergan, Antibabypillen und *Hunderte, wenn nicht Tausende mehr.* Oder wird man dann behaupten, daß *umfassende* und *gründliche* Untersuchungen unmöglich wären, weil die Fülle der Zusammenhänge und Möglichkeiten nicht überschaubar oder vorhersehbar seien? Das sollte einen doch zum Nachdenken anregen! Warum aber wirft man dann gute Leute wie Ruth Drown und ihre Kollegen ins Gefängnis, die ohne Zweifel zahlreiche zufriedene Klienten und Patienten gehabt haben? Selbst der wunderbare Pflanzenheilkundige Dr. Christopher verbrachte einige Zeit hinter Gittern, aber er nutzte diese Zeit, um aus dem kostbaren Fundus seiner Weisheit einige Klassiker der Phytotherapie zusammenzustellen.
1949 jedoch erhielt Thomas G. Hieronymus das Patent Nr. 2 482 773 für ein Gerät zur *Entdeckung der Ausstrahlung von Materialien und Messung ihres Ausmaßes* – das

erste Patent, das einem solchen Gerät je zuerkannt wurde, obwohl die Gesetze der konventionellen Physik nicht erklären können, wie es funktioniert!

Der Grundbauplan solcher Instrumente sieht folgendermaßen aus:

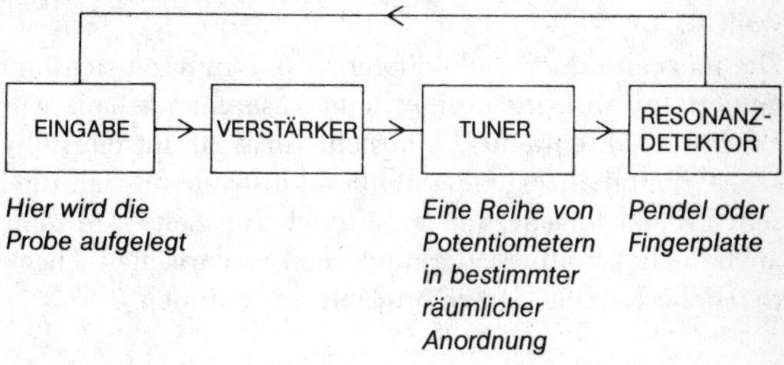

Das Gerät besteht aus einem *Eingabeteil*, auf oder in den die zu prüfende Materialprobe gelegt wird. Dieser Teil besteht zum Beispiel aus einer einfachen, flachen Platte oder einer plastikummantelten Spule. Darauf folgt ein gewöhnlicher *Verstärker*, dann eine *Abstimmvorrichtung* (Tuner), die in der Regel aus einer Reihe von Potentiometern besteht. Die jeweiligen Positionen der Potentiometer geben einem eine Zahl oder »Rate« für die Materialprobe. Neun Potentiometer mit Einstellmöglichkeiten von jeweils 0 bis 9 bieten einem Zahlen von 000 000 000 bis 999 999 999. Schließlich folgt noch ein *Resonanzdetektor*, der mit dem Benutzer in Verbindung steht. Meistens besteht der Detektor aus einem flachen Plättchen aus Bakelit, Plexiglas oder einem anderen Material, unter dem eine spiralig gewundene Spule liegt, die wiederum mit dem Eingabeteil (Platte oder Spule) verbunden ist. Aufgrund einer taktilen (Tastsinnes-)Reaktion des auf dem Detektor reibenden Fingers erreicht man die genaue Abstimmung dann, wenn der Finger »kleben« bleibt. Dieses Phänomen entspricht einer Resonanzverbindung zwischen Materialprobe, Abstimmteil und Detektorplatte und dem Unbewußten oder den Energien des Benutzers. Bei manchen Geräten ist der Detektor ein Pendel, das über der Detektorplatte schwingt und positiv reagiert, wenn bei jedem Potentiometer der richtige Wert eingestellt ist.

Die meisten dieser Radionikgeräte präsentieren sich ungeniert im Vorkriegsdesign, sind zusammengebaut wie ein altes Röhrenradio. Es besteht Aussicht auf ein hübsches, digital anzeigendes Radionikinstrument – an diesem Projekt forsche und arbeite ich zur Zeit –, in dem auch die Erkenntnisse der modernen Skalarwellen-Theorie (siehe Kapitel 11) zur Anwendung kommen.

Fotografie subtiler Energien

Der Wunsch nach einer dauerhaften, sichtbaren Aufzeichnung der subtilen Ausstrahlungen des Körpers ist verständlich, und seine Erfüllung wäre gewiß wertvoll – wie ein EEG oder EKG von Gehirn bzw. Herz, das uns Hinweise darauf gibt, wie diese Organe arbeiten. Wir wollen aber nicht vergessen, daß wir es mit einem fluidischen, flexiblen und höchst delikaten Energiesystem zu tun haben, und jeder Versuch, unser Wissen von diesem System zu fixieren, könnte unseren wunderschönen Schmetterling zu einer starren Totenmaske seiner vordem so anmutig schillernden Lebendigkeit verwandeln. Was wir also brauchen, sind sensitive Ärzte und Behandler, die solche Gegebenheiten sehen und deuten können, und nicht so sehr hochempfindliches Filmmaterial – obwohl auch dieses seine Verwendung finden würde.

Die Kirlianfotografie ist gewiß die bekannteste solcher Techniken. Bevor man sich aber von der Begeisterung über sie hinreißen läßt, sollte man sich doch ernsthaft die

Frage stellen, *was* mit der Kirliantechnik eigentlich aufgezeichnet wird. Die Energie hat ihre eigene Ebene, und die Wahrscheinlichkeit, daß die feineren emotionalen, mentalen oder höheren Aura-Ausstrahlungen sich so leicht auf physisch-materieller Ebene einfangen lassen, drängt sich nicht gerade auf. Wir haben es also bestenfalls mit dem Geschehen an der Grenze zwischen bioelektronischen Energiesysten und der ätherischen Ebene zu tun, das natürlich in gewissem Maße auch die höheren Energien widerspiegeln wird.

Da die Kirlianfotografie derzeit in den meisten westlichen Ländern praktiziert wird, gibt es noch ein anderes, ernstes Problem. Man fotografiert die Emanationen von Fingerspitzen und Pflanzenblättern, indem man eine dielektrische Platte über eine Elektrode legt. Das Filmmaterial wiederum kommt auf die Platte zu liegen – die Emulsionsseite nach oben – und Hand, Finger, Blatt oder sonstiger Gegenstand auf den Film. Eine *sehr hohe Spannung* niederer Stromstärke wird dann an die Elektrode angeschlossen und durch die Platte geleitet. Die so zustande kommenden Fotos, die aufsehenerregend und schön ausfallen können, sind also Ergebnis der Interaktion zwischen abgebildetem Gegenstand und der hohen Spannung. Eines der Hauptprobleme bei allen hochempfindlichen Messungen besteht darin, daß der *Meßvorgang das Gemessene verändert.* Ich kann nicht glauben, daß die sehr schwachen elektrischen Felder um den Körper und seine anderen elektrischen und magnetischen Charakteristika nicht durch die Anwendung der Hochspannung verändert werden.

Weiterhin gibt es eine vollkommen verständliche physikalische Erklärung der sogenannten Kirlian-Ergebnisse als Korona-Entladung, d. h. als Aussendung von Elektronen, deren Rückkehr auf die tiefere Energie-Ebene zu einer Ausstrahlung von Licht (sekundär auch von Röntgen-

strahlen) führt. Diese Emissionen erzeugen die meisten Formen dieser Art von »Kirlian«-Fotos.
Doch der Fall ist noch nicht abgeschlossen. Laut Scott Hill, der 1976 die Sowjetunion besuchte und Mitverfasser des Buches *Die Zyklen des Himmels* ist, ist die echte Kirlian-Ausrüstung wesentlich komplizierter. Bei diesem Gerät seien folgende Maßnahmen zur Reduzierung von Störungen berücksichtigt:

1. Der Film befindet sich in einigem *Abstand* von den Elektroden und dem Nebel angeregter Elektronen.
2. Das Licht von der Entladung wird vergrößert, gefiltert, fokussiert und analysiert, *bevor* es auf den Film trifft. Dann bleiben nur noch ca. 15 Prozent des ursprünglichen Lichtes.
3. Der Abbildungsgegenstand bildet selbst eine der beiden Elektroden.
4. Die ganze Anlage befindet sich in einer Atmosphäre, deren Zusammensetzung bekannt ist, und so schaltet man etwaige unbekannte Spektralemissionen von erregten Gasmolekülen aus. Weiterhin achtet man sehr darauf, experimentelle Unwägbarkeiten wie Hautfeuchtigkeit, Schwankungen des Elektrodendrucks usw. auszuschließen.

Die Russen sind sich der Mängel auch solcher Versuchsbedingungen wohl bewußt. »Aber«, äußert Dr. Inyushin, »es ist eines der wenigen Mittel, die wir haben, um das Bioplasma zu diagnostizieren. Mit Hilfe des Kirlianeffekts ist es möglich geworden, in einen neuen Wissensbereich vorzustoßen und die jüngsten Errungenschaften der Quantenelektronik zu nutzen, um einzigartige Informationen über den bioenergetischen Zustand des Organismus zu erlangen und die Existenz des Biofeldes zu beweisen.«
Auch wenn es Spaß macht, sich auf westliche Weise kirlianfotografieren und -analysieren zu lassen, sollte man

die so gestellte »Diagnose« doch nicht allzu ernst nehmen. Die Behandler wissen in der Regel selbst, daß oft schon zwei binnen weniger Minuten nacheinander aufgenommene Fotografien radikal verschieden ausfallen können, was von Hautwiderstand und -feuchtigkeit, elektrischer Ladung des Körpers und anderen Umgebungsfaktoren abhängig ist. Man kann nachvollziehen, daß so wunderschöne Bilder und Strahlenkränze bedeutungsvoll erscheinen müssen, sollte sich aber über ihr wahres Wesen im klaren sein. Einer Bekannten wurde einmal in der Analyse eines Kirlianfotos im Rahmen einer öffentlichen Veranstaltung mitgeteilt, sie würde aufgrund des negativen Einflusses ihrer Familie keinen Gebrauch von ihren spirituellen Gaben machen. Darüber ärgerte sie sich, bekam Streit mit Mann und Kindern und war nahe daran, sie zu verlassen. Ich frage mich, ob die Leute sich über die Auswirkungen solcher verantwortungsloser »Diagnosen« bei ihren Klienten im klaren sind?

KAPITEL 11

Schwingungslehre und die Nutzung subtiler Energien

Nutzung subtiler Energien

Viele Jahre schon habe ich davon geträumt, eine Möglichkeit zu finden, die in der Materie enthaltene Energie umzuwandeln und für Heizung, Beleuchtung, Fortbewegung und alle anderen Arten von Energiebedarf zu verwenden. Diesen Punkt habe ich in dem Kapitel über Kristalle, Resonanz und moderne Physik bereits angedeutet. Obwohl man aber von Zeit zu Zeit über Menschen hört, die angeblich die Lösung aller Energieprobleme gefunden haben, folgt doch nie etwas Konkretes nach.

Die modernen Atomkraftwerke wandeln ein winziges bißchen Materie in brauchbare Energie um, die sie als Elektrizität durch das Stromnetz ins ganze Land hinausschikken. Wieviel besser wäre es doch, so etwas nach einer sicheren Methode bei sich zu Hause durchführen zu können! Aber – ganz ehrlich! – in jedem Zuhause befindet sich bereits so ein wunderbares Instrument, das Materie in Wärme und Antriebsenergie umwandeln kann: Man nennt es Mensch! Und die meisten von uns Menschen sind um einiges sicherer und produzieren weniger giftige Abfälle als eine Kernkraftwerksanlage. Das Problem ist nur: Wie läßt sich diese Fähigkeit der Energieumwandlung in einem Gerät verwirklichen, das keine menschliche Energie zum Antrieb braucht?

Es gibt Leute, die können kraft ihrer Konzentration bewußt Wunder wirken. Das ist in der Regel eine Vergeudung spiritueller Energien, aber es ist doch möglich.

Wenn der Geist sich konzentriert und die bewußte Kontrolle über eines der inneren Zentren gewinnt, stehen ihm alle Energien unterhalb dieses Zentrums zur bewußten Verfügung und können nach Belieben eingesetzt werden. Es gibt auch solche, die unbewußt Wunder wirken können. Das heißt, daß sie im Subtilen so beschaffen sind, daß die Kraft ihres Verlangens und Willens unbewußt solche Energien nutzbar macht und Dinge geschehen läßt. Dies mag einer der Gründe für Poltergeist-Phänomene sein, die so häufig mit dem Gefühlsleben junger Menschen in Verbindung gebracht werden. John Keely, geboren 1837, gestorben 1898, bemühte sich zeit seines Lebens, die subtilen Energien zu einer Triebkraft umzuwandeln, die unablässig und unabhängig von ihm selbst wirkte. Daß Keely imstande war, subtile Energien zu transformieren, stand außer Zweifel. Er konnte der Geschäftswelt so überzeugende Demonstrationen seiner Fähigkeiten geben, daß man ihm innerhalb von fünf Jahren 5 Millionen Dollar zur Finanzierung seiner Forschungen anvertraute. Versuchen Sie sich vorzustellen, wieviel Geld das vor über einem Jahrhundert gewesen sein muß! Keely ließ ein Zeppelinmodell von acht Pfund Gewicht im Raum umherfliegen, das »angetrieben« wurde von der umgewandelten Energie eines auf der Geige gespielten Tones. Mit der gleichen Energiequelle startete und betrieb er einen 25-PS-Motor. Unter Nutzung der (wie er es nannte) vibro-molekularen oder vibro-atomaren Kraft konnte Keely eine massive Eisenkugel auf dem Wasser treiben lassen und mehr als 30 kg Gewicht an einem Flaschenzug hochziehen. Und mehr als einmal hat er sich und sein Labor fast in die Luft gejagt. Aber nie gelang es ihm, eines seiner Geräte auch ohne seine Anwesenheit funktionieren zu lassen.

Schließlich wurden seine Förderer ungeduldig und verlangten per Gerichtsbeschluß eine vollständige schriftliche

Aufzeichnung seines Werkes, damit andere es abschließen könnten. Er weigerte sich und wurde schließlich wegen Mißachtung des Gerichts ins Gefängnis gesperrt.
Der einzige weitere überlieferte Fall eines Menschen, der subtile Energien in physische Kraft umwandelte, ist die Geschichte von Wilhelm Reich. Geboren in Österreich 1897, studierte Reich zunächst Psychologie und Psychiatrie. Da er seine sehr individuellen Ansichten nicht gerne zurückhielt – weder im beruflichen noch im politischen Bereich –, war es für Reich ratsamer, in den dreißiger Jahren nach Amerika auszuwandern.
Im Laufe seiner Tätigkeit als Psychiater entfalteten sich die psychischen Fähigkeiten Reichs, und er konnte einige der Aura-Energien und subtilen Energie-Ausstrahlungen sehen. Diese Energie bezeichnete er als Orgon-Energie, und er beschrieb sie weitgehend so wie die Yogis, Weisen und Hellseher der alten und neuen Zeit.
Reich und Keely hatten eine Grundtheorie gemeinsam; beide sprachen von atmosphärischen, subtilen Energien in Form von Korpuskeln. Keely entwickelte dieses Konzept zu einer komplexen Theorie und gebrauchte viele neue Begriffe; die bereits genannte vibro-molekulare oder vibro-atomare Kraft nannte er auch die »dynasphärische Kraft«. Reich gebrauchte den Terminus Bionen oder »Energiebläschen«. An manchen Tagen kann man – besonders am Meer, in den Bergen oder in der Wüste – diese Lichtbläschen tatsächlich sehen, wie sie gleich kleinen Mücken oder Würmchen in der Luft tanzen und nach wenigen Sekunden wieder verschwinden. Man denkt meist, das seien nur Flecken vor den Augen, aber sie sind nicht immer da, und in geschlossenen Räumen kann man sie nicht sehen. Wenn man aber nach draußen geht, sind sie wieder da und tanzen.
Die Energiebläschen sollen auf eine Aufladung des Sauerstoffs mit Prana oder Lebenskraft von innen zurückzu-

führen sein, die ihnen dieses starke, weiße Licht verleiht. Eine Form dieses Pranas, von dem es eine Vielzahl von Arten oder Schwingungen gibt, hat mit den subtilen Energien zu tun, die von der Sonne ausgehen. Dieses Sonnenprana versorgt die Lebewesen mit Energie, teils durch direkte Aufnahme in unser biophysikalisches Energiesystem und teils durch die Energieaufladung und Erzeugung solcher Bionen oder Energiebläschen, die infolge dessen an sonnigen Tagen häufiger sichtbar werden. Das könnte ein weiterer Grund sein, warum im Laufe eines trüben, dunklen Winters und langer Regen- und Wolkenperioden leicht ein Energiemangel in unserem Geist-Fühlen-Körper-Komplex entsteht, weil nämlich die Sonnenprana-Konzentration in der Atmosphäre abnimmt, wenn die Sonne nicht scheint. Man sagt auch, die Milz besitze eine wichtige feinstoffliche Entsprechung oder ein Nebenchakra, das weitgehend verantwortlich sei für die Aufnahme und Verteilung feinstofflicher Energie aus der Umwelt – einschließlich der Bionen – in den Körper.
Aus seinen Schriften geht übrigens nicht klar hervor, ob Reich nur jene Energiebläschen in der Luft meinte oder von einer eher universellen Durchdringung grobstofflicher Materie mit subtiler sprach. Reich fand jedoch heraus, daß er mit Hilfe eines Behälters, dessen Wände aus wechselnden Schichten organischen und anorganischen Materials bestanden, die Orgon-Energie sammeln konnte – vielleicht aufgrund eines Zusammenhangs, der dem Treibhauseffekt entspricht, der bekanntlich bewirkt, daß Wärme hereinkommt, den Innenraum jedoch nicht wieder verlassen kann. Mit diesem Gerät, das er Orgon-Akkumulator nannte, stellte Reich verschiedene Forschungen an. Eine modifizierte Form des Akkumulators bezeichnete er als »Orgon-Kanone«; dabei handelte es sich um eine Röhre, durch die die Orgon-Energie zu therapeutischen Zwecken – und mit beträchtlichen Erfolgen! – auf bestimmte Körperteile gerichtet wurde.

In der Annahme, die negativen Wirkungen der Radioaktivität seien auf Störungen und Disharmonien der Orgon- oder subtilen Energien zurückzuführen, folgerte Reich, wenn man eine Probe radioaktiven Materials in einen Orgon-Akkumulatur gäbe, würde das positive, gesundheitsspendende Orgon die negative Wirkung der Radioaktivität ausgleichen. Die ganze haarsträubende und doch faszinierende Geschichte wurde damals in Reichs Orgon-Bulletin veröffentlicht; eine Zusammenfassung findet sich u. a. in Aubrey Westlakes Buch *Pattern of Health.*

Reich und seine Mitarbeiter legten ihre Probe radioaktiven Materials zuerst in einen einfachen Orgon-Lader. Dieser wurde in einen 20schichtigen Orgon-Akkumulator im Orgon-Laboratorium gelegt, das wiederum mit Orgon-verstärkenden Materialien ausgekleidet war. Die Intensität der radioaktiven Strahlung wurde nicht gemessen, da man nicht ahnen konnte, was bald darauf geschah. Binnen weniger Stunden jedenfalls war die Radioaktivität um den Orgon-Akkumulator herum alarmierend hoch angestiegen. Das Experiment wurde noch etliche Tage fortgesetzt, bis Reich und seine Mitarbeiter merkten, daß sie krank wurden. Sie zeigten Symptome wie Übelkeit, Schwindel und Kopfschmerzen, und die Luft im Laboratorium war zeitweise bläulich. Eine von Reichs Kolleginnen kam fast ums Leben, nachdem sie den Kopf beim Reinigen des Akkumulators ins Gehäuseinnere gesteckt hatte.

Aber es sollte noch schlimmer kommen. Zunächst hatte man ein Massensterben unter den Labormäusen zu beklagen, und später stellte sich heraus, daß die Radioaktivität sich in Form einer erhöhten Hintergrundstrahlung über eine Fläche von 1300 Quadratkilometern ausgebreitet hatte. Die Versuchsgeräte wurden auf der Stelle zerlegt, und Reich und seine Mitarbeiter erlangten nicht nur ihre Gesundheit wieder, sondern fühlten sich wohler als je zuvor.

Reich deutete das Geschehene folgendermaßen: Normalerweise positive, freundliche Orgon-Energie (OR) wurde negative, destruktive, tödliche Orgon-Energie (DOR) unter dem Einfluß der starken negativen Strahlungen des radioaktiven Materials. Die Rückkehr zu einer übernormal guten gesundheitlichen Verfassung schrieb er der positiven Orgon-Energie zu, die gegen die negative oder tödliche Orgon-Energie »zurückschlug«, zumindest im Organismus der Betroffenen. Man mag darüber spekulieren, zu welchen Ergebnissen Reichs Experimente geführt hätten, wenn er Zugang zu Yaos Pulsoren gehabt hätte und in der Lage gewesen wäre, die Polaritäten und Disharmonien von subtilen Energien umzukehren. Unglücklicherweise wurden die erwarteten, besser kontrollierten Folge-Experimente nie durchgeführt, da die Kontroversen, die Reich mit seiner Arbeit und verletzenden Schriften ausgelöst hatte, schließlich zu seinem Sturz führten. Er war wegen einer Bagatelle vor Gericht zitiert worden, erschien aber nicht, weil er der Ansicht war, daß ein uninformierter Jurist nicht imstande sei, über fortschrittlichste, wissenschaftliche Versuchsarbeit ein Urteil abzugeben. Nach weiteren Vorladungen und Strafen kam er schließlich für zwei Jahre wegen Mißachtung des Gerichts ins Gefängnis. Reichs Laboratorien wurden niedergerissen, seine Aufzeichnungen verbrannt und seine Schriften mit einem Publikationsverbot belegt. Zum Glück haben einige seiner Werke, die sich bereits in den Händen interessierter Leute befanden (einschließlich der Rundbriefe, in denen er über den Stand seiner Forschungen berichtete), jene Aktionen überlebt.
Reich glaubte nicht, daß die Behörden ihn am Leben lassen würden, und er starb tatsächlich im Gefängnis, angeblich an einer natürlichen Ursache. Unter Reichs sonstigen Errungenschaften befand sich auch seine »Wolken-Kanone«, mit der es ihm gelungen war, in der Wüste

von Arizona Regen zu erzeugen, nachdem er seine Gerätschaften nahe einer Wasserquelle installiert hatte. Wie schon Keely behauptete auch Reich, eine Methode entwickelt zu haben, die als »Motorkraft« nutzbar gemacht werden könne! Wie dies im einzelnen vor sich gehen sollte, hat er – vielleicht klugerweise – nie zu Papier gebracht; wir werden also nie erfahren, wie oder ob ihm das Behauptete wirklich gelungen war.

Reich war ein geborener Forscher, aber man kann sich kaum des Gefühls erwehren, daß er starke negative und selbstzerstörerische Kräfte in sich hatte. Keine Situation und kein Experiment ist ganz ohne einen persönlichen Faktor, und je subtiler die Versuchsebene, desto stärker wirken sich persönliche Faktoren aus. Wieviel von der Energie, mit der Reich experimentierte, von ihm selbst und seinen sensitiven Mitarbeitern kam und wieviel davon aus den »Bionen« stammte, ist heute unmöglich zu sagen.

Ich bin überzeugt, daß die subtilen Kräfte zum Wohle der Menschen nutzbar gemacht werden können, aber dazu wird es vielleicht erst dann kommen, wenn wir als Bewohner des Planeten Erde so weit sind, solche Kräfte zu unserem Guten einzusetzen. Trägheit, Habgier, Voreingenommenheit, nackte Gewalt und Machthunger, irrationales politisches Schwärmertum – alle diese Dinge bedeuten doch, daß die Menschen noch nicht reif sind, mit so gewaltigen Kräften umzugehen. Eines Tages aber werden wir Menschenkinder vielleicht in eine liebevollere und rücksichtsvollere Harmonie mit den großen Kräften der Natur hineinwachsen. Einen anderen Weg – außer dem Untergang – aus unserem derzeitigen Dilemma hinaus kann ich mir nicht vorstellen.

Ein sechsdimensionales Universum

Bevor die Technik jedoch die Entwicklung neuer Methoden zur Erschließung der subtilen Bereiche in Angriff nehmen kann, muß erst ein theoretisches und wahrscheinlich auch mathematisches Modell existieren, auf dessen Grundlage solche Gedanken aufzubauen wären. Je mehr sich ein Modell oder eine Theorie auf die innere Realität des Kosmos bezieht, desto wahrheitsgetreuer und stärker wird es sein.

Es muß also das vertikale, kreative Energiespektrum mit einbeziehen, und ich möchte mir die Freiheit nehmen, ein solches Modell – basierend auf der Dimensionalität – hier vorzuschlagen.

Dimensionen, die über unsere äußerliche Realität hinausgehen, sind Vorstellungen, mit denen Science-fiction-Autoren und Mathematiker schon seit langem experimentieren – und zwar in einem Umfang, daß wir darüber ganz vergessen, was eine »Dimension« tatsächlich ist. Ich würde eine Dimension als einen Aspekt definieren, in dem »Realität«, wie wir sie erleben und begrifflich verarbeiten, sich manifestiert. Sie ist vor allem als mathematisches oder logisches Konzept zu gebrauchen, und jede identifizierte Dimension erlaubt es uns, spezifisch und mathematisch die »Dimensionalität« eines Gegenstandes zu definieren – seinen »Ort« oder seine Manifestation innerhalb der gewählten Dimensionen.

So erhält jeder Gegenstand eine Position im »Raum«, der durch drei Abstands-Dimensionen bestimmt wird, die rechtwinklig zueinander sind. In ihrem Rahmen lassen diese drei Dimensionen uns genau definieren, *wo* etwas ist und wie *groß* es ist. Die drei Dimensionen sind *lateral* (von Seite zu Seite), *vertikal* (nach oben und unten) und *vorwärts/rückwärts*.

Mathematiker definieren sie als die x-, y- und z-Achsen von Bewegung und Position:

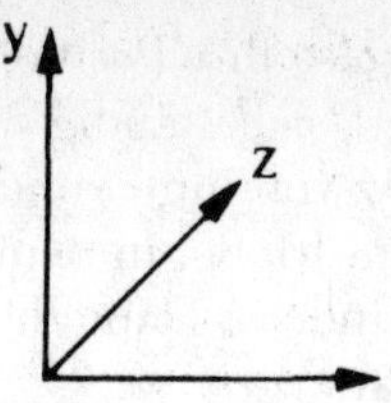

Darüber hinaus verändert sich unser physisches Universum mit der *Zeit.* Ja, Bewegung und Differenz existieren automatisch in der Zeit. Zeit ist ein wesentlicher Aspekt der Dualität, der Polarität, von der Differenz Betrachter und Gegenstand der Betrachtung. Deshalb sagen wir, daß in der totalen Einheit der Quelle das ewige Jetzt ist, wo es keine Veränderung gibt. Zeit ist also eine vierte Dimension, von der wir Gebrauch machen, um »Wirklichkeit« zu definieren.

Nun haben wir schon wiederholt darauf hingewiesen, daß »nichts« aus dem »Nichts« kommt, daß man nicht »etwas« für »nichts« erhält, daß äußere, physische Wirklichkeit Substanz von innen erhält durch ein vertikales Energiespektrum, das zurückführt zur Quelle, zur ewigen Unwandelbarkeit, zum Schöpfer in aller manifestierten Existenz, zum Gott in jedem Partikelchen, in jeder Schwingung des Universums, im Inneren wie im Äußeren. Die Energiemuster im Innern beeinflussen die äußerliche Manifestation, oder vielmehr: sie erschaffen sie.

Auf ähnliche Weise, so haben wir festgestellt, beeinflußt auch das Äußere die Muster im Innern.

Damit erhalten wir zwei weitere Dimensionen in unserer Sicht jeglichen Geschehens oder Gegenstandes: die Richtung der Erschaffung von innen nach außen und die Vervollständigung des Energiekreislaufes von außen nach innen; beide Dimensionen verlaufen entlang dem vertikalen, schöpferischen Energiespektrum. Man kann sie, ganz einfach, als die *nach innen* und *nach außen* gerichtete Dimension bezeichnen.

Jede Gegebenheit hat also ihre Position im dreidimensionalen Raum, verändert sich ständig mit der Zeit, erhält Substanz oder Existenz von innen und beeinflußt die inneren Energien in dem Maße, in dem ihre äußeren vier Dimensionen sich verändern. Damit haben wir ein sechsdimensionales Universum.
Dies alles wäre nur von theoretischem Interesse und kaum von praktischem Wert, wenn es uns nicht auch ein Mittel böte, physikalische Gegebenheiten tiefer zu verstehen, aber auch letztlich einen Weg öffnete, auf dem wir an der materiellen Erschaffung neuer Instrumente und Anlagen arbeiten können, die uns eine Energiequelle liefern oder Gesundheit und Wohlbefinden verbessern. Ich bin weder Mathematiker noch Physiker, aber da dieses Konzept die »Wirklichkeit« korrekt wiedergibt, muß es doch gewiß auch einige wissenschaftliche Kraft und Relevanz besitzen?
Während ich dies schreibe, erleben wir die Nachwirkungen des Reaktorunglücks von Tschernobyl. Es ist nur allzu offensichtlich, daß wir zuverlässigere Methoden zur Nutzbarmachung der aller Materie innewohnenden Energie finden müssen. Unsere Vorgehensweise braucht mehr Subtilität. Solange das wissenschaftliche Denken nicht die wesenhafte *Einfachheit* versteht, die allen natürlichen Prozessen zugrunde liegt – ihre einfache Polarität und Bewegung und Erschaffung von innen –, werden wir immer mit dem Gefühl zu kämpfen haben, daß man, um viel zu bekommen, viel zu tun habe oder daß nur harte Arbeit zu Reichtum führe. Das ist schlichtweg falsch. Alles Erforderliche ist das rechte Handeln zur rechten Zeit und am rechten Ort. Wissenschaftlich gesprochen, geht es nur noch darum, zu wissen, was rechtes Handeln, wo der rechte Ort und wann die rechte Zeit ist!

Relativität, Quantenmechanik und ein geordnetes Universum

Albert Einstein, der eine deterministisch-mathematische und eine allgemein wissenschaftlich-philosophische Theorie der Gesetze formulierte, die Raum, Zeit und Energie zugrunde liegen, drückte seine Einstellung zum Wahrscheinlichkeitsdenken der scheinbar gegensätzlichen, doch ebenso mächtigen Quantenmechanik mit den oft zitierten Worten aus: »Ich kann nicht glauben, daß Gott mit dem Universum würfelt.« Ein großer Teil der Bemühungen unserer theoretischen Physiker gilt dem Versuch der Vereinigung jener beiden vom Ansatz her gegensätzlichen Theorien, die beide nach wie vor bestehen, weil jede überzeugend imstande ist, energetische Gegebenheiten im physischen Universum zu beschreiben und vorauszusagen.

Doch wir wollen Determinismus und Wahrscheinlichkeit etwas näher betrachten. Wir werfen eine Münze und sagen, es sei Zufall, ob sie auf Kopf- oder Zahlseite zu liegen komme. Dabei meinen wir aber: *Innerhalb des Möglichkeitsrahmens von Kopf oder Zahl* können wir von einer zufälligen Resultatverteilung ausgehen. Wie zufällig aber ist der Zufall, wenn es nur zwei Möglichkeiten gibt? Mit anderen Worten: Dem Wahrscheinlichkeitsaspekt des Geschehens liegt eine deterministische Ordnung zugrunde.

So ist bei allen Phänomenen von Wahrscheinlichkeit und statistischer Analyse die Vorgabe von *Mustern* wesentlich. Börsenmakler und Versicherungsgesellschaften, aber auch alle Arten von Lotterien funktionieren in voller Kenntnis der Muster, die sich vermutlich entfalten werden. Die Anerkennung des Umstandes, daß es Muster gibt, die sogenannten Zufallsereignissen zugrunde liegen, bedeutet, daß es ein fundamentales Gesetz oder Prinzip gibt – etwas Deterministisches, ein Teil der Manifestation von Karma, von Ursache und Wirkung –, *etwas, das nicht zufällig ist.* Der Umgang mit Wahrscheinlichkeits-»Gesetzen« setzt zwangsläufig ein deterministisches Substrat, eine Ordnung voraus. Ob wir dieses Gesetz verstehen und falls ja, wie weit bzw. wie tief, ist eine andere Frage.

Auch die mathematischen Formulierungen der Quantenmechanik sind ein mächtiges Mittel, um Gegebenheiten auf physischer Ebene zu beschreiben – wie schon die Formulierungen der statistischen Wahrscheinlichkeit hervorragend geeignet sind, das Ergebnis von Würfel- oder Münzwurf zu beschreiben. Zugrunde liegt aber ein Energiefeld, strukturiert von unbekannten Kräften, die den universellen Prinzipien von Polarität und Ursache und Wirkung folgen, den fundamentalen Gesetzen von Energiebeziehungen. Eine Annäherung an diese noch nicht beschriebenen Kräfte wird zu einer Vereinigung von Relativitätstheorie und Quantenmechanik führen. Ich würde also sagen: Einstein hat recht; Gott würfelt nicht mit dem Universum; es sieht nur aus unserer beschränkten Sicht so aus.

Tatsächlich scheint jeder, der an die Zufälligkeit des Kosmos glaubt, an einem grundlegenden Mangel an Naturbeobachtung zu kranken: Erblicken wir denn nicht ein wunderbares Panorama voll Ordnung, Struktur und Gestaltung, angefangen vom Verhalten subatomarer Materiepartikel über Kristalle, Biochemie, komplizierteste Lebensformen bis hin zu Planeten, Sternen und Milchstraßensystemen?

Wenn wirklich Zufälligkeit die Oberherrschaft innehätte, dann müßte es eine unendliche Zahl von Möglichkeiten für alles geben, um die Theorie zu bestätigen. Eine solche Vorstellung scheint lächerlich und entspricht gewiß nicht dem Zustand der Dinge, wie wir sie antreffen. Die Wahrscheinlichkeitstheorie braucht Ordnung und Determinierung, um irgendeinen Sinn zu haben. Sie gleicht einer Theorie, die das Verhalten von Schaumblasen auf der Wasseroberfläche beschreibt und sich darauf so einseitig konzentriert, daß sie ganz vergißt, vom Ozean Notiz zu nehmen, der ihnen Existenz verleiht. Aber so ist es doch mit allen großen wissenschaftlichen Meilensteinen – das Naheliegende ist erst dann offenkundig, wenn man uns darauf hinweist!

Theorie des skalaren Elektromagnetismus und Technik im virtuellen Feld

Aus Sicht, Wahrnehmung und Verständnis der Yogis und Mystiker sind sowohl das physische, sichtbare Universum als auch die höheren, inneren Regionen aus *Prakriti* manifestiert. Prakriti ist Urenergie oder Urnatur, die erste Ursache oder Essenz materieller Substanz. Materie im äußerlichen, wissenschaftlichen Sinne ist ihr letztlich-äußerlicher Ausdruck. Prakriti ist das, was der schöpferischen Kraft des Einen – auch Shabd genannt – Form gibt, wenn sie den Bereich des universalen Geistes erreicht. Form ist gewissermaßen das Ergebnis von Spannung und Belastung und manifestiert sich unter dem Einfluß der drei Gunas oder Dualitätsaspekte innerhalb der Ur-Prakriti. Prakriti ist sozusagen die erste Form, die sich innerhalb der höheren materiell-mentalen Region manifestiert. Alle anderen Formen sind von ihr abgeleitet.
Diese Betrachtung der Urenergie und der Bildung »tieferer« Schwingungen und Formen aufgrund von Spannung oder eingeschlossener Möglichkeit innerhalb der subtileren Ebene oder Dimension liegt der vermutlich aufregendsten wissenschaftlichen Theorie von Materie, Energie und materiellen Phänomenen zugrunde, die es noch

zu formulieren gilt. Man nennt sie die *skalar-elektromagnetische Theorie.*
Einer der wichtigsten Vertreter und Entwickler dieser Theorie ist Oberstleutnant Thomas Bearden, ein theoretischer Physiker und Nuklear-Ingenieur, der inzwischen vom Militärdienst pensioniert ist, aber einen großen Teil seines Lebens in amerikanischen Militärkreisen gearbeitet hat. Ungefähr die Hälfte von George Yaos Buch *Pulsor – Miracle of Microcrystals* besteht aus einer faszinierenden, nicht-mathematischen Darstellung dieser skalar-elektromagnetischen Theorie, die Bearden verfaßt hat.
Die Vertreter der konventionellen modernen Physik, Relativität und Quantenmechanik erliegen einem grundsätzlichen Denkfehler, wenn sie meinen, es gebe ein *fundamentales* Existenzfeld innerhalb der Grenzen materieller Wahrnehmung – wenn sie sagen, daß Materie und Kraft tatsächlich aus dem Nichts kämen, jenseits dessen es nichts gebe. Mathematische und philosophische Denkrichtungen haben immer wieder versucht darzulegen, daß die »Herkunft aus dem Nichts« ein verständlicher Prozeß sei, aber noch ist es theoretischen Physikern und Mathematikern nicht gelungen, befriedigende und konsistente Gesetze für die Existenz von Materie auf dieser Grundlage vorzustellen. Das ist auch nicht überraschend.
Die skalare Elektromagnetik (EM) dagegen entstand bei Wissenschaftlern, die sich tieferer und innerer Dimensionen ihres eigenen Lebens gewahr sind, deren Bewußtsein und Erfahrung Höheres erlebt hat und die deshalb erkennen, daß den meisten Theorien in der modernen Physik im Grunde das Verständnis fehlt, daß Energien von innen erschaffen werden und im Innern existieren.
Die skalare EM verdrängt nicht Einsteins Relativitätstheorie und die Quantenmechanik, zeigt aber, daß diese nur ein Spezialfall sind und gewisse materielle Phänomene wohl erklären können, aber nur unvollständig – auch

Einstein widerlegte nicht Newtons Auffassung oder erklärte sie für überholt, sondern stellte sie nur in den weiteren Zusammenhang seiner Erkenntnisse.
Die Forschung der skalaren EM wird fortgesetzt und ist wissenschaftlich verifizierbar durch den Bau hochentwickelter Geräte und Instrumente, deren Funktionieren man sehen kann. Bearden behauptet, die Russen hätten schon seit vielen Jahren an Skalar-EM-Geräten gearbeitet und besäßen bereits ein bedeutendes Arsenal solcher Energie-Apparate. Diese neue Forschung scheint mir der weitreichendste Fortschritt im wissenschaftlichen Denken und Verstehen seit der Formulierung der Relativitätstheorie zu Beginn unseres Jahrhunderts (1905–1915) und der Quantenmechanik (1926) zu sein.
Einer ihrer Grundgedanken ist, daß jede sichtbare Null, jedes sichtbare »Nichts« (z. B. ein Vakuum) aus einer unendlichen Zahl von *Substrukturen* bestehen kann, die, zusammengenommen, null oder »nichts« ergeben und damit den *Anschein* von »Nichts« erwecken, das in Wirklichkeit aber aus »etwas« Realem besteht. Die konventionelle Theorie betrachtet den Punkt, an dem Kräfte sich zu null summieren, *als* null; die skalare EM kann dagegen jede Null als substrukturell verschieden verstehen.
Es sind:

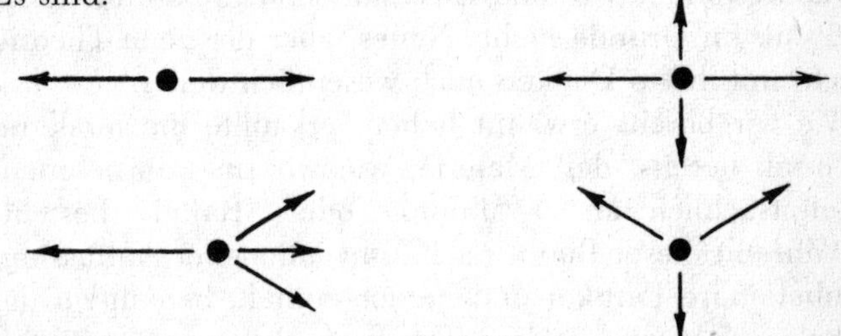

am Nullpunkt alle gleich, aber in ihrer Substruktur doch recht verschieden.
Zwei oder mehr elektrische oder magnetische Felder zum

Beispiel können, zusammengenommen, null ergeben, aber der Nullpunkt, der frei ist von jeglichen Feldwirkungen, enthält ein gespanntes oder eingeschlossenes Potential, das der Summe seiner Substrukturen entspricht. Jede in bezug auf den Nullpunkt »unausgeglichene« Veränderung im Aufbau der Substrukturen wird zu sichtbaren Feldwirkungen führen. Diese bezeichnet die konventionelle Physik als das Feld selbst, die neue skalare EM dagegen erkennt die Wichtigkeit der Potentiale, die das Feld geschaffen haben. Potentiale werden somit als »reale Dinge« betrachtet, während Felder nur Auswirkungen sind. Das ist eine Umkehrung der konventionellen Denkweise, die das Potential allgemein in Begriffen seiner Wirkungen definiert, aber nicht als das »reale Ding« ansieht.

Um es genauer auszudrücken: Was wir vielleicht für ein »leeres« Vakuum halten, ist in Wirklichkeit »vollgepackt« mit Potential – mit Möglichkeit – , das in seiner Summe null ergibt, einen stabilen Zustand, der uns wiederum zu der Illusion verleitet, es sei »nichts da«. Diese Gegebenheit wird als der *virtuelle* Zustand des *elektrostatischen Skalar-Potentials* bezeichnet, eines Skalarwertes, der nur durch Größe charakterisiert wird, d. h. ein Potential ohne Manifestation. Virtuelle Zustände sind für die moderne Physik im Grunde nichts Neues, aber die neue Theorie geht mit ihrem Denken noch wesentlich weiter.

Wie wir bereits erwähnt haben, erkannte die moderne Physik bereits, daß Materie, wie wir sie wahrnehmen, hauptsächlich aus »Vakuum« oder »Raum« besteht. Während dieser Raum nach konventioneller Auffassung subatomare Partikel und Felder enthält, behaupten die skalare EM und andere Theorien, die den Begriff des virtuellen Zustandes prägen, daß diese Partikel und Felder in Wirklichkeit auf Aktivität in der virtuellen oder skalaren Substruktur beruhen.

Diese physisch nicht beobachtbare Energie nannte Bearden *Anenergie.* Veränderungen innerhalb der Substruktur des gespannten, eingeschlossenen Potentials des virtuellen Zustandes oder der Anenergie führen zu wahrnehmbaren Phänomenen, zu unserem äußerlich sichtbaren physischen Universum.
Weiterhin ist Vakuum nach der neuen Theorie mit dem relativistischen Begriff der *Raumzeit* gleichzusetzen, deren Krümmung in der konventionellen Relativitätstheorie aufgrund des Vorhandenseins von Masse zu Gravitationseffekten führt. Beardens Anenergie könnte man also auch als *raumzeitliche Spannung* bezeichnen.
Bearden erklärt, wie Masse, Spin, Ladung, subatomare Partikel, elektrische Felder, Magnetfelder, die Lichtgeschwindigkeit, Gravitation und alle anderen fundamentalen Kräfte und Phänomene unserer physischen Welt in direktem Zusammenhang mit Veränderungen und Anordnung im virtuellen Zustand stehen und von diesen ausgehen.
Der virtuelle Zustand selbst manifestiert sich aus höheren oder mehr im Innern liegenden virtuellen Zuständen, die bis zu den Ebenen der mentalen Energie emporreichen.
Der virtuelle Zustand des elektrostatischen Skalarpotentials ist damit die Blaupause oder der Bauplan innerhalb der subtilen Energie, über die wir in diesem Buch schon ausführlich gesprochen haben. Dieser neue Blickwinkel gibt uns eine wissenschaftliche Basis für das Verständnis aller subtil-physischen Phänomene.
Die Atmosphäre eines Ortes zum Beispiel ist eine subtile Kodierung der virtuellen Energiemuster, die sich zwar immer noch auf die gleiche Weise summieren und die gleichen äußerlich wahrnehmbaren Phänomene erzeugen, die aber in ihrer inneren, eingeschlossenen Substruktur anders sind.
Da der virtuelle Zustand auf einer noch höheren Ebene

auch die mentalen Energien umfaßt, gibt uns dies eine Erklärung, wie die Schwingungskodierung jedes beliebigen Ortes oder Gegenstandes auch geprägt sein kann von den Personen, die mit ihm in Verbindung gekommen sind, von ihren Gefühlen und Motivationen – d. h. eine Erklärung der Psychometrie, also der Fähigkeit, Schwingungen zu lesen. Wir finden nun auch eine Grundlage für meinen Gedanken eines »subatomaren Fingerabdrucks«, über den ich in Kapitel 6 geschrieben habe. So können wir nachvollziehen, wie Speisen etwas von Charakter oder Stimmung derer annehmen, die sie zubereiten, weil nämlich die gedanklichen Intentionen, Motive, Stimmungen und Wesenszüge in die subtile oder virtuelle Substruktur der Nahrungsmittel selbst kodiert werden und jene, die sie zu sich nehmen, beeinflussen, indem sie deren Energien mittels Resonanzwirkungen in ähnliche Richtungen lenken. Man hört oft, daß der Koch im Hause den Schlüssel zur Harmonie der Menschen um sich hat und daß Speisen, die in konzentriertem Bewußtsein und mit geistiger Liebe zubereitet werden, das Bewußtsein aller erheben werden, die sich von ihnen nähren. Das ist wohl der innere Sinn des Segnens – eine innere Wandlung, die über das Ritual, die äußere Form, hinausgeht und eine veredelnde, erhebende Wirkung herbeiführen kann.
Die Theorie der skalaren EM leistet aber mehr, als uns nur eine Vorstellung darüber zu ermöglichen, durch welche Mechanismen Manifestation stattfinden kann, denn da sie eine echte wissenschaftliche Theorie ist, umfaßt sie auch die nötige Mathematik und Physik, um den *virtuellen Zustand zu manipulieren* und Auswirkungen auf der grobstofflichen oder wahrnehmbaren Ebene zu erzeugen. Unter Verwendung relativitätstheoretischer Begriffe, aber aus der Sicht ihrer eigenen neuen Denkweise beschreibt sie, wie – durch Summierung elektrischer und magnetischer Felder zu null – das Energieerhaltungsprinzip über

das Medium des virtuellen Zustandes zu einem Ausbrechen oder »Ausbluten« in gewisse Bereiche des Gravitationsfeldes führt. Mit anderen Worten: Durch Manipulation der elektromagnetischen Wirkungen der virtuellen Substruktur kann diese Substruktur selbst *deterministisch* und *quantifizierbar* verändert werden, was zu Veränderungen in der wahrnehmbaren, physischen »Realität« führt.

Solche Skalar-EM-Techniken sind bereits Gegenstand von Experimenten und bieten auch die theoretischen Grundlagen für echte »Freie-Energie-Maschinen«. Die Vorstellung von Maschinen, die mit »freier Energie« angetrieben werden, wurde in der herkömmlichen Physik schon lange lächerlich gemacht, weil sie allem Anschein nach die Gesetze der Energieerhaltung verletzt in der Annahme, man könne etwas für nichts bekommen. Das ist natürlich korrekt, aber aufgrund der neuen Sicht können wir erkennen und mathematisch formulieren, daß – wenn das eingeschlossene Potential des virtuellen oder subtilen Zustandes zur Manifestation gebracht werden kann – der sichtbare Energiegewinn auf physisch beobachtbarer Ebene ausgeglichen wird durch eine Reduzierung der Spannung, durch einen Potentialverlust im Virtuellen. Damit ist den Gesetzen der Energieerhaltung Genüge getan.

Beachten Sie, daß solche Manipulationen der virtuellen Substruktur theoretisch sowohl Materialisation als auch Dematerialisation nicht nur elektromagnetischer Phänomene, sondern auch von Masse, Ladung, Spin etc., d. h. von »Gegenständen«, zulassen. Masse nämlich wird als stehende *Skalarwelle* im virtuellen Zustand (gefangen im Partikelspin) betrachtet. Skalarwelle oder -muster im virtuellen Zustand werden durch innere Resonanz innerhalb der Masse erzeugt. Es ist also theoretisch möglich, Gegenstände zu dematerialisieren und an einem anderen

Ort zu rematerialisieren, indem man ihre physische Existenz in den virtuellen Zustand zurückführt und dann durch »Lösen der Spannung« die Rematerialisierung an einem anderen Ort auslöst, indem man einfach die räumlichen Parameter der materiellen Existenz moduliert. Bearden nennt eine Reihe seiner Kollegen, die bereits mit vorläufigen Prototypen von Anlagen für »freie Energie« arbeiten und damit die skalare Umwandlung von chemischen Elementen erreichten, schwere Gegenstände durch Anti-Schwerkraft hoben usw. Man fühlt sich an Keely und Reich erinnert, die beide sozusagen in die Skalarwellen-Technik gestolpert waren, ohne deren Zusammenhänge genau zu verstehen.
Skalarwellen, d.h. Längsdruckwellen in der potentiellen Energie des virtuellen Zustandes, lassen sich durch eine Reihe von Methoden erzeugen, die sowohl elektromagnetischen als auch mechanischen Druck ausüben. Wenn zwei solcher Skalarwellen deterministisch erzeugt und so ausgerichtet werden, daß sie sich – wie Strahlen zweier Suchscheinwerfer – in einiger Entfernung von ihrer Quelle kreuzen, dann kann die Interaktion oder Interferenz dieser beiden virtuellen Wellen dort beobachtbare Energie produzieren, und zwar durch einen Vorgang, den Bearden als »Entflammen« bezeichnet. Anenergie wird zu wahrnehmbarer Energie »entflammt« – zu elektromagnetischen, subatomaren Partikeln, Masse usw. Diese Technik nennt man *Skalarwellen-Interferometrie*, und auf diesem Gebiet sollen die Russen bereits Experten sein.
Systeme, die elektromagnetische Energie in subtile Energie oder Skalarwellen und umgekehrt verwandeln können, bezeichnet Bearden als *Übersetzer* (translator), und dazu gehören – nach seinen Angaben – Plasmen, ionisierte Gase, Kristalle unter Druck, Pulsore, Reichs Orgon-Akkumulatoren, Skalar-Interferometer, einige Halbleiter-Substanzen, dielektrische Kondensatoren usw.

Die Erde selbst, schreibt er, sei ein gigantischer Skalarwellen-Generator mit vielfältigen Resonanzen, und Erdenergien seien daher subtile Skalarwellen, verbunden mit mineralischem Inhalt und physischer Spannung. Weiterhin sind viele UFO-, Kugelblitz- und andere Phänomene als zufällige Skalarwellen-Interferenzen von durch Erdspannung erzeugten Skalarwellen zu erklären, die sich in der Atmosphäre treffen und durch ihr »Entflammen« zur Bildung von elektromagnetischer Energie im sichtbaren Spektralbereich führen. Diese Hypothese erlangt zusätzliches Gewicht durch die Tatsache, daß solche Phänomene häufig in der Nähe bestimmter geologischer Gegebenheiten beobachtet werden – zum Beispiel über Granitformationen; Granit besitzt sowohl eine kristalline Struktur als auch eine überdurchschnittliche Radioaktivität. Plötzliche Ausbrüche von »UFO«-Aktivität könnten, so gesehen, eine Art von Skalarwellen-Erdbeben oder ein auf Erdspannungen zurückzuführendes Phänomen sein.
Man hört oft, daß UFOs auf menschliche Intelligenz ansprechen und sich in Übereinstimmung mit den Gedanken des Beobachters bewegen. Selbst dies wird verständlich, denn Gedankenenergie ist eine höhere Schwingung von Skalarwellen und läßt sich aufgrund der harmonischen Entsprechungen auf das beobachtete Phänomen einstellen. Die »entflammende« subtile Energie, die das »Ufo« hervorbringt, könnte sich also leicht in die Gedanken des Beobachters »einklinken« lassen und sich dann entsprechend bewegen und manifestieren.
Bearden meint sogar, die beiden Hälften des menschlichen Großhirns wirkten als Skalarwellen-Generatoren und -Detektoren, und die bekannten, elektrischen Gehirnwellen seien nur der »Bodensatz« oder »Niederschlag« der Skalarwellen-Aktivität. Bearden weist darauf hin, daß alle Aktivität im Nervensystem im Grunde genommen vom Ursprung her skalar sei und daß das

neuronale Synapsensystem ideal geeignet sei zur Skalarwellen-Erzeugung. Wenn dagegen die Natur tatsächlich die Absicht gehabt hätte, das Nervensystem primär zur Leitung von Elektrizität auszulegen, hätte sie uns mit einem Netz von geraden Drahtleitungen oder etwas Entsprechendem ausgestattet.

Die Kenntnis solcher Zusammenhänge liegt den psychotronischen Anlagen zugrunde, die von der Sowjetunion angeblich verwendet werden, um die Stimmung in der Welt zu manipulieren. Die schon erwähnte »Aktion Specht« gebraucht ein Signal, das in seinem aktiven, virtuellen Zustand skalar ist und Oberschwingungen besitzt, die auf Ebenen mentaler oder emotionaler skalarer Anenergie wirken. Auf ähnliche Weise können die Schwingungsmuster von Krankheit auf skalarer Ebene kodiert und dann theoretisch ausgesendet werden.

Auch das Poltergeist-Phänomen, von dem wir bereits sagten, daß es meist mit dem Gefühlsleben von Kindern und Jugendlichen assoziiert wird, ließe sich so als unterbewußte Projektion von Skalarwellen-Aktivität erklären, die zur spontanen Bewegung von Gegenständen führt. Auch Ektoplasma- und Materialisationserscheinungen bei spiritualistischen und anderen Medien, die mit der Kommunikation zwischen dem Medium und dessen unsichtbarem Partner einhergehen, erhalten hier eine neue Erklärung.

Die Bionen sind höchstwahrscheinlich auch auf eine Interferenzerscheinung subtiler Energien zurückzuführen, die als Nebenprodukt auch Licht hervorbringt; vielleicht sind diese hellen und flüchtigen Funken auch Interferenzpunkte in einem Gittermuster mehrerer Skalarwellen, die die Atmosphäre gerade durchkreuzen. Ich habe selbst beobachtet, daß ihr Erscheinen oft mit dem Aufbau elektrischer Spannung vor Sommerstürmen zeitlich verbunden ist; dann jedenfalls begegnet man den tanzenden Lichtfunken besonders häufig.

Auch manche kosmischen, subatomaren Partikel verdanken ihren Ursprung vielleicht zum Teil dem »Entflammen« des energiereichen Vakuum-Potentials im interstellaren Raum.
Das Wissen darum, wie Phänomene sich materialisieren können, wie materielle Substanz ihre innere virtuelle, skalare oder subtile Substruktur widerspiegelt und wie elektromagnetische Kräfte sich wie Schaumbläschen oder Wellen an der Oberfläche des virtuellen Energie-Ozeans bilden, gestattet uns, zahlreiche, bislang unerklärliche Phänomene auch wissenschaftlich zu verstehen.
Wenn man Lethbridges Katzenschnurrhaare mit ihren piezoelektrischen Eigenschaften im Licht dieser Theorie betrachtet, so besitzen sie Fähigkeiten zur Entdeckung von Skalarwellen. Gleiches gilt für den »sechsten Sinn« und allgemein jeglichen Aspekt von Schwingungswahrnehmung, der sich bei Menschen und anderen Arten von Lebewesen finden läßt. Da Skalarwellen in der Lage sind, alle Substanzen auf grobstofflicher Ebene zu durchdringen, bedarf es keiner körperlichen Sinnesorgane, um sie wahrzunehmen, und man könnte sich vorstellen, daß das Gehirn und das Zentralnervensystem bereits auf die Skalarwellen-Aufspürung eingestellt sind.
Kugelblitze (siehe Kapitel 4) könnten ebenfalls ein Interferenzphänomen virtueller Anenergie sein, das aus einem Energiewirbel entsteht, der aus irgendeinem Grund einen vorübergehend stabilen Komplex bildet, von dem ausgehend sich elektromagnetische Energie auf Wellenlängen des sichtbaren Spektralbereichs manifestiert. Man mag sich die Frage stellen, wie lange es noch dauert, bis es eine neue Generation von Kinderspielzeugen gibt, die unter Nutzung der Skalarwellen-Interferenztechnik eine Vielfalt kaleidoskopischer und anderer Muster scheinbar aus dem Nichts hervorzaubert! Auch die physische Manifestierung von Gegenständen ist theoretisch möglich.

Das eigentümliche Verhalten von Tieren vor einem Erdbeben – selbst schon, bevor seismische Vorbeben und Erschütterungen festzustellen sind – ist wahrscheinlich durch eine ungewöhnliche Skalarwellen-Aktivität begründet, die von den unter erhöhtem Spannungsdruck stehenden Fels- und Kristallmassen in der Erdkruste ausgehen, die sich natürlich erst aufbauen, bevor sie durch das Erdbeben aufgelöst werden. Tiere nämlich sind im Normalfalle sensibler für Skalarwellen als Menschen.
Wir sagten schon im Zusammenhang mit dieser Theorie, daß Erdenergien Skalarwellen sind, die aufgrund des Mineralgehaltes und von Spannungsfaktoren im Gestein (das vielfach kristalline Struktur hat) entstehen. Es wäre möglich, daß der höchst kreative, aber häufig sozial unstabile Charakter der Kalifornier auf die Anreicherung durch Skalarwellen-Resonanzen in diesem stark erdbebengefährdeten Gebiet der Erde bedingt ist – aber das ist nur ein Gedanke am Rande.
Interessanterweise sind die einzigen Skalarwellen-Versuchslabors, die mir bekannt sind, in Kalifornien und in Japan zu finden; auch Japan ist geologisch von Spannungen in der Erdkruste geprägt und wird häufig von Erdbeben heimgesucht.
In der Akupunktur wirken kleine Magnete, Elektrostimulierung, Handenergien (Akupressur) oder die Anwendung mechanischer Reize (Nadel) auf das empfindliche Gleichgewicht der Materialisation ein, verändern den Zustand der virtuellen Energie an Akupunktur- oder anderen Punkten. Man nimmt an, daß die Chakras wichtige Skalarwellen-Resonanzen im Körper bilden, während die Nadis und Akupunktur-Meridiane Skalarströmungen darstellen, die an den Akupunkturpunkten besondere Resonanzen aufweisen.
Und so könnte man fortfahren. Viele der in diesem Buch genannten und besprochenen Phänomene lassen sich aus

der neuen Sicht der Skalarwellen-Theorie erklären. Elektromagnetische Strahlung – das Ergebnis von Substrukturen subtiler Energien – wird umgekehrt auch die Harmonie der subtilen Energie beeinflussen. Die chemische Verseuchung eines Gebietes wird die Tendenz zeigen, sich über Skalarwellen-Übertragung auszubreiten, vielleicht über den ganzen Planeten, selbst wenn die Quelle der Verseuchung aus chemischer Sicht isoliert wurde.

Die Substruktur von Kristallen kann mental dahingehend programmiert werden, daß sie Informationen trägt – oder man verwendet sie einfach zur Konzentration oder Weiterleitung mentaler Vorsätze. Pulsoren werden ebenfalls als Skalarwellen-Resonatoren beschrieben aufgrund der Struktur, Größenanordnung, Schichtung und Positionierung in den dünnen Filmen aus Mikrokristallen, aus denen sie bestehen. Selbst Keelys Fehlschlag – er wurde weiter oben in diesem Kapitel erwähnt – ist verständlich, denn sein Zeppelinmodell, das von der umgewandelten Kraft eines Geigentones angetrieben wurde, brauchte nicht nur die Anwesenheit von Keelys eigener, mentaler Skalarenergie, sondern auch das aufgeladene Skalarpotential seines Laborraumes. Ohne Keelys Anwesenheit und die subtile Ladung seines Arbeitsplatzes (entstanden aus seinem eigenen Denken und Tun) konnten die Experimente nicht funktionieren.

Die Radionik ist eine reine Skalarwellen-Wissenschaft, in deren Praxis sowohl die Intention des Behandlers als auch die Schwingung der Materialprobe Voraussetzungen für einen Erfolg sind. Aufgrund dieser raumzeitlichen Aspekte der Skalarwellen-Theorie gibt es einen holographischen Effekt, der zuläßt, daß die Schwingung eines Teiles (Materialprobe) das Wesen des Ganzen widerspiegelt.

Morphogenetische Felder lassen sich als skalare Substrukturen verstehen, die elektrischen Spannungsgefälle

des Körpers als Feldwirkungen der Skalarwellen-Aktivität, während die Geist-Fühlen-Körper-Verbindung sich klar in Energiebegriffen definieren läßt.
Theoretisch ist vorstellbar, daß hochentwickelte Methoden zur Beeinflussung der Skalarwellen-Substruktur eingesetzt werden können, um Krankheit zu heilen oder zu lindern – freilich innerhalb des höheren Bezugsrahmens, den das individuelle Karma des Patienten bestimmt. Man sagt oft, daß Energiemedizin die Medizin der Zukunft sei. Die Manipulation der subtilen Energiefelder ist der Schlüssel zur Verwirklichung dieser Aussage, und die Skalarwellentechnik stellt eines der möglichen therapeutischen Verfahren dar.
Die Skalarwellentheorie bietet also ein weites Feld von Anwendungsmöglichkeiten. Die Theorie selbst hat natürlich Raum für die klassische Mechanik, für die bekannten »Naturgesetze« und die makroskopisch wahrnehmbaren Phänomene. Auch sie will nichts anderes, als die subtilen und grobstofflichen Aspekte des physischen Lebens begrifflich zu erfassen. Sie ersetzt oder verdrängt also keineswegs das spirituelle Leben und bietet auch keine Darstellung der höheren Regionen der Seele und des inneren, mystischen Erlebens. Diese sind höher als alles Denken, höher als das in Worten Faßbare. Allerdings könnte diese neue Sicht auch einen spirituellen Denkanstoß geben.

Schwingungslehre

Man kann nicht oft genug wiederholen, daß die moderne Technik, historisch betrachtet, erst für einen Bruchteil einer kosmischen Sekunde existiert. Sie hat sich entwikkelt und entfaltet sich weiter in – für uns – erstaunlichem Tempo, und doch sind die grundlegenden, begrifflichen

Durchbrüche nur relativ wenige an der Zahl und liegen zeitlich weit auseinander. Der große Erfinder Nikola Tesla bemerkte einmal, daß der Unterschied zwischen ihm und Edison darin bestehe, daß er selbst ein echter Erfinder sei, der neue Vorstellungen hervorbrachte und völlig neue Apparate baute, während Edison ein Designer sei, der in brillanter Weise von bereits vorliegenden Ideen Gebrauch machte und sie geradezu genial zur Anwendung führte. Man sollte ergänzen, daß es Tesla war, der schon vor der Wende zum 20. Jahrhundert *in seinem eigenen Geist* ein vollständiges elektrisches Wechselstromsystem mitsamt Induktionsmotor, Generatoren, Transformatoren usw. ausdachte, entwarf, konstruierte und als Prototyp testete – zu einer Zeit, als man Edisons Gleichstromgenerator, den Gleichstrommotor und Glühbirnen für die einzige praktische Möglichkeit zur Nutzung der Elektrizität hielt. Tesla besaß die höchst erstaunliche Fähigkeit, seine Erfindungen im Geiste zu entwerfen, bis hin zum letzten Detail und zum Zehntelmillimeter. So – im Geiste – testete er auch seine Prototypen, und das bedeutete, daß seine Apparate, wenn sie schließlich gebaut waren, in der Regel bereits beim ersten Versuch funktionierten und nur noch winzige Verfeinerungen notwendig waren.

Laut Bearden verstand Tesla intuitiv die Mechanismen der Skalarwellen-Übertragung und ihre Verbindung zum Elektromagnetismus; die sogenannten Tesla-Wellen sind mit den Skalarwellen identisch. Tesla hatte tatsächlich Pläne ausgearbeitet, nach denen der ganze Planet in eine bestimmte Skalarresonanz zu bringen sei, um »den drahtlosen Transport von Energie über jede Entfernung« durch skalar-interferometrische Effekte zu ermöglichen, aber sein Werk wurde nie vollendet.

Leider besaß Tesla nicht den richtigen Geschäftssinn, was ausgenutzt wurde. Obwohl Kenner seines Werkes ihn als

»den Mann, der das 20. Jahrhundert erfand« bezeichnen, erkannten viele – selbst zu seinen Lebzeiten – gar nicht an, daß das Vermögen, das sie mit dem praktischen Einsatz seiner Wechselstromsysteme gemacht hatten, seiner Arbeit zu verdanken war. Tesla arbeitete sogar eine Zeitlang für Edison, verbesserte dessen Gleichstromanlagen und entwarf neue Geräte, verließ ihn aber enttäuscht, als der versprochene finanzielle Lohn für seine Arbeit – die Vereinbarungen darüber waren nie schriftlich oder rechtskräftig niedergelegt worden – nicht ausbezahlt wurde.
Tesla »dachte elektrisch«. Er entwarf das Radio als Anlage zur drahtlosen Rundfunksendung etliche Jahre, bevor Marconi es auf den Markt brachte. Sein ehrgeiziges Projekt, ein weltweites drahtloses Sende- und Empfangssystem zu bauen, scheiterte und mußte demontiert werden, weil die Geldmittel ausgingen, nachdem Tesla seinen Anspruch auf einen Dollar Lizenzgebühren pro PS für die Nutzung seiner Wechselstrompatente aufgab, um einem Freund aus finanziellen Schwierigkeiten zu helfen. Seine Idee der drahtlosen und weltweiten Übertragung von elektrischer Energie noch vor Anbruch unseres Jahrhunderts wird erst in jüngster Zeit von den modernen Theorien der skalar-elektromagnetischen und virtuellen Energien wieder als Möglichkeit in Betracht gezogen.
Obwohl die Entwicklung zahlreicher Nutzanwendungen, Sekundärtheorien usw. recht schnell vor sich geht, wenn erst einmal eine wichtige, neue Idee oder Denkweise eingeführt ist, erweist sich die Geschwindigkeit, mit der radikal neue Betrachtungsweisen vorgestellt und dann schließlich akzeptiert werden, als sehr gering. Ich glaube, die Ursache für dieses Phänomen liegt darin, daß eine neue Betrachtungsweise Zeit braucht, um reifen zu können und zum integralen Bestandteil einer Kultur zu werden. Je weiter wir außerdem, ausgerüstet mit einer Fami-

lie von Grundbegriffen, einen Weg entlang und in eine Richtung marschieren, desto schwieriger ist es, einen anderen Weg zu betreten, eine andere Richtung oder Betrachtungsweise einzuschlagen, eine neue Sicht unserer Errungenschaften oder der weißen Flecken auf der Landkarte unseres Wissens und Erkennens anzunehmen.
Darum werden die Gedanken, denen ich in diesem Buch Ausdruck gegeben habe, manchen Leuten neuartig erscheinen, während andere erkennen werden, daß das Dargestellte in mancher Hinsicht nichts weiter ist als ein Zusammenfließen moderner, rationaler Wissenschaft und der uralten Weisheit östlicher Kulturen. Es bietet nicht so sehr eine Herausforderung als ein Abenteuer, nicht eine Konfrontation von Gegensätzen, sondern ein Verschmelzen von Ähnlichkeiten.
Es ist notwendig zu erkennen, daß es tatsächlich kein wirklich objektives Erleben gibt; alles, selbst das mit unseren Sinnen Wahrgenommene, erleben wir *in* uns. Wenn wir einen Gegenstand sehen, denken wir, er sei außerhalb von uns. Aber das Licht, das diesen Gegenstand darstellt, wird von unserem Auge zu einem umgekehrten Abbild auf der Netzhaut umgewandelt, wird dann in unserem Sehnerv zu einem elektrischen Impuls, wird im Gehirn entschlüsselt, die Information selbst in subtilere Energien transformiert und von unserem menschlich-physischen Geist wahr-genommen – in dem unser persönliches Ichgefühl, unser Identitätssinn verankert ist –, und wir erlangen das Gefühl, den Gegenstand gesehen zu haben. Was aber gibt uns die Gewißheit, daß die Wahrnehmungsrichtung von außen nach innen ist und nicht von innen nach außen? Haben wir nicht das Empfinden, von innen zu blicken? Der große indische Mystiker Kabir schilderte seine eigene Erfahrung schon im vierzehnten Jahrhundert folgendermaßen: »Das Innere und das Äußere sind wie *ein* Himmel geworden.«

Diese Welt ist das Spiel des Karmas, ein Spiel von Ursache und Wirkung. Was im Äußeren geschieht, *ist bereits geschehen*, aufgrund unseres Tuns in der Vergangenheit. Unser äußeres Leben *ist bereits in uns vorhanden* und erwartet seine Manifestation als unser Schicksal. Die Saat wurde bereits gelegt, das Spiel hat schon lange begonnen. Wie die auf Zelluloid gebannten Einzelbilder eines Kinofilmes werden die Bilder in kontinuierlicher und exakter Aufeinanderfolge auf die Leinwand unseres äußeren Lebens übertragen. Aber die Zuschauer – wir selbst – haben nicht den Eindruck, einem Film zuzusehen. Wir verstrikken und verbinden uns mit den Rollen und Szenen, die vor uns präsentiert werden, wir identifizieren uns mit den Traumsequenzen so lange, bis wir das Gefühl haben, Teil von ihnen zu sein, und sie für die Realität halten. Mein eigener spiritueller Meister bemerkte einmal: »Das Problem besteht im Grunde doch darin, daß das, was wir sehen, nicht existiert, und das, was wir nicht sehen, tatsächlich existiert.« Das große Ziel des Hindu, Abstand zu gewinnen von der Illusion, von der Maya, findet eine wissenschaftliche Bestätigung, wenn Physiker uns sagen, daß das, was wir mit unseren Sinnen wahrnehmen, nicht identisch ist mit dem, was wissenschaftliche Instrumente aufnehmen. Wer hätte je den wirbelnden Tanz subatomarer Energien gesehen, aus dem unsere physische Welt besteht? Keiner außer wenigen Medien und Mystikern, die von fast allen Physikern für irrelevant (wenn nicht Schlimmeres) gehalten werden. Wäre ich Physiker von Beruf und erführe von jemandem, der tatsächlich die Welt der subatomaren Materie und Energie gesehen hat, würde ich ihn auf der Stelle kennenlernen wollen. Ich würde auch wissen wollen, wie er zu seiner Schau gelangt ist. Aber Vorurteile und das menschliche Ego bilden eine abschirmende Trennwand vor dem, was wir zu wissen und erfahren wünschen.

Deshalb müssen wir wachbleiben für die Wahrscheinlichkeit, daß es neue wissenschaftliche Denkmodelle geben wird, die uns vorgestellt werden und unsere Haltung zur Technik ebenso wie zur Lebensphilosophie radikal verändern werden. Wir müssen bereit sein, unsere gedankliche Trägheit zu überwinden, unser Ego, unseren Neid und das ganze Heer unwürdiger Gedanken und Emotionen, die uns so menschlich machen.

Wir wollen uns einmal – und sei es nur zum Spaß – einer neuen wissenschaftlichen Denkweise zuwenden, einer Denkweise, die ich *Schwingungslehre* genannt habe. Die Schwingungslehre würde ich definieren als jenen Zugang zur Wissenschaft, der den ganzen Kosmos – sowohl »äußerlich« als auch innerhalb lebendiger Geschöpfe – als einen wirbelnd-lebendigen Tanz von Energiemustern auffaßt. Dabei besteht unsere Wissenschaft in der Analyse dieses Tanzes, d. h. in der Entdeckung von Energiebeziehungen und entsprechenden – mathematischen oder anderen – Modellen, die uns ermöglichen, physisch, emotional und mental innerhalb dieses Tanzes effektiver zu leben und zu wirken. Unsere Apparate oder Instrumente (ja, auch ein Großteil unseres Lebens) werden dann nichts weiter tun als Energiemuster neu zu ordnen, in Übereinstimmung mit unserem neuen Verständnis ihrer gegenseitigen Beziehungen. Dies schenkt uns auch eine Basis für eine ökologisch gesunde Wissenschaft, die kein Geschehnis, Gerät, Werkzeug oder menschliches Tun mehr als vom ganzen Kosmos getrennt betrachten kann – denn alles hat eine Verbindung zu allem anderen, wie fein diese auch sei.

Doch da die bisherige Methode, unsere physische Realität wissenschaftlich zu analysieren, am einfachsten ist, hat sich der größte Teil unserer heutigen Wissenschaft darauf konzentriert, einzelne Objekte zu beobachten und zu identifizieren; Gegenstände, Teilchen, Brocken, Moleküle, Atome usw.

Selbst die Energie-Austauschvorgänge und Kräfte werden auf die identifizierbaren Muster und Wellenformen, auf Energie-Einheiten reduziert: Ohm, Photonen, Wellenlängen und Frequenzen, um nur einige zu nennen. Ist er erst einmal identifiziert und quantifiziert, kann unser säuberlich aufgespießter (aber toter) Schmetterling zum Gegenstand der Mathematik werden – der Sprache unserer Wissenschaft –, und schon sind wir auf dem Wege zu einer Unzahl von Erfindungen und Plänen – und das ist ja zum Teil gar nicht schlecht.
Betrachten Sie es aber einmal einen Augenblick lang von einem vielleicht poetischeren Standpunkt. Wir wollen unsere eigenen, subjektiven Erlebnisse von Bewußtsein und Sein, von Schönheit und Häßlichkeit mit in den Schmelztiegel geben, all unsere Reaktionsmuster gegenüber Menschen, anderen Lebewesen, Gegenständen und Geschehnissen, aus denen unsere Tage bestehen. Dann haben wir unser Meer vibrierender Energie-Austauschvorgänge. Durch das Erkennen und *Einschätzen* des »Objektiven« sind wir wieder in dem subjektiven Bereich der Dinge, wie wir sie erleben.
Ich glaube, alle unsere führenden Wissenschaften können von einem Umdenken im Sinne der Schwingungslehre profitieren. Die moderne Physik muß noch tiefer die grundlegende Rolle von Bewegung und Polarität als elementalen Aspekt der Energie-Existenz erkennen und wissen, daß Energie in einem vertikalen, kausal-schöpferischen Spektrum existiert, nicht nur in horizontalen, kausalen Beziehungen. Wellen- und Schwingungsmuster und ihre Verbreitung auf subatomaren Ebenen müssen eingehender erforscht werden. Die skalar-elektromagnetische Theorie und der ganze Komplex der virtuellen Energie bedarf noch eines beträchtlichen Maßes weiterer Denkarbeit, Anerkennung und praktischer Forschung. Die Molekularbiologie muß die Existenz ihrer Moleküle

als einen Schwingungs-Energie-Komplex betrachten, der auch seine elektronischen, magnetischen, subatomaren und subtilen Zustände umfaßt.
Um ökologisch gesunde Pläne zu verwirklichen und Anlagen zu bauen, müssen Mathematik und Ingenieurwesen imstande sein, einen gewaltigen Bereich bisher nicht überdachter oder erforschter Zusammenhänge und subtiler Oszillationsmuster in ihre Überlegungen einzubeziehen, um ein vollständigeres Modell des dynamischen und eng verwobenen Spiels von Mustern, Bahnen und Wegen der Energie erarbeiten zu können. Physiologie, Anatomie, Biologie, Botanik, Ökologie – sie alle brauchen eine ganzheitlichere Denkweise. Sie brauchen das Verständnis von dem schwingungsmäßigen Ganzen, in dem sie sich bewegen, von den super-aktiven Prozessen im Bereich der Lebensenergien und ihren Widerspiegelungen auf den makroskopischen, leichter wahrnehmbaren Ebenen, auf denen jene Disziplinen arbeiten.
Eine neue Schau, ein viel weiterer Horizont sind nötig. Dieses Sehen ist – im Äußeren – zwangsläufig komplexer als das heute vorherrschende Denken, aber im Herzen kommt es der Einfachheit und dem Einssein näher. Eines seiner Resultate wird eine Technik und ein verstehendes Denken sein, die zu einer Harmonie führen, zu einem Verschmelzen unserer persönlichen Interessen mit denen der Menschheit, zu einem Zusammenfinden von Wissenschaft und spirituell fundierter Philosophie und zu einer einheitlicheren und heileren Atmosphäre auf unserem Planeten.

EPILOG

In den wenigen Monaten zwischen Fertigstellung dieses Buches im Dezember 1985 und nun, da ich es zu letzten Korrekturen vor dem Druck zurückerhalte, habe ich von vielen Forschern und denkenden Menschen auf der ganzen Welt gehört, die auf ähnlichen Gebieten arbeiten – besonders im Zusammenhang mit den bioelektronischen etc. »Informationsspeicher«-Systemen unseres Körpers und der nicht-zufälligen Bedeutung der Energiemuster, die unsere Existenz bilden. Manch einer würde nun denken: »Was für ein Zufall!«, aber dieses Phänomen, daß wissenschaftlich Forschende unabhängig voneinander arbeiten, aber zur gleichen Zeit zu den gleichen Ergebnissen gelangen, ist weithin bekannt. Es erinnert auch an das schon wiederholt beobachtete Phänomen ähnlicher Veränderungen in Gesellschaft, Philosophie oder Moral, die fast unabhängig voneinander in verschiedenen Teilen der Welt in ähnlichen gesellschaftlichen Gruppen zur gleichen Zeit hervortreten.

Wenn Sie am Meeresstrand eine Welle betrachten, dabei Ihren Blick aber nur auf jene Abschnitte des Wellenkammes konzentrieren, die brechen, dann werden Sie einzelne, aber ähnliche Dinge mit scheinbar unerklärlicher Gleichzeitigkeit geschehen sehen. Wenn Sie aber die Welle selbst betrachten, vermögen Sie zu erkennen, daß ein wesentlicher Teil der Energie des ganzen Geschehens darin besteht, daß die Welle fast gleichzeitig, getrennt aber nicht unabhängig, auf ihrer ganzen Länge bricht. Das liegt in Wesen und Natur der Dinge.

Diese Welle – das umfassend-ganzheitliche Verständnis der Schwingungsnatur von Energiemustern – fängt gerade an zu brechen. Ich werde fasziniert und beglückt sein über jeden, von dem ich höre, daß er ähnlich arbeitet oder denkt. Ich bin zur Zeit bei der Arbeit an weiteren Büchern und würde sowohl aus persönlichem Interesse gerne von solchen Pionieren hören, aber auch für den Fall, daß ich dazu beitragen kann, die Aufmerksamkeit eines größeren Publikums auf ihr Werk zu lenken. Wir leben in einer aufregenden Zeit!

DANKSAGUNG

Einen großen Teil der Grundlagen für den Prolog und das erste Kapitel bezog ich aus der Literatur des Radha Soami Satsang Beas und aus zahlreichen Gesprächen mit anderen Anhängern dieser Lehre. In einigen Fällen wurden wörtliche Zitate gebracht, die dann mit einer entsprechenden Quellenangabe versehen sind. (Eine vollständige Bibliographie der benutzten Literatur befindet sich am Ende des Buches.) An anderen Stellen wurde sinngemäß und ohne weitere Quellenangabe zitiert. Die beiden genannten Abschnitte dieses Werkes stützen sich hauptsächlich auf die Forschungen und Schriften von Flora Wood, deren Verständnis esoterischer Dinge die rein akademische Darstellung bei weitem übersteigt, da sie die Frucht lebenslanger spiritueller Beschäftigung und Praxis ist. Ich bin ihr auch dankbar dafür, daß sie das Manuskript durchlas und mir mit einer Reihe wertvoller Hinweise half.

Es sind viele Menschen, die direkt oder indirekt zum Entstehen der anderen Teile des Buches beigetragen haben. Auch ihnen schulde ich Dank. Marie-Michelle Bailey und Sheila Clark tippten und korrigierten das Manuskript unzählige Male (Gott sei Dank gibt es Textverarbeitungs-Computer!). Der Fahnenabzug dieses Buches für meine Frau Farida wurde so gründlich von ihr bearbeitet, daß er schon reichlich zerfleddert aussieht, und sie hat mir in vielerlei Hinsicht sehr geholfen. Als ich den Abschnitt über die Miasmen der Homöopathie schrieb, hatte ich eine Reihe ergiebiger Gespräche mit Roger Savage, und

George Yaos Vorstellung und Darstellung der subtilen Energien haben sich als sehr wertvoll erwiesen. Alan Hext, mein Akupunkteur, erhielt zweimonatlich – kapitelweise – Bericht über den Fortgang der Arbeit (während ich entspannt auf seinem Behandlungstisch liegen sollte!); dabei vermittelte er mir so manche hilfreiche Idee und Einsicht. Sue Evans, Pat Walsh, Ivor Perry, Roya Bahari und viele andere von Faridas Augendiagnose-Schülern beteiligten sich an fruchtbaren Diskussionen, und gemeinsam förderten wir kostbare Anregungen und Gedanken zutage. Mein Dank gilt auch Simon Martin, der sich neben seiner Arbeit als Herausgeber und Journalist die Zeit nahm, ein wohlüberlegtes Geleitwort zu schreiben, sowie meinem Verleger, Ian Miller, dessen Sinn für Humor mich bei der Stange hielt, während er geduldig zusah, wie mein Buch sich allmählich zu etwas ganz anderem entwickelte als das, was zu veröffentlichen er ursprünglich sein Einverständnis gegeben hatte.
Folgenden Autoren und/oder ihren Verlegern bin ich für die Genehmigung zum Abdruck von Zitaten aus den genannten Werken dankbar:
Fritjof Capra: *The Tao of Physics (Das Tao der Physik)*
Sylvia Collier: *Canonsburg*, Observer, 10. 3. 1985
Davis/Rawls: *The Magnetic Effect*
Davis/Rawls: *Magnetism and Its Effect on The Living System*
John Evans: *Mind, Body and Electromagnetism*
T. C. Lethbridge: *The Power of the Pendulum*
Juan Mascaro: *Introduction to the Bhagavad Gita*
R. P. Aug. Ponlain: *The Mystic Experiences of Medieval Saints*
Lowell Ponte: *The Menace of Electric Smog*
Sir Karl Popper, *The Logic of Scientific Discovery*
Radha Soami Satsang Beas: *The Path of the Masters, The Master Answers, Spiritual Gems, The Mystic Bible*

George Sandwith: *Eyewitness to Shamanism*
Anthony Scott-Morley: *Geopathic Stress – The Reason Why Therapies Fail?*
Randolph Stone: *Health Building – The Conscious Art of Living Well*
Dale Walker: *The Crystal Book*
Lyall Watson: *Supernature*
Paramahansa Yogananda: *Autobiography of a Yogi (Autobiographie eines Yogi)*

BIBLIOGRAPHIE UND LITERATURHINWEISE

Die Aura

Adelman/Fine: *Aura, How to Read and Understand It* (Somaiya, 1981)
Kilner, Walter J.: *The Aura* (Weiser, New York 1984)
Spiesberger, Karl: *Die Aura des Menschen* (Bauer, Freiburg, 3. Aufl. 1983)
Tansley, David: *The Raiment of Light* (Routledge & Kegan Paul, London 1984)

Bach-Blütentherapie

Bach, Edward: *Gesammelte Werke; von der Homöopathie zur Blütentherapie* (Aquamarin, Grafing 1988)
Bach et al.: *Heile dich selbst mit den Bach-Blüten* (Droemer/Knaur, München 1988)
Chancellor, Philip M.: *Das große Handbuch der Bachblüten* (Aquamarin, Grafing 1988)

Biomagnetismus

Copen, Bruce: *Healing by Biomagnetism* (Academic Publications, 1960)
Davis/Rawls: *The Magnetic Blueprint of Life* (Exposition Press, 1979)
Davis/Rawls: *Magnetism and Its Effects on The Living System* (Exposition Press, 1974)
Davis/Rawls: *The Magnetic Effect* (Exposition Press, 1983)
Frankel, Richard: *Magnetic Guidance of Organism* in: Annual Review of Biophysics and Bioengineering, vol. 13, 1984

Elektrische und elektromagnetische Phänomene und Lebewesen

Becker, Robert O./Marino, A.: *Electromagnetism and Life* (State University of New York, 1982)

Burr, Harold S.: *Blaupause für die Unsterblichkeit* (Sonntag, Regensburg 1989)
Davidson, John: *Radiation – What It Is, What It Does To Us & What We Can Do About It* (C. W. Daniel, Saffron Walden 1986)
Dumitrescu, Ioan Florin: *Elektronographie* (Verlag für Medizin, Heidelberg 1983)
Evans, John: *Mind Body and Electromagnetism* (Element, Shaftesbury 1986)
Foulkes, Goeffrey/Scott-Morley, Anthony: *Mora Therapy: A Revolution in Electro-Magnetic Medicine* in: Journal of Alternative Medicine, Juli 1984
Hill, Scott/Playfair, Guy Lyon: *Die Zyklen des Himmels* (Zsolnay, Wien 1979)
Lakhovsky, Georges: *Das Geheimnis des Lebens* (VGM Verlag für Ganzheitsmedizin, Essen 1981)
Ponte, Lowell: *The Menace of Electric Smog* (Reader's Digest USA, Januar 1980)
Presman, A. S.: *Electromagnetic Fields and Life* (Plenum, 1970)

Erdenergien und Feng Schui

Anthony, Simon: *Superstrings: A theory of Everything?* (New Scientist, 29. August 1985)
Fidler, Havelock: *Ley Lines* (Thorsons, Wellingborough 1983)
Pennick, Nigel: *Die alte Wissenschaft der Geomantie* (Dianus-Trikont, München 1982)
Rossbach, Sarah: *Feng Schui* (Hutchinson, 1983)
Scott-Morley, Anthony: *Geopathic Stress: The Reason Why Therapies Fail?* in: Journal of Alternative Medicine, Mai 1985
Scott-Morley, Anthony: *New Wave Magnetic Field Therapy* in: Journal of Alternative Medicine, August 1985
Underwood: *The Pattern of The Past* (Pitman, 1969)

Heilen mit Farben

Hunt, Roland: *The Seven Keys to Colour Healing* (C. W. Daniel, Saffron Walden 1981)
Schiegl, Heinz: *Color-Therapie* (Bauer, Freiburg, 2. Aufl. 1982)
Wood, Betty: *The Healing Power of Colour* (Thorsons, Wellingborough 1984)

Sonstiges

Bentov, Isaac: *Auf der Spur des wilden Pendels* (Rowohlt, Reinbek 1985)
Chang, Stephen: *The Complete Book of Acupuncture* (Celestial Arts, 1976)
Capra, Fritjof: *Das Tao der Physik* (Scherz, München 1984)
Davidson, John u. Farida: *A Harmony of Science and Nature – Ways of Staying Healthy in A Modern World* (Wholistic Research Company, 1986)
Davidson, John: *Radiation – What It Is, What It Does To Us & What We Can Do About It* (C. W. Daniel, Saffron Walden 1986)
Elkin, A. P.: *Aboriginal Men of High Degree* (University of Queensland 1977)
Griggs, Barbara: *Green Pharmacy* (Norman & Hobhouse 1982)
Krippner, Stanley: *Lichtbilder der Seele* (Aurafotografie), (Goldmann, München 1982)
Lind, Jame: *A Treatise of The Scurvy* (Edinburgh 1953)
O'Neil, John J.: *The Life of Nicola Tesla* (Spearman/C. W. Daniel 1968)
Philbrick, Helen / Gregg: *Companion Plants*
Roberts, Herbert A.: *The Principles and Art of Cure by Homoeopathy* (C. W. Daniel, Saffron Walden 1979)
Szent-Györgyi: *Introduction to Submolecular Biology* (1960)
Watson, Lyall: *Geheimes Wissen* (Fischer, Frankfurt 1986)
Woodhall, John: *The Surgin's Mate* (London 1617)

Register

WEITERE INFORMATIONEN

Viele der hier erwähnten Bücher und Produkte, einschließlich des Pulsors®, sind erhältlich von:

WHOLISTIC RESEARCH COMPANY
Bright Haven
Robin's Lane
Lolworth
Cambridge CB3 8HH
England
Tel.: (England) (0)954/8 10 74

Gegen Einsendung von £ 4,00 erhalten Sie ein umfangreiches und umfassendes Informationspaket einschließlich der 72seitigen Broschüre *A Harmony Of Science & Nature – Ways Of Staying Healthy In A Modern World* von John und Farida Davidson.

Ausbildung im Gebrauch der Pulsore® und im Verständnis subtiler Energien vom Verfasser über oben angegebene Adresse. Besuche bitte nur nach Vereinbarung.

Knaur®

Köhnlechner, Manfred
Medizin ohne Maß
Plädoyer für gewaltlose Therapien. Köhnlechner zeigt die Ursachen der Fehlentwicklungen in der Arzneimittelforschung, in der klinischen Medizin und ihren Anwendungen auf den Menschen.
288 S. [4324]

Die sieben Säulen der Gesundheit
Krankheit ist kein Schicksal.
Köhnlechner gibt hier praktische Anleitung zu einer gesünderen Lebensweise. 240 S. [4322]

Obeck, Victor
Isometrik
Die erfolgreiche und revolutionäre Methode für müheloses Muskeltraining.
128 S. mit 102 Abb. [4303]

Plötz, Werner (Hrsg.)
Bewerbungsstrategien für Berufsanfänger
Mit großem Test-Training. Dieses Buch ist eine notwendige Hilfe für alle, die nach einem Schulabschluß das erste Arbeitsverhältnis anstreben. Es hilft mit Regeln und Taktiken, sich auf die allgemein üblichen Testverfahren vorzubereiten. 300 S. [7748]

Legewie, Heiner / Ehlers, Wolfram
Knaurs moderne Psychologie
Eine umfassende, wissenschaftlich fundierte und allgemeinverständliche Übersicht über die psychologische Forschung.
320 S. mit 230 meist farb. Abb. [3506]

Melzer, Wilhelm
Der frustrierte Mann
Die Krise des Patriarchats.
336 S. [3701]

Strömsdörfer, Lars
Die Kriminalpolizei rät
Wie schütze ich mich gegen Diebstahl, Betrug und Gewaltverbrechen.
168 S. mit Abb. [7692]

Wölfing, Marie-Luise
Komm gib mir deine Hand
In diesen Briefen einer Mutter an ihr sterbendes Kind wird auf erschütternde, aber auch tröstende Weise die Auseinandersetzung mit der Todeserfahrung deutlich.
128 S. [3857]

Witkin-Lanoil, Georgia
Männer unter Stress
Symptome, Gefahren, Überlebensstrategien.
Der Kreislauf beginnt mit der Erziehung »zu einem richtigen Mann«, die Sensibilität für die Warnsignale des eigenen Körpers ist den Männern aberzogen worden. Die Stressfalle ist gestellt. Dieses Selbsthilfe-Programm schafft Abhilfe.
256 S. [3851]

Stangl, Anton
Die Sprache des Körpers
Menschenkenntnis für Alltag und Beruf.
160 S. [4101]